Menk, Fr.

Des Moseltals Sagen, Legenden und Geschichten

Menk, Fr.

Des Moseltals Sagen, Legenden und Geschichten

Inktank publishing, 2018

www.inktank-publishing.com

ISBN/EAN: 9783747782477

All rights reserved

This is a reprint of a historical out of copyright text that has been re-manufactured for better reading and printing by our unique software. Inktank publishing retains all rights of this specific copy which is marked with an invisible watermark.

Des

Moselthal's

Sagen, Legenden und Geschichten,

gesammelt und herausgegeben

von

FR. MENK.

Nebst einem Handbuch für Reisende.

COBLENZ,

Verlag von J. Hölscher.

1840.

Vorrede.

Als ich vor nunmehr Jahr und Tag den Entschluß faßte, unseres herrlichen Moselthals — und
mithin auch der uralten Augusta Trevirorum —
romantische Sagen und Legenden zu sammeln,
ahnete ich nicht, mit welchen Schwierigkeiten
ein solches Unternehmen verknüpft war. Die
trierischen Geschichtschreiber hatten bisher diesem
Gegenstand wenig oder gar keine Aufmerksamkeit gewidmet und vor allen Dingen mußte mich
daher eine ausgebreitete Correspondenz mit Männern, von denen ich glaubte, daß sie sich der
Sache thätig annehmen würden, in nähere Berührung bringen. Meine Reisen, welche ich zu
diesem Behuf in die dortigen Gegenden machte,
lieferten ein geringes Ergebniß; denn die steten
Wechsel der Herrschaften, denen das Moselthal
unterworfen gewesen, verwischten in dem Volk
das Gedächtniß seiner Traditionen. Ich erkenne
auf das dankbarste an, mit welcher bereitwilligen
Zuvorkommenheit mir die Herren Martini,
Pastor zu Cues, Bisthumssekretair Ließ zu
Trier, Dechant Klütsch zu Alken, Professor

Dronke, von Stramberg, Wirthgen, J. J. Reiff hier, entgegenkamen. Waren es auch nicht gerade immer Beiträge, welche ich von den genannten Herren erhielt, so deuteten sie mir doch auf vielfache Weise den Weg an, den ich zu nehmen hatte, verschafften mir die nöthigen Quellen und theilten mir manche interessante Notiz mit. Es kann mir gewiß nicht zum Vorwurf gemacht werden, ich sei leichtsinnig und flüchtig bei der Ausarbeitung zu Werk gegangen. Gleich von Anfang an machte ich es mir zum Grundsatz, Belehrung mit Unterhaltung zu verbinden. Deshalb schied ich das historische von dem letztern und wies ihm im Anhang einen Platz an. Freilich mußte manchmal, wo alle Quellen versiegten, die dichterische Phantasie einer oder der andern Sage jenen Nimbus verleihen, der sie dem größern Publikum ansprechend macht. Ich konnte nicht darauf eingehen, daß Andere die Sage oder Legende auch anders erzählen; ich wählte in solchen Fällen stets diejenige Lesart, welche mir am wahrscheinlichsten und auch am romantischsten schien. Meine historischen Versuche, welche ich im Anhang der Kritik und dem gebildeten Publikum dargeboten, wolle man mit Nachsicht aufnehmen. Ich kann mich trotz des Fleißes, den ich darauf

verwandt, manchmal getäuscht haben, allein wie
Vielen ist dies nicht schon begegnet? Deßfall=
sige Belehrungen nehme ich mit dem größten
Dank an, und sollen selbige bei einer etwaigen
neuen Auflage berücksichtigt werden. Ein zwei=
tes Bändchen dieser Sagen soll dann bestimmt
folgen, wenn sich mittlerweile wieder Stoff vor=
gefunden hat; denn ich bin überzeugt, manchem
Mosellaner werden durch das Erscheinen dieses
ersten die Sagen und Legenden seiner nächsten
Umgebungen in's Gedächtniß zurückgerufen wer=
den. Diese Herren ersuche ich freundlichst um
ihre Mittheilungen unter Adresse der J. Höl=
scher'schen Buchhandlung hier. Unterdeß wünsche
ich diesem ersten eine freundliche Aufnahme.

Coblenz, im März 1840.

Fr. Menk (Dittmarsch).

Digitized by Google

Einleitung.

In den fernen Vogesen entspringt aus zwei Quellen die Mosella, deren Uferschönheiten und reizende
Umgebung nicht minder wie ihre historische Wichtigkeit den Wanderer von nah und fern herbeilockt. Da
strömt sie erst klein und unbedeutend, aber von Stunde
zu Stunde wachsend, durch herrliche Thäler, liebliche
Auen, lachende Ebenen. Das alte Castrum Roma-
ricum, jetzt Remiremont, Bajou, Vaudemont, das
ehrwürdige Toul, ehedem eine deutsche freie Reichs-
stadt, welches stolz genug rühmte von Tullus Hosti-
lius herzustammen, sie alle läßt sie seitwärts liegen.
Auch das reizende Nancy, berühmt durch jenes kühnen Burgunder Herzogs Tod, das Schloß Cüstine,
das uralte Pont-à-Mousson, vor allen andern aber
das ehedem so gewaltige Metz, einst die Hauptstadt
des austrasischen Reichs, bespült sie in raschem Lauf.
Bei Diedenhofen (Thionville) vorbei, tritt sie endlich bei Sirk in das deutsche Gebiet, aber erst von
Trier aus beginnt das eigentliche Moselthal sich in
seiner ganzen romantischen Schönheit zu entfalten.
Dieses Moselthal mit seiner uralten Augusta Trevirorum ist durch seine historischen Reminiscenzen einer
der interessantesten Punkte Deutschlands; hier hauste
schon vor Jahrtausenden ein Volk, dessen Bauwerke
und Cultur, selbst den verweichlichten Römer, als

er es endlich nach jahrelangen Kämpfen besiegt, in Erstaunen setzten. Hier war es wo zuerst in Deutschland das Licht des Evangeliums leuchtete, wo Tausende von Märtyrern mit Freuden für die neue Lehre in den Tod gingen. Von dem Moselthal aus verbreitete sich Cultur und Gesittung über das ganze deutsche Land. Ein solcher Strom bietet dem Alterthumsforscher das größte Interesse und die Sagen der Vorzeit klingen hier so erhaben und romantisch aus weiter Ferne zu uns herüber, daß wir ihnen gern ein geneigtes Ohr leihen.

Jetzt sind jene Zeiten der rohen Kraft, aber auch die Zeiten der biedern Derbheit verschwunden. Der fleißige Landmann bauet sein Feld, der Winzer erntet seine Trauben, ohne fürchten zu müssen, irgend ein böser Nachbar werde ihm ungestraft die Früchte seines Fleißes rauben. Unsere Moselufer bieten ein Bild des reinsten Friedens, der erhabensten Naturschönheit. An ihren Busen lege sich, wem Kummer die Seele belastet, und getröstet und geheilt wird er das herrliche Thal verlassen.

Coblenz.

Es ist all bekannt, daß Coblenz seinen Namen von Confluentia herleitet [1]). Der Gedanke an dem Zusammenfluß zweier bedeutenden Ströme ein Castell zu gründen, lag den Römern zu nahe, als daß sie diesen wichtigen Punkt hätten übergehen sollen. Drusus, welcher 9 Jahre vor Christi Geburt den ganzen Rhein entlang mehr denn 50 solcher festen Plätze zur Bezähmung unserer unterjochten Vorfahren anlegte, übersah auch diesen Punkt nicht. Die Geschichte schweigt jedoch von diesem römischen Castell, bis es 486 nach Eroberung Galliens durch die Franken unter Chlodewich unter fränkische Herrschaft kam. Es gehörte von jetzt an zur ripuarischen Provinz.

Es läßt sich vermuthen, daß schon zur Zeit der Römer Hütten und Wohnungen um dieses Castell gebaut worden waren und sich diese unter den fränkischen Königen schnell vermehrten [2]). Die noch jetzt in ihrer ursprünglichen Gestalt erhaltene Kirche ward im 9ten Jahrhundert von dem Trierschen Erzbischof Hetti gegründet. Im Jahre 836 wurden die Gebeine des heil. Castors aus Carden hierher gebracht und Kaiser Ludwig der Fromme besuchte das neu erbaute Gotteshaus 8 Tage nachher. Es heißt seitdem die Castorskirche. Von dieser Zeit an kann man Coblenz unter die Zahl der Städte aufnehmen. Erst im Jahre 1276 wurde sie indeß mit einer vollständigen festen Mauer umgeben.

Da es jedoch nicht in meinem Plan liegt, mich
allzulange bei der Geschichte einer Stadt aufzuhalten, welche größtentheils zum Gebiet des Rheins gehört, so beschränke ich mich auf das oben gesagte.
Zur Mosel selbst gehören auch nur die Gebäude,
welche längs des Flusses liegen. Darunter fallen
dem Beobachter unweit der Moselbrücke, nahe bei
der Fahrpforte, die ehemals so mächtigen Gebäude
der sogenannten Coblenzer Zwingburg auf. Die tiefen Graben sind noch sichtbar und erregen noch heute
die Aufmerksamkeit des Fremden.

Die Zwingburg.

Ihr Erbauer war der Erzbischof Heinrich, den
die Geschichte als einen Mann von eisernem unbieg-
samem Character schildert. Im Innern über den
Trotz der Bürger grollend, welche ihre Stadt gegen
auswärtige Anfälle durch Graben, Mauern, Thürme und Thore zu schützen und zu befestigen begonnen
hatten, und zugleich besorgend, diese Befestigungen
möchten seinen landesherrlichen Rechten Eintracht thun,
beschloß er 1280, beinahe im Herzen der Stadt, sich
einen festen Wohnsitz zu bauen. Er wählte zu dem
Behufe den oben genannten Platz und traf alle Anstalten zur Gründung einer äußerst festen Burg. Jetzt
aber erwachte der Stolz der Coblenzer Bürger und
namentlich der Ritterschaft[3]). Noch im selben Jahre
brach ein förmlicher Aufstand aus. Die Bürger wi-
dersetzten sich den Befehlen ihres Erzbischofs, mißhandelten die von ihm begünstigten Juden, verwehr-
ten ihm den Einzug in die Stadt und sollen ihm

selbst nach dem Leben getrachtet haben. Aber der Erzbischof zog schnell ein bedeutendes Heer zusammen und rückte vor die Stadt. Obgleich die Befestigung derselben noch nicht beendet war, so stritten die Belagerten doch tapfer; denn an ihrer Spitze kämpften die Ritter: Heinrich der ältere und Conrad Boos, Gobelin von Pessel und Jordan von Wildungen, nebst einer Menge Anderer. Der Erzbischof sah wohl ein, daß, wenn die schöne Eintracht noch lange zwischen Bürger und Ritterschaft fortdauerte, er sich vergebens den Kopf an den festen Mauern der Stadt zerrennen könnte. Deshalb mußte sein Anhang die Fackel der Zwietracht in die Herzen der Einwohner schleudern, und das Mittel wirkte besser als alle Stürme. Die edlen Ritter sahen mit blutendem Herzen, von welchem Geist die Einwohnerschaft plötzlich beseelt wurde und bemühten sich vergebens den frühern Muth herbeizurufen. Es war umsonst; Heinrich, kühn gemacht durch das Gelingen seiner Pläne, drang mit verdoppelter Kraft vor und war so glücklich die Hilfsvölker der Belagerten zu zerstreuen. Da sank den Bürgern der Muth, sie öffneten dem gestrengen Landesherrn die Thore ihrer Stadt und die Erzbischöfe von Mainz und Cöln so wie der Deutschmeister wurden zu Schiedsrichtern der Streitigkeiten erwählt. Ihr Spruch entschied, der Erzbischof solle seine Burg, die Bürger ihre Stadtmauern vollenden. Der Erstere dürfe dagegen die Letzteren in Ausübung ihrer wohlhergebrachten Rechte und Privilegien nicht stören. Die Bürger sollten hinwiederum den Erzbischof als ihren allergnädigsten Herrn anerkennen

und hinfürder keine ferneren Bündnisse zu seinem
Nachtheil schließen.   Schwerere Strafe traf die auf=
rührerischen Ritter.   Auf offenem Markt vor der Flo=
rinskirche ward ihnen von der gesammten Bürger=
schaft bedeutet, die Stadt für ewige Zeiten zu ver=
lassen.   Wenn sie es jemals wagen würden dieselbe
wieder zu betreten, so sollten sie alsbald ergriffen
und dem Erzbischof ausgeliefert werden. [4])   Der Bau
der Burg ward aber erst im Jahre 1305 beendet.

Tritt man aus der Burg, so hat man nur we=
nige Schritte zu gehen um an den Fluß zu gelangen.
Ueber denselben baute Erzbischof Balduin der Große
aus dem mächtigen Hause Luremburg im Jahre 1344 [5])

Die Moselbrücke,

noch heutigen Tags ein Gegenstand der Bewunderung
für den Fremden als Einheimischen.   Schon unsern
Vorfahren gab sie Veranlassung zu gerechtem Erstau=
nen. [6])   Sind auch heutigen Tags ihre netten gothi=
schen Verzierungen, ihre Vorsprünge, die zahlreichen
Thürmchen verschwunden, so imponirt sie doch durch
ihre unerschütterliche Festigkeit, durch den massenhaf=
ten Bau, welcher zu wiederholten Malen die Stadt
bei den furchtbaren Eisgängen rettete.

Unsäglich waren die Schwierigkeiten, welche sich
dem kühnen Erbauer der Brücke entgegenstellten und
es gehörte der Geist eines Balduin dazu, um sie alle
zu überwinden.   Besonders schwierig war die Grün=
dung der Gewölbe nach der linken Seite zu.   Er=
grimmt ob des ungewohnten Hindernisses riß die
Flußgöttin zu wiederholtenmalen die Fundamente mit

sich fort. Der Erzbischof wollte schier verzweifeln, aber er gab die Hoffnung nicht auf. So soll er eines Tags mißmuthig auf der Burg gesessen haben; der Baumeister hatte ihm eben die Nachricht gebracht: durch ein unerwartetes Steigen des Wassers seien die Arbeiten der letzten Wochen zerstört. Finster starrte Balduin auf die grollende Fläche und bemerkte es kaum, daß allmählig die Dämmerung herabsank. Sein Geist war allzumächtig von großartigen Entwürfen und Plänen ergriffen, da klopfte ihm jemand leise auf die Schulter. Er sah auf und siehe da, der Versucher in optima forma mit Pferdefuß, Hörnern und Schweif stand mit satyrisch lächelndem Angesicht vor ihm. Schon hatte der fromme Balduin die Hand erhoben um den garstigen Teufelsspuk zu exorciſiren, als ihn der Fürst der Hölle schnell unterbrach:

„Laßt das Herr Bischof!" rief er spöttisch; „ich bin in gutem Frieden zu Euch gekommen und verdiene es wahrlich nicht, daß Ihr mich so kalt von Euch stoßt. Euer Leid geht mir zu Herzen, ich muß Euch aufrichtig gestehen: ich habe Euch lieb gewonnen. Runzelt nicht darob die Stirn, warum soll der Teufel nicht auch einmal einem ordentlichen Menschen seine Neigung schenken, da er doch immer mit dem Lumpenpack, dem der heil. Petrus die Himmelsthür verschließt, zu thun hat. Hört mich ruhig an: Ich baue Euch die Brücke fertig, so fest und schön als Ihr nur immer begehrt. Dafür verlange ich nicht den geringsten Lohn, ja selbst die eine Seele, welche mir doch sonst bei solchen Gefälligkeiten zu Theil

2

wird, begehre ich nicht, ich begnüge mich mit dem
Bewußtsein, einem so wackern Mann, wie Ihr seid,
eine Gefälligkeit erwiesen zu haben. Wandelt ruhig
Euern graden Weg, wie Ihr ihn bisher verfolgt
und Ihr könnt versichert sein, ich werde Euch nie
zu nahe kommen können!"

Fürwahr die Aussicht war lockend und mancher
hätte vielleicht eingeschlagen, allein Balduins frommer, gottergebener Sinn verschmähte die Hilfe des
Bösen und überdies durchschaute er den Arglistigen.

„Anathema über Dich!" rief er deshalb nach
kurzem Bedenken mit mächtiger Stimme. „Weiche
von hinnen, ich habe keinen Theil an Dir."

Und alsbald verschwand der Erzfeind. Der Bischof maß in heftiger Aufregung das Zimmer und
dankte im Stillen dem Allgütigen, daß er ihn vor
den Verlockungen des Arglistigen bewahrt. Des Nachts
aber hatte er einen herrlichen Traum. Sein Bau
war vollendet, vollendet in schönster Pracht! Stolz
blickten die mächtigen Thürme über die starken Brust-
wehren, einladend traten die Vorsprünge zum Be-
schauen der lieblichen Gegend hervor; nett schmückten
unzählige gothische Verzierungen, Pfeiler und Balu-
strade. Das erzbischöfliche Banner flatterte in weiten Kreisen auf der höchsten Zinne. Aber dennoch
bemerkte Balduin, daß der Bau nicht ganz so aus-
geführt war, als er den Plan entworfen. Anstatt
eine schnurgrade Linie fest zu halten, traten die Pfeiler, besonders nach der linken Seite zu, mehr seitwärts und bewirkten dadurch eine Krümmung des
ganzen Baues. Indeß die Brücke stand und gehor-

sam umspülte der Fluß die mächtigen Pfeiler. Den Traum hatte ihm Gott eingegeben; zu früher Stunde ließ er den Baumeister rufen, die Pfeiler wurden von Neuem an den bezeichneten Stellen eingesenkt und siehe da, sie standen unerschütterlich und nach Jahrhunderten werden sie immer noch den Wellen trotzen und Zeugniß geben für den erhabenen Sinn ihres Erbauers.

Manche geheimnißvoll klingende Sage der Vorzeit knüpft sich seitdem an den kühnen Bau. Die Nixe des Flusses, Ritter in den Fesseln der Minne, spielen dabei nicht die unbedeutendste Rolle, wie nachstehende Romanze bekundet.

Die Moselnixe.

Auf der hohen Moselbrücke
Steht ein Jüngling grambefangen,
Feucht sind seine irren Blicke,
Blaß die jüngst so rothen Wangen.

Der, die heuchelnd ihn betrogen
In der Liebe falschem Spiele,
Fließen von der Brücke Bogen
Thränen in der Wellen Kühle.

Klagend beugt er sich hinüber
Zu der Mosel Silberfluthen:
„Nimmer seh' ich sie, sollt' drüber
Auch mein armes Herz verbluten."

Da mit sanftem Strahlenkusse
Grüßt die Abendsonne ihn,
Und auf einmal tönt's im Flusse
Leis gleich süßen Melodien.

Golden Klingen, lieblich Singen
Tröstend bringt's zu seinem Herzen,
Und des Liedes weiche Schwingen
Kühlen seine Feuerschmerzen.

Ha, die Wogen, wie sie schwellen,
Kräuseln sich in leichtem Tanze,
Wie die Farben sich gesellen,
Blau und Gold im Abendglanze.

Und mit wundersamem Weben
Formt sich ein kristallner Nachen,
D'rin sieht er mit Wonnebeben
Eines Weibes Antlitz lachen.

Moselweib, in Götterschöne
Steigst du aus dem tiefen Grunde,
Schickst, zu stillen seine Thräne,
Liebeswort' aus Purpurmunde.

„Trauter Knabe, in der Tiefe
Hört' ich fühlend Deine Klagen;
War mir's doch als ob's mich riefe,
Trost der Liebe Dir zu sagen.

„Treulos ist die Menschenseele,
Treuer noch sind Wind und Wogen;
Drum bin aus kristallner Höhle
Liebend ich herauf gezogen.

„Zwar darf nicht in Deinen Armen
Süße Wollust mich umschlingen,
Darf den Leib, den liebewarmen,
Nicht als Liebesopfer bringen.

„Ach, die Königin der Feien
Setzte uns die eh'rnen Schranken;
Aber dennoch will ich weihen
Glück und Lieb' Dir sonder Wanken.

Coblenz.

„Bleibst Du treu und fest ergeben
Immer mir in Lust und Leide,
Kehrst Du durch das ganze Leben
Täglich wieder mir zur Freude;

„Soll Dir ew'ge Jugend blühen,
Dunkel stets die Locken fliegen,
Rosig Deine Wangen glühen
Und Dich Alter nie besiegen.

„Aber sollt' ein bös Verhängniß
Jemals Dich zurücke halten,
Wird, entsetzliches Bedrängniß,
Schnell Dein Leib im Tod erkalten.

„Schwör' es bei des Himmels Bogen,
Bei der Abendsonne Schimmer,
Bei der Mosel Silberwogen,
Lieb' und Treu' zu brechen nimmer."

Und der Jüngling hat vergessen
Blitzesschnell die alten Triebe;
Hat sich schnell zum Schwur vermessen,
Fühlt er doch allmächt'ge Liebe.

Ach, mit holden Zauberschlingen
Hat sie ihm das Herz umwunden. —
Leis und leiser hört er's klingen,
Bis sie in der Fluth verschwunden.

Und wie nun die Abendröthe
Kehrt am andern Tage wieder,
Schauet von derselben Stätte
In den Strom der Jüngling nieder.

Sieht die lieblichste der Frauen
Täglich mehr in Reizen prangen
Aus den Silberwogen schauen,
Doch er darf sie nicht umfangen.

So entschwinden viele Jahre
Bis er neunundneunzig zählt,
Und noch immer hat der Bahre
Moselweibes Freund gefehlt.

Ew'ge Jugend sollt ihm blühen:
Dunkel seine Locken fliegen,
Rosig seine Wangen glühen,
Alter kann ihn nicht besiegen.

Und es naht das volle Hundert;
Da sieht man den alten Knaben
Frisch und munter, hochverwundert
Nach der Moselbrücke traben.

In dem Glanz der Abendröthe
Ruht er auf den Mauern wieder,
Blicket von derselben Stätte
Wie seit 80 Jahren nieder.

Sieh da steigt in feuchte Schleier
Perlbesäet, eingehüllt,
Aus der Fluth die ihm so theuer,
Moselweib, ein bräutlich Bild.

Schwingt sich unter Harmonieen
Auf der Brücke hohe Bogen,
Kosend, unter Melodieen,
Hat sie ihn hinab gezogen.

Tief im Schloß des Stromes wohnet
Er mit ihr im Jugendglanze,
Wo sie seine Treue lohnet
Mit der Lieb' und Freude Kranze.

Wohl ist Mancher, der betrogen
Ward von falschen Weibes Munde,
Auf die Brück' hinausgezogen,
Klagt' dem Strom die Herzenswunde.

Nimmer konnt' man mehr erwittern
Moselweib mit goldnem Haare,
Und von all den Liebesrittern
Ward auch keiner hundert Jahre.

Die Grensauer Fehde.

Unter der Regierung jenes Balduins brach auch
die berüchtigte Grensauer Fehde aus, in der die
Coblenzer Bürgerschaft einen sehr empfindlichen Schlag
empfing. Reinhardt von Westerburg, [¹] ein tapferer,
unerschrockener Mann und Freund des entthronten
Kaisers Ludwig, warf dem Erzbischof den Fehdehand-
schuh hin und nahm als erste Gewaltthat im Verein
mit den Herren von Isenburg, die dem Erzstift Trier
in Lehnspflicht stehende Burg Grensau mit List weg.
Der vertriebene Lehnsmann wandte sich nach Coblenz
und höchlichst erbittert schwuren Stadtrath und Schöf-
sen, ihren treuen Erzbischof zu rächen und den Ritter wieder in den Besitz seiner Burg zu setzen. Wohl
800 wehrhafte Bürger, lauter Männer aus den angesehensten Familien, zogen im Frühjahr 1347 zur
Wiedereroberung der Veste aus. Des Kriegshand-
werks wenig kundig wählten sie den Ritter von
Grensau zu ihrem Feldobersten; allein der Bürgermeister und die Scheffen nebst den Vornehmern der
Bürger gehorchten nur ungern den Befehlen des
fremden Abligen. Das kam denen von Westerburg
und den Herren von Isenburg zu Ohren und sie
legten sich, nur wenige Stunden vor Coblenz, in
den Hinterhalt. Bald kamen auch die Bürger sorglos angezogen. Es sah in der That nicht aus, als

ob sie zu einem ernsten Kampf, sondern eher zu einem kurzweiligen Turnier ziehen wollten. Die Vornehmern hatten ihre Waffen den Aermern übergeben und Alle schritten vereinzelt und sorglos, in ungebundener Reihe ihres Weges fürbaß. Vergebens drohte und ermahnte der Ritter von Grensau und führte ihnen die traurigen Folgen, die eine so arge Sorglosigkeit haben könnte, vor Augen; man hörte nicht auf ihn und schalt ihn zuletzt gar feige. Plötzlich aber brach das Ungewitter herein; von den Höhen herab, aus den Gebüschen stürzten die Westerburger und schnitten die einzelnen Haufen von einander ab, während die Isenburger im Rücken einen wüthenden Angriff begannen. Die Verwirrung stieg auf das entsetzlichste; denn die meisten der Bürger waren wehrlos und unerbittlich schlachteten die Feinde in den zusammengedrängten Schaaren. Da sank mancher edle, wohlangesehene Bürger und auch der Herr von Grensau röthete die Erde mit seinem abligen Blut. Die einbrechende Dämmerung erst that dem Würgen Einhalt und gestattete den Geschlagenen die Flucht. In Coblenz erhob sich ein großes Wehklagen und Jammergeschrei; denn über 175 Bürger, meistens aus den angesehensten Familien der Stadt, waren gefallen und Viele wurden gefangen fortgeschleppt.*) Der Erzbischof Balduin war tief betrübt über den bittern Verlust seiner treuen Coblenzer und suchte durch alle nur möglichen Nachlässe an Steuern und Gefällen sie zu entschädigen. Zum immerwährenden Andenken an diese traurige Begebenheit wurde alljährlich am Freitag nach Ostern in der Pfarrkirche zu Unser Liebenfrauen ein feierliches Seelenamt und ein von Stadtmagistrat, Geistlichkeit und Bürgerschaft begleiteter Umgang durch die ganze Stadt gehalten.

Die heilige Ritza.

Ehe wir die Stadt verlassen ynd uns auf die linke Seite des Flusses nach dem ehemaligen Lützel= coblenz wenden, erwähnen wir noch des Grabes der heil. Ritza in der St. Castorskirche. Unzählige Wun= der sollen hier geschehen sein, und so sehr sich auch die schüchterne Stiftsgeistlichkeit bemühte, Alles was bei ihrem Grabe geschah, nicht laut werden zu las= sen, so hatte sich der Ruf der Wunderwerke doch allzu weit verbreitet. Die Coblenzer Bürgerschaft machte deshalb im Jahre 1275 einen prunkenden Bericht an den Pabst, wodurch erwirkt wurde, daß der Körper der Heiligen aus dem bisherigen Grabe erhoben und an den jetzigen, mehr in's Auge fallen= den, Platz eingesenkt wurde. ⁹) Die Heilige soll aus königlichem Geblüte entsprossen sein. Früh als zarte Jungfrau schon neigte sich ihr Sinn dem Heiligen zu und sie gelobte in frommer Einfalt ihres Herzens sich dem Heiland zu verbinden. Erzbischof Hetti bot vergebens alles auf, sie von dem so ernsten Schritte zurückzuhalten; er legte ihr eine fünfjährige Buße und Bedenkzeit auf, allein des Mädchens Sinn stand unerschütterlich fest. Sie kehrte zurück, vermachte all ihr Besitzthum und ihre Reichthümer der Kirche und führte unter deren Schutz ein gottergebenes Leben. Nachstehende Legende bearbeitete Herr S i m r o c k in den Rheinsagen poetisch und sie verdient hier einen Platz.

St. Ritza.

Jenseits Coblenz wohnte Ritza
Einsam von der Welt geschieden,
Jenes frommen Ludwigs Tochter,
Aber frommer selbst als dieser.
Immer Morgens, wenn die Glocken
In St. Castors Kirche riefen,
Schritt sie auf des Rheines Wellen
Freudig hin, vor Gott zu knieen.
Gerne trugen sie die Wellen,
Denn ihr Herz war reich an Frieden,
Und im gläubigen Gemüthe
Wuchs ihr nur Vertrau'n und Liebe.
Berge könntet ihr versetzen,
Hättet ihr Vertrau'n und Liebe,
Ueber Meere sicher wandeln,
Wär' euch Zuversicht beschieden.
Also ging die fromme Ritza,
Wie auf salz'ger Fluth die Kiele,
Und des Rheines Schmeichelwogen
Freundlich ihren Fuß umspielten;
Trock'nen Fußes ging sie täglich
Nach St. Castor und hin wieder,
Und verdoppelt blickt' ihr Antlitz
Aus des Stromes glattem Spiegel.

Aber einst, da wildgehoben
War die Fluth, und Stürme bliesen,
Wollte Zagen sie beschleichen,
Zweifel ihren Muth besiegen.
Standen Reben da am Ufer,
Sich um Kieferpfähle schmiegend,
Riß sie einen aus der Erde,
Daß er ihr zum Stabe diene;
Setzt den Fuß dann auf die Welle,

Und die Welle will sie wiegen,
Aber nur dem Pfahl vertrauend
Hält sie ängstlich sich an diesen:
Sieh, da sinkt ihr Fuß zu Grunde
Und der Stab versagt die Dienste,
Wasser spült um Knie und Hüfte
Und noch sinkt sie tief und tiefer.

Da in Todesnöthen dachte
Sie des Heilands, der gebieten
Kann dem Sturme sich zu legen,
Und der Fluth gemach zu fließen.
Aus den hochgehobnen Händen
Schleudert sie den Schaft der Kiefer,
Streckt sie flehend zum Erlöser
Neues Glaubens voll, und siehe,
Wieder heben sie die Wogen,
Und der wilden Fluth entstiegen
Tritt sie mit dem Fuß die Welle,
Schreitet fürder triumphirend,
Und gestärkt im Glaubensmuthe
Naht sie bald dem sichern Ziele.

In St. Castor wirkt noch Wunder
Was der Welt von ihr geblieben;
In der Schaar der Seel'gen Gottes
Ist der Stuhl ihr angewiesen.

Lützelcoblenz.

Betritt man das linke Ufer der Mosel, so ge=
wahrt man am Fuße des sogenannten Petersberges
rechts und links nette Gartenhäuser und Anlagen.
Hier stand früher ein nicht unbedeutender Ort, das
ehemalige Lützelcoblenz. Schon im Jahre 1071
kommt es in Urkunden vor, gehörte aber von jeher
zu Coblenz selbst. Mauern und Thürme empfing es
wahrscheinlich mit der Stadt zugleich in den Jahren
1276 — 1300.

Seltsamer Wechsel der Zeiten! Wo jetzt ein
spekulativer Coblenzer einen eleganten öffentlichen
Vergnügungsort angelegt hat, stand früher die dem
heil. Peter geweihte Kirche. Auf demselben Platz,
wo früher die Grabgesänge andächtiger Mönche er=
schallten, dreht sich jetzt in munterm Tanze der von
den Geschäften befreite Städter.

Zur Zeit des dreizehnten Jahrhunderts war es
ein gar angesehener Ort. Die Handelsleute von
nah und fern versammelten sich hier und auch die
frommen Wallfahrer von Aachen, Cöln und Trier
hielten Rast. Handel und Gewerbe blühten. Aber
auch unendlich viel Drangsale hatte die Stadt zu
ertragen. Wohl keine ihrer Nachbarinnen wurde so
oft zerstört, ja selbst dem Erdboden gleichgemacht,
aber auch keine erhob sich immer wieder gleich ihr
verjüngt aus der Asche.[10] Endlich 1688 schoß es der
heldenmüthige Vertheidiger Coblenz's, der hessische Ge=
neral, Graf von der Lippe, in Brand, damit sich
die belagernden Franzosen nicht darin festsetzen sollten.

Güls.

Dieser kleine Pfarrort, einer der ältesten an der Mosel, erfreute sich nicht immer des Wohlstandes, den er jetzt besitzt. Die Ritter der nahgelegenen Burgen bedrückten die Bauern mit fast unerträglichen Lasten, und waren es nicht diese, so ersetzten sie die Vögte hinlänglich.

So setzte Pfalzgraf Heinrich von Aachen ihnen im Jahr 1056 einen solchen Verwalter, der sie auf das grausamste in ihren Rechten und Freiheiten, welche sie als Verwandte des heil. Servatius besaßen, kränkte. Sie beschlossen daher, ihre Klagen und Bitten vor die hohe Versammlung in Andernach zu bringen, wo sich der kluge und herrschsüchtige Erzbischof Hanno von Cöln, Eberhard von Trier, der Pfalzgraf Heinrich von Aachen, Gottfried von Lothringen u. m. a. berathschlagten (1057), wie sie die Macht der Verweserin des deutschen Reiches, Agnes, unterdrücken und ihrem Sohne Heinrich IV. schaden könnten. Der Vogt suchte sie zwar durch furchtbare Drohungen zurückzuhalten; aber ihre Abgeordneten gingen doch dahin. Der Vogt folgte ihnen auf dem Fuße nach, in schimmerndem Aufzuge. Von Zorn und Hoffahrt aufgeblasen, ritt er auf einem stolzen Rosse, das, mit gestickter Purpurdecke belegt, an Stirn und Brust mit Geschmeide behangen, ganz nach Art seines Herrn einherschritt. In dem Gefolge der Fürsten gab es zur Ergötzlichkeit auch wilde Thiere; unter diesen lag an der Straße, wo der Vogt vorbeireiten wollte, eine ungeheure Bärin an-

3

gebunden. Sobald diese den Reiter erblickte, riß sie
sich, sei es von Raubgier, oder von höherer Macht
angereizt, los, stürzte auf den Vogt, warf ihn zu
Boden und zerfleischte ihn, ohne von der Beute et=
was zu verzehren, und kehrte zu ihrem Führer zu=
rück, als hätte sie bloß einen Rachedienst vollzogen.
Der Vorfall ließ die Fürsten nicht zweifeln, daß die
Beleidigung des heil. Servatius diese Strafe nach
sich gezogen habe.

Bisholder.
Die Abtrünnige.

Auf steilem Berg oberhalb Güls blicken durch
das Dunkel der Bäume die armseligen Hütten der
kleinen Filiale Bisholder, sonst Püschholder. Im
16. Jahrhundert gehörte es, auffallend genug, der
Krone Spanien an, und Peter Ernst Graf zu Mans=
feld, Herr zu Heldrungen, Gouverneur des Herzog=
thums Luxemburg, trug es von derselben zu Lehen.
Damals (1563) und später im 30jährigen Krieg,
wo ein Hauptmann mit 100 Spaniern hier lag,
bildete es ein Asyl für Geächtete und Verbrecher.
Es knüpfen sich manche interessante Sagen an diesen
Zufluchtsort, von denen wir die anziehendste, welche
wir aus dem Munde des Volks hörten, unsern Le=
sern mittheilen.

Noch vor 50 Jahren stand vor dem kleinen Ort
auf dem Weg, wo man von dem benachbarten Win=
ningen herkommt, ein unscheinbares Kreuz mit einer

Inschrift, deren sich mein Gewährsmann aber nicht
entsann. Dieses Denkmal hatte ein spanischer Edel-
mann, Hauptmann der Besatzung zu Bisholder, zum
Gedächtniß der Rettung seiner Gattin, setzen lassen.

So lange im 30jährigen Krieg die Schweden am
Rhein nicht das Uebergewicht hatten, blieb die fremde
Besatzung, unter allen Stürmen der Kriegsfurie, un-
beachtet. Man kann sich leicht erklären, daß dem
jungen Hauptmann dieses unthätige Leben nach und
nach zur drückenden Last wurde. Aus einer mächtigen adeligen Familie entsprossen, an die Vergnügungen des Madrider Hofes gewöhnt, sann er vergebens auf Zerstreuung. Der einzige Zufluchtsort war
das nahgelegene Winningen; allein die wilden Trink-
gelage, welche er dort mit den mannhaften Rittern
aus dem Geschlecht der Hertwine, Arka's, Helfen-
steiner und Metterniche hielt, wurden dem verweichlichten Sohne des Südens bald zu bachantisch. Zudem sah ihn der streng orthodore, evangelische Pfarrer immer mit scheelen Augen an. Eines Tages
schlenderte unser Freund in den engen Straßen Win-
ningens herum, da tönt ihm von ferne wildes Geschrei entgegen und deutlich unterschied er Töne seiner
Muttersprache. Was er geahnet, fand er verwirklicht;
einige seiner Soldaten waren in der Trunkenheit in
Streit mit den Einwohnern gerathen. Mit ge-
zogenem Schwert eilte er unter den Haufen um
Ruhe zu stiften. Ein ganzer Schwarm Bauern, bewaffnet mit Partisanen, verrosteten Schwertern und
Forken umringte ihn; nur mit Mühe konnte er sich
der Wüthenden erwehren. Er wäre unrettbar ver-

loren gewesen, wenn sich nicht plötzlich die Thür des kleinen Hauses, an welche er sich zu⸗ Deckung des Rückens gelehnt, geöffnet hätte. So stand er denn gesichert in dem schmalen Hausgang, während die Bauern an der Thüre tobten. Eine ehrwürdige Matrone und ein junges Mädchen schienen die ein⸗ zigen Bewohnerinnen des Häuschens zu sein. Der Spanier war erstaunt, in seiner jungen Retterin eine Schönheit zu finden, wie er sie in deutschen Landen noch nie erblickt; er stand wie bezaubert. Allein hier blieb nicht Zeit zum Bewundern, das Mädchen drängte nach der Hinterpforte, öffnete die⸗ selbe und bedeutete ihm, den Weg über die Berge zu nehmen; noch einen Blick und er eilte von dannen. Die Verfolger wurden getäuscht und glücklich kam er in Bisholder an. Sogleich beorderte er 50 Mann nach Winningen, um die aufrührerischen Bauern zu strafen und seine Retterin vor Gewaltthaten zu schützen. Er an der Spitze zog in das Dorf ein und kam gerade zur rechten Zeit, denn die Toben⸗ den hatten schon das Haus in Besitz und zerschlugen im Ingrimm alles Geräthe. Eine Gewehrsalve über ihre Köpfe abgefeuert, verscheuchte sie und im Tri⸗ umph führte der Hauptmann die Gerettete nach sei⸗ nem Standort.

Was nur der Verführungskunst schmeichelnde Re⸗ den vermochten, wurde bei dem Mädchen verschwen⸗ det. Die Liebe setzte sich endlich über alle Schranken hinweg, das Mädchen trat zu der allein seligma⸗ chenden Kirche zurück und der Feldpater besiegelte den Bund.

Ganz Winningen, aufgeregt von dem lutherischen Pfarrer, schwor dem Spanier Rache; allein Don Robrigo lachte auf seinem festen Bisholder ihrer Wuth. Seine Gattin aber verfiel in tiefe Schwermuth; ihre Mutter, der evangelischen Confession streng zugethan, entzog ihr ob des gethanen Schrittes ihren Segen und vergebens waren alle schriftlichen Bitten. Da machte sich die liebende Tochter heimlich selbst nach Winningen auf, um der Greisin Sinn zu erweichen. In das schlichte Gewand einer Gülser Bauerdirne gehüllt, trat sie nach monatelanger Abwesenheit in das Heimathdorf. Sie suchte und fand die Hütte der Mutter, fiel weinend auf ihre Kniee und bat um den Segen. Das Mutterherz begann nach den ersten Stürmen wirklich zu wanken, als plötzlich der Pfarrer in das Gemach trat. Auf den ersten An= blick hatte er die Abtrünnige erkannt und ein lautes „Anathema" drang über seine Lippen. Dann stieß er das Fenster auf und rief die Vorübergehenden an, allein das wollte die fromme Tochter nicht erwarten. Durch dieselbe Thür, durch welche sich einst der Ge= liebte gerettet hatte, eilte sie jetzt in fliegender Hast. Kaum eine Viertelstunde von dem Dorfe, sah sie die Verfolger hinter sich. Zu der heiligen Jungfrau flehend rannte sie athemlos weiter. Immer näher und näher kamen die Verfolger, schon hörte sie ihr Rufen, ihre Drohungen; endlich erreichte sie den Berg. Aber wie sollte sie die Höhe hinan, erschöpft sank sie zu Boden; bekamen sie die Lutheraner noch hier in die Gewalt, so harrte der Abtrünnigen ewi= ger Kerker. Noch einmal sandte sie ein heißes Ge=

bet gen Himmel und begann dann den Berg zu be=
steigen. Bis zur Hälfte war sie hinan, als die
Füße ihr den weitern Dienst versagten. Laut schallte
ihr Hülferuf nach dem Castell, nur wenig Schritte
noch und die Verfolger hatten sie eingeholt. Da
öffnete sich das Thor und Don Robrigo stürzte her=
aus. Eben hatten die Winninger in blinder Wuth
die Gattin erreicht; aber des Ersten Hand, der ihr
Gewand berührte, flog abgehauen von dem Schwerte
des Hauptmanns in den Sand. In scheuer Hast
floh'n die Anderen den Berg hinab. Die Geliebte
war gerettet! Wenig Monate nachher ward Robrigo
zurückberufen und führte seine Gemahlin auf das
heimathliche Schloß.

***

Winningen.

Das oben oft erwähnte Winningen verdankt, der
Sage nach, seinen Namen dem Anbau des Weines,
der schon im 4ten Jahrhundert hier geblüht haben
soll.[11]) Noch heutigen Tags steht der Flecken, iso=
lirt, gleich einer Insel, einzig und allein unter allen
Ortschaften der Mosel dem Lutherthum huldigend,
in der katholischen Umgebung. Es ist leicht zu er=
klären, daß sich seine Bewohner deshalb auch in
Tracht, Sitten und Mundart von ihren Nachbarn
unterschieden. In den letzten Decennien erst began=
nen sich diese Abgeschlossenheiten auszugleichen. Der
Ort war der erste an der Mosel, welcher der Re=
formation huldigte.[12])

Das weisse Weibchen.

Zu Ende des 16. Jahrhunderts (1593) ward der unglückliche Ort von einem schweren Uebel heimgesucht. Eine Pest brach in diesem Jahr aus und wüthete furchtbar unter den Einwohnern. Damals riefen die Bigotten unter den Katholiken der Umgegend: „Da seht die Strafe des Himmels für die Abtrünnigen." Wirklich mochten wohl Viele, welche noch nicht recht fest im neuen Glauben waren, wieder schwankend werden. Eine Jungfrau, aus welchem Geschlecht, darüber schweigt die Sage, wendete sich wieder der katholischen Lehre zu. Alsbald wurde sie von ihren ehemaligen Glaubensgenossen verstoßen und mußte kärglich ihr Leben in einer einsam stehenden Hütte vor dem Städtchen fristen. Hier starb sie nach wenig Monden, allein ihr Geist hatte keine Ruhe. Er beunruhigte fortwährend die Bewohner des Dorfes und die Schiffleute bekreuzten sich erschrocken und tauchten rascher die Ruder in die Fluth, wenn das „weiße Weibchen" zu nächtlicher Stunde ihnen vom Ufer zuwinkte. Vergebens suchten die berüchtigsten Geisterbanner den Spuk zu beschwören, alljährlich am Todestag erschien er wieder an dem Ufer der Mosel. Endlich in der aufgeklärtern Periode des 18. Jahrhunderts schien er Ruhe gefunden zu haben. Da hieß es plötzlich nach Verlauf langer Jahre wieder, das „weiße Weibchen" habe sich sehen lassen. Eines Nachts stürzten die Weiber, welche in dem Fluß noch spät die Wäsche spülten, laut schreiend in das Städtchen. Der ganze Ort gerieth in Aufruhr,

niemand wollte sich nach 10 Uhr mehr an die Mo=
sel wagen. Vorbeifahrende Schiffer bestätigten die
Aussage und so war denn der Spuk wieder in vol=
lem Gang. Allein die Zeiten des Aberglaubens und
der Gespensterfurcht waren nicht mehr. Ein Paar
herzhafte Burschen beschlossen, der Sache auf die
Spur zu kommen. Sie versteckten sich hinter eine
Mauer und warteten in Ruhe der Dinge die da
kommen sollten. Das Gespenst zögerte auch nicht
lange sich zu zeigen. In ein langes weißes Gewand
gehüllt, schritt es eine Zeitlang gravitätisch am Ufer
auf und ab, dann nahm es seinen Weg gerade auf
die Mauer zu, hinter welcher sich unsere Herzhaften
versteckt hielten. Schon wollten diese das Hasenpa=
nier ergreifen, als sich die Scene veränderte. In
einer Vertiefung der Mauer ließ der Geist sein Ge=
wand fallen und stand nun höchst prosaisch, als
Hans Felden, einer der lustigsten Burschen des Städt=
chens, vor den Augen der Späher. Eben war er im
Begriff sich über den nächsten Gartenzaun zu schwin=
gen, als diese hervorsprangen und den Kameraden,
der sie schon so lange geäfft, mit nervigen Fäusten
packten. Da waren alle Ausreden vergebens und
Hans gestand auch alsbald, daß die schöne Rose,
die einzige Tochter des reichen Pachters Treumund,
ihn zu der Verkleidung bewogen. „Da der Vater,"
schloß der muntere Gesell, „es nicht leiden mochte,
daß ich sein Töchterlein am Tage „schatzen"*) durfte,

---

*) Schatzen ist dort der gewöhnliche Ausdruck für „lieben".

so mußte ich es ja wohl als weißes Weibchen bei
Nacht thun."

Damit endet denn auch die Gespenstergeschichte
vom weißen Weibchen, welche die guten Winninger
so lange in Athem gehalten. Der Leser wird mir
verzeihen, wenn ich ihm einmal etwas erzählt, was
nicht so eigentlich in's Bereich der „Romantik" ge=
hört, allein gerade solche Volkssagen sind oft am
besten geeignet das Treiben der niedern Klasse zu
charakterisiren.

Dieblich.

Die kleine Strecke von Dieblich bis Gondorf war
früher unter dem Namen „das Pfaffenland" bekannt,
weil die Geistlichkeit von nah und fern hier Besitzun=
gen, des trefflichen Weines wegen, hatte. Dennoch
ist von Altersher die Dieblicher Berghöhe übel ver=
rufen in allen Kirchenbüchern und Gerichtsakten.

Hier hielt der geschwänzte, pferdefüßige Fürst der
Hölle in der Walburgisnacht mit den angeworbenen
Hexen seine Zusammenkünfte; selbst das jetzt noch
stehende Bethaus im Unterdorf an der Linde schreckte
die saubere Gesellschaft nicht, nur wich sie ihm
scheu aus.

Es ist haarsträubend, wenn man in den Annalen
der Vorzeit liest, mit welcher Verblendung die da=
malige Criminalpflege geschlagen war. Im Jahre
1591 erließ der Churfürst Johann von Schönenburg
eine eigne Vorschrift über die Verfahrungsart in

Herenprozessen.[13]) Darin soll jede der Zauberei ver=
dächtige Person auch auf bloße Vermuthungen
hin, nicht von Amtswegen, sondern von Jedermann
angeklagt werden können.

Die Dieblicher Felder haben zur damaligen Zeit
das Blut unzähliger ehrwürdiger Matronen und
Greise getrunken, welche in unseligem, verdammungs=
würdigem Fanatismus geopfert wurden. Ein solcher
Prozeß ist uns aufbewahrt und es geht daraus her=
vor, wie leicht es jedem Schurken wurde, sich einer
ihm überlästigen alten Verwandten oder eines ergrau=
ten Erblassers zu entledigen.

Die Hexe und ihr Kind.

Mutter Marthe in Dieblich war im ganzen Dorf
ihrer Rechtlichkeit und Gottesfurcht wegen beliebt.
Die Kinder umringten sie, wo sie sich nur sehen ließ,
mit Freudengeschrei, und selbst die Erwachsenen, be=
sonders die jungen Bursche, ehrten sie auf alle mög=
liche Weise. Denn Frau Marthe war wohlhabend,
sie besaß den schönsten Hof im ganzen Ort, aber
das Schönste darauf war ihre kaum achtzehnjährige
Lisbeth, ein Mädchen so „fein und schön",
daß die ganze Nachbarschaft voll ihres Ruhmes war.
Viele Freier meldeten sich auch, aber Lisbeth fesselte
die kindliche Dankbarkeit an die alte Mutter und alle
wurden abgewiesen.

Auf dem nahgelegenen Thürhof lebte der Pächter
des Ritters von Wiltberg, ein geiziger, habsüchtiger,
häßlicher Gesell. Auch dieser hörte von der schönen
Lisbeth; obgleich ihm zwar weniger an dem Mädchen

als an dem schönen Hof gelegen war, so beschloß er, sich doch, trotz seiner fünfzig Jahre, als Freier zu melden.

An einem schönen Sonntag rückte er feierlich ge= putzt in das Dorf ein. Er hielt sich seiner Sache so gewiß, denn ihm, dem Liebling des mächtigen Frei= herrn von Wiltberg, konnte man ja eine Bewerbung nicht abschlagen, daß er schon Brautgeschenke mitge= bracht hatte.

Mutter Marthe hörte ihn von Anfang gelassen an, während Lisbeth selbst gleich zur Kammer hin= aus gerannt war. Dann aber erhob sie sich und über ihre Lippen drang ein entsetzlicher Redeschwall. Sie sprach viel darüber, daß die alten Herren vom Heirathen bleiben und sich nicht das Maul bei jun= gen Mädchen verbrennen sollten. Ferner, daß ihr Kind noch zu jung wäre u. s. w.; aus dem Schluß aber ging deutlich der schönste Korb hervor. „Wenn meine Lisbeth," sagte sie ziemlich bissig, „heirathen will, so steht ihr und nicht mir die Wahl zu, und Ihr wißt ja, Herr Martens, die jungen Dingerchen jetzt, sehen mehr auf schmuckes Ansehen und Alter was sich zusammen verträgt, als auf Geld und Gut."

„Ich verstehe Euch fürwahr nicht, Mutter Marthe," erwiederte der alte Kauz sich zur Ruhe zwingend, während ihm die Galle in's Blut stieg; „ich bin noch lange nicht so alt als ihr meint, und was Ihr da von gutem Aussehen gesprochen, bringt Ihr wohl nicht auf mich in Anwendung. Im Uebrigen glaube ich schwerlich, daß Ihr mich, den Oberaufseher der Güter des Herrn von Wiltberg, unverrichteter Sache abziehen lassen werdet."

„Und wenn es der Herr von Wiltberg selber wär!" kreischte die Alte aufgereizt, „mein Kind mag keinen alten häßlichen Ehesponsen, und ich rathe Euch wohlmeinend, des Zimmermanns Durchgang zu suchen."

„Alte!" rief der Oberaufseher wüthend und packte die Greiſin an der Schulter. Da war aber die Langmuth derselben vorbei. Im Nu waren alle zehn Finger in dem Gesicht des ehrbaren Freiwerbers, und ziemlich zerkratzt stürzte er unter entſetzlichen Drohungen und Verwünſchungen zum Zimmer hinaus.

Er ritt aber nicht nach ſeinem Hof, ſondern nach Coblenz an's geiſtliche Gericht. Unterwegs hatte er ſich ſo mancherlei überlegt, und drei Tage darauf traten die Diener des Schöffengerichts in das Gemach unſerer Mutter Marthe und ſchleppten ſie ohne weiteres in den Thurm des Dorfes. Ganz Dieblich kam in Aufruhr; allein vergebens waren alle Vorſtellungen, der Oberaufſeher hatte die ſchwerſte Beſchuldigung erhoben: er hatte die Alte als Hexe angeklagt. Und ſo arg waren die Menſchen damals vom Aberglauben befangen, daß von Stund an alles zurückſchreckte. Der nichtswürdige Ankläger hatte die entſetzlichſten Dinge ausgeſagt, und die alte Frau, den Qualen der Folter erliegend, geſtand Alles was man ſie fragte.

Der Prozeß hatte nur zwei Tage gedauert; am dritten ward der Holzſtoß an dem Ufer der Moſel errichtet und die alte Frau verbrannt. Die arme Lisbeth hatte Alles aufgeboten, was nur in menſchlichen Kräften ſtand, um die Unglückliche zu retten.

In ihrer Verzweiflung rannte sie selbst zum Ober=
aufseher und bot ihm ihre Hand an, wenn er die
Mutter retten wolle. Der Bösewicht wieß sie höh=
nend zurück. Als man sie aber zwang, den entsetz=
lichen Leiden der Mutter auf dem Holzstoß zuzusehen,
stürzte sie sinnlos zu Boden und hatte vom Augen=
blick an ihren Verstand verloren. Wenige Tage nach=
her zog man ihre Leiche unterhalb des Dorfes aus
dem Fluß. Aber auch den falschen Ankläger soll die
Strafe des Himmels noch bei Lebzeiten ereilt haben;
bei der Arbeit auf dem Felde traf ihn bei einem
aufsteigenden Gewitter der Blitz und verbrannte ihm
jämmerlich die Beine. Auf dem Siechbette, von
namenlosen Schmerzen gefoltert, gestand er seine
Schandthat. Nach seinem Tode, geht die Volkssage,
war der Körper braun und blau und das Gesicht
sah auf den Nacken. Er wurde in ungeweihter Erde
begraben.

Cobern.
Der heilige Lubentius.

Die Entstehung des gegenüberliegenden Cobern[*])
und dessen beide Burgen verliert sich in die älteste
Vorzeit. Die heil. Genovefa soll, der Sage nach,
hier gewandelt sein. Schon im 4. Jahrhundert aber
scheint man den Ort unter die bedeutendern der Mo=
sel gezählt zu haben; denn der heil. Lubentius wurde
von seinem Lehrer, dem Trierer Bischof Maximin II.
zur Verbreitung des Christenthums im Jahre 340 hier=

4

her gefandt.[15]) Von hier aus predigte der fromme
Priefter mit vielem Eifer das Evangelium in den
Gegenden der untern Mofel und an den Ufern der
Lahn und des Rheins.[16]) Groß waren die Wunder,
durch welche Gott feinen Heiligen hier verherrlichte.
Das Volk feierte noch bis vor Kurzem das Anden=
ken feines Schutzpatrons durch ein jährliches Feft.
Am Lubentiustage loderten auf allen Höhen die
Triumphfeuer des Sieges, welchen das Evangelium
über das Heidenthum erlangt hatte.

Noch heute heißt eine Fuhrt in der Mofel unter=
halb des Ortes, welche zu dem fchräg gegenüberlie=
genden Dieblich führt, der St. Lubentiuspfad. Der
Heilige foll an diefer Stelle immer trockenen Fußes
über das Waffer gegangen fein.

Doch nicht immer hatte der fromme Mann Her=
zen gefunden, welche fich der neuen Heilslehre bereit=
willig erfchloffen; viele waren verftockt in Bosheit
und Tücke. So erzählt uns die Sage, fei ein rei=
cher, hochangefehener Mann in Cobern feßhaft gewe=
fen, welcher dem heil. Lubentius alle nur möglichen
Kränkungen und Argliften zugefügt, auch feine Un=
tergebenen gezwungen habe, der neuen Lehre zu fpot=
ten. Unfer Frommer ertrug Alles dies mit chrift=
licher Geduld und warnte den Gottlofen zu wieder=
holtenmalen vor der Strafe des Himmels. Als die=
fer aber in feinem böfen Treiben fortfuhr, foll Lu=
bentius Gott gebeten haben, ihn vor den Verfolgun=
gen zu fchützen. Von Stund an verfiel der reiche
Mann in eine fchwere Krankheit, und als er wieder
auffand, fiehe da, war fein ganzer Körper braun

und all seine Nachkommen behielten dies häßliche Andenken an die Ruchlosigkeit ihres Vorfahren.

Endlich nach langjährigem wohlthätigen Wirken
rief Gott seinen Heiligen zu sich. [17]) Die Bewohner
des Rheins und der Mosel, welche von seinem Ableben Nachricht erhalten hatten, kamen zusammen
und stritten um die Leiche des Verblichenen. Sie
setzten dieselbe in einem Sarge auf ein Schiff, welches im schnellsten Laufe die Mosel abwärts, den
Rhein hinauf in die Lahn stieg und an den Ufern
dieses Flusses tausend Schritte aufwärts trieb, bis
an jenen Ort, wo die Kirche zu Dietkirchen erbaut ist. Daselbst landete sie. Die Einwohner von
Dietkirchen beerdigten die Leiche und bewahrten sie
mit aller Hochachtung bis auf diese Zeit, wo noch
das Haupt des heil. Lubentius daselbst gezeigt wird.

Aus den Zeiten des Ritterthums ist uns noch
manche romantisch klingende Sage geblieben. Berühmt waren zu Anfang des 14. Jahrhunderts [18]) die
Coberner Burgen durch ihre schönen Bewohnerinnen.
Die gefeiertsten Minnesänger sangen das Lob der
drei Töchter des Herrn Robin und seiner Gattin,
Lyse von Eppenstein, allbekannt als das „schöne
Kleeblatt" von Cobern. Später verheiratheten sie
sich an die angesehensten Ritter und Grafen. Cuni-
gunde ward Gräfin von Sayn, Mechald Herrin
auf Isenburg und Jutta Freifrau von Pittingen
und Dachstuhl.

Darauf zog „Schön Elsa" mit dem Beinamen
„Herrin von Cobern" die Aufmerksamkeit der Ritterschaft auf sich. Unserm vaterländischen Dichter

J. J. Reiff, aus Cobern gebürtig, gab sie Stoff zu nachstehender Romanze.

Der Klausner von Cobern.

Zu Cobern, hoch auf Felsen,
　Da steh'n der Burgen zwei,
　lebt einst von Schön=Elfen,
　Der Herrin jung und frei.

Und unten steht im Thale
　Die Klaus' am Felsenhang,
　Wo Ritter Hans von Sahle
　Den Schmerz der Minne sang.

Und dort, wo frisch daneben
　Die Quelle lieblich quillt,
　Da zeugt von seinem Leben
　Ein Muttergottesbild.

Als Ehrenberg, der kecke,
　Gen Coblenz sich gewandt,
　War er der junge Recke,
　Der wild die Stadt verbrannt.

Drum mit des Erzstifts Obern,
　Ob der verletzten Pflicht.
　Saß streng Robin von Cobern,
　Der Schirmvogt, zu Gericht.

Verfehmet und vertrieben
　Für seinen Frevelmuth,
　War nichts ihm mehr geblieben
　Als seiner Harfe Gut.

Wie sonst als wackrer Ritter
　Er focht in kühnem Streit,
　So schlug er nun die Zither,
　Gefeiert weit und breit.

Cobern.

Er pries im Liederspiele
    Was rein sein Herz empfand;
Er fand der Herzen viele,
    Doch kein's, das ihn verstand.

Sein Sang bei heitern Scherzen
    Schuf Frohsinn allerwärts;
Doch tief im eignen Herzen
    Vergrub er seinen Schmerz.

So irrt' er in der Ferne
    Als Minstrel nur gekannt,
Doch träumt er sich so gerne
    Zurück in's Heimathland.

Der Liebe süße Bande —
    Sie zogen ihn zurück
Zum schönen Mosellande,
    Wo ihm geblüht das Glück.

Wo manche Thräne zollte
    Schön-Elsa ihrem Lieb,
Ob Herr Robin auch grollte,
    Sah er die Tochter trüb.

Die hellen Fensterbogen
    Von Coberns Rittersaal
Bespiegelten die Wogen
    Weithin durch's Moselthal.

Dort saßen spät zur Stunde
    Der Herr'n und Ritter viel,
Die frohe Tafelrunde
    Belebte Wein und Spiel.

Und Elsa hin zur Ferne
    Starrt in die Nacht hinein,
Und ließ des Himmels Sterne
    Der Grüße Boten sein.

Da trat so schwer beklommen
　　Der Sänger grüßend ein,
Und Frohsinn hieß willkommen
　　Den fremden Harfner sein.

Er sah und sah sie wieder
　　Und wirr ward ihm der Sinn,
Es rauschten seine Lieder
　　Wild durch die Saiten hin.

Er sang von Sahle's Leben
　　Und Tod im Mohren=Reich,
Und sah Schön=Elsen beben
　　Und sinken todtenbleich.

Wohl hatte sie empfunden
　　Des Sängers kühnen Trug;
Jedoch er war verschwunden,
　　Als auf das Aug' sie schlug.

Gezählet zu den Todten,
　　Geächtet stürzt' er fort;
Des Schlosses Räume boten
　　Ihm keinen Zufluchtsort.

Da hört' er süße Töne
　　Im stillen Thalgefild,
Sah dort in Himmelsschöne
　　Ein Muttergottesbild.

„Gieb Du mir Ruhe wieder,
　　„O Himmelskönigin!"
So flehend kniet' er nieder
　　Und sank ermattet hin.

Des Friedens stille Räume,
　　Die Quelle kühl und rein,
Sie wiegten hold in Träume
　　Den müden Sänger ein.

Cobern.

Und als er spät erwachte,
  Erquickt durch süße Ruh',
Da freundlich grüßend lachte
  Der junge Tag ihm zu.

Er fühlte stark sich wieder,
  Ihm war's so leicht um's Herz,
Es stiegen seine Lieder
  Zum Danke himmelwärts.

Hart war der Menschen Sitte,
  Der Himmel doch so mild,
Drum baut' er sich die Hütte
  Beim Muttergottesbild.

Für Elsen fleht' er Frieden
  Und Tröstung ihrem Schmerz;
Konnt' ihr der Arme bieten
  Doch nur sein wundes Herz.

Und treu schlug er die Saiten
  Den Himmel flehend an:
Er mög' sie tröstend leiten
  Auf ihres Lebens Bahn.

Und als es Nacht geworden
  Und düster wie das Grab,
Da ziehen Räuberhorden
  Das finst're Thal herab.

Er hört die Frevelworte:
  „Traun, wie gesagt, so sei's!
„Schlag zwölfe sprengt die Pforte
  „Und Elsa sei der Preis!"

Er hört's und fühlt im Triebe
  Zum Kampf entflammt das Blut,
Zu sterben für die Liebe
  Mit edlem Heldenmuth.

Und flugs zieht er von dannen,
Eilt vor den Räubern her,
Und weckt des Schloßes Mannen
Zur schnellen Gegenwehr.

Und vor der Burg am Walle
Da steht er kampfbereit,
Der Eine gegen Alle
Im blut'gen Todesstreit.

Und mit dem Flammenschwerte
Ein Held mit Löwenmuth,
Läßt trinken er die Erde
Das schwarze Räuberblut.

Die Hülfe naht, es weichen
Zurück die Feind' und flieh'n;
Doch über Feindesleichen
Sinkt auch der Sänger hin.

Und tief der Herzenswunde
Entströmt sein treues Blut,
Nicht hemmt des Todes Stunde
Schön-Elsens Thränenfluth.

„Robin, spricht er, wohl nehmet
„Ihr gern mich auf in's Haus;
„Doch, Herr, den Ihr verfehmet,
„Den schließt die Kirche aus.

„Drum dort im Thalgefilde
„Da sarget still mich ein:
„Beim Muttergottesbilde
„Laßt mich begraben sein!"

Und treu den Blick erhoben,
Neigt er zu Elsen sich:
„Auf Wiederseh'n dort oben" —
Er sprach es und verblich.

Die Burgen sind gefallen
  Seither im Jahrenlauf,
Und von den Werken allen,
  Was hob die Zeit uns auf?

Kaum deuten noch die Stelle
  Der Klause Trümmer an;
Doch frisch noch labt die Quelle
  Den müden Pilgersmann.

Und unversehrt erhalten
  Steht dort im Thalgefild
In wunderthät'gem Walten
  Das Muttergottesbild.

Johann Lutter.

Einen gleich düstern Charakter trägt die Geschichte
des Junker Johann Lutter, der Letzte aus dem
Coberner Rittergeschlechte. Dieser ehrenfeste Herr
wohnte gewöhnlich zu Moselweiß, wo er auch
Güter besaß; zugleich war er Vogt des nahegelege-
nen Dorfes Waldesch. Die Coblenzer waren ihm
arg gram und stellten ihm häufig nach, allein er
war wohl auf der Huth und wartete der Gelegenheit, um sich an den Pfahlbürgern zu rächen. Endlich vernahm er, daß der gestrenge Herr Bürgermeister eine Reise nach Wittlich vorhabe. Alsbald stellte
er sich mit seinem Raub= und Jagdgenossen, Friedrich Weißgerber aus Dötteldorf, wohlversehen mit
Kappen, Knebeln und Stricken, auf offener Land=
straße zwischen Cochheim, Gillenbeuren und Walme-
roth am Kolborn auf die Lauer. Allein noch ehe
der Herr Bürgermeister angezogen kam, wurden die

Beiden von acht Bauern aus Gillenbeuren betroffen und arg geknebelt nach Cochheim gebracht. Die Coblenzer waren gar guter Dinge, des gefährlichen Gesellen ledig zu sein und die Schöffen machten ihm eiligst den Prozeß. Obschon er nicht überwiesen war, Jemanden angefallen oder beraubt, sondern nur auf der Lauer gestanden zu haben, so erlitt er dennoch die nämliche Strafe, als ob er das Verbrechen wirklich vollbracht hätte. Er wurde als Straßenräuber zum Tode verurtheilt und ward Samstag den 14. Oktober 1536 in Coblenz auf dem Plan durch das Schwert vom Leben zum Tod gebracht. Vergebens hatte er sich während seiner Haft an den Erzbischof von Cöln gewendet und um sein Vorwort bei dem Erzbischof von Trier gebeten. Er vermochte nichts auszurichten.[19])

Das Coberner Wahrzeichen.

Wie fast jede Stadt und jeder Ort von nur einigermaßen historischer Wichtigkeit, sein sogenanntes „Wahrzeichen" hat, so besitzt es auch unser Cobern. Mitten durch den Altar der alten Kirche soll nämlich merkwürdiger Weise ein kleiner Bach geflossen sein, so daß der Priester beim Messelesen von dem Gemurmel des Wassers begleitet wurde. Die Sage geben wir in poetischem Gewand wieder.

Die Schlacht war geschlagen, der Feldherr stand,
Gestützt auf den Schwertknauf die siegreiche Hand:
Die blutige Statt wir errungen ha'n;
Jetzt laßt uns auch lohnen, wer rühmlich gethan.

Cobern.

Erst kommen die hohen Herren b'ran,
D'rauf folget manch tapferer Rittersmann:
Sie lohnet manch Kettlein und glänzende Wehr;
Dann spricht auch der Fürst zu dem harrenden Heer:

„Viel Dank Euch Allen, Ihr wackern Leut',
Gar mannhaft habt Ihr gestritten heut',
Und weil Ihr denn hoch Euch verdient gemacht,
So lohn' Euren Muth — die kommende Schlacht.

Doch Einer vor Allen tret' kühnlich heraus,
Am wackersten kämpft' er im härtesten Strauß,
Beinah' schon verloren war jenes Panier;
Er nahm es dem Feinde — die Fahne weht hier.

Wer hat so die Krieger zu Boden gestreckt,
Mit Leichen die Erd', sich mit Lorbeern bedeckt?
Ha! kennet denn Niemand den tapfern Mann? —
„Das hat ein Knapp' von Cobern gethan!"

Noch sah ich, wie feige drei Fähnlein floh'n,
Die feindlichen Schwerter erreichten sie schon;
Sie küßten blutend die stäubende Erd'
Und starben, den Namen der Helden nicht werth.

Da sammelt ein Kämpe die fliehende Schaar,
Verflucht sei, wer fliehet mit Haut und mit Haar!
So rief er und hieb sich 'ne blutige Bahn. —
„Das hat ein Knapp' von Cobern gethan."

Es traf mir den Helm ein gewaltiger Streich;
Ich taumelt' herunter vom Rosse sogleich.
Schon war ich ohn' Rettung verfallen dem Tod;
Doch wunderbar half mir der Herr aus der Noth.

Denn blitzesschnell eilte ein Streiter herbei,
Zerhackte die Feinde und machte mich frei.
Mein Leben schuld' ich dem tapfern Mann. —
„Das hat ein Knapp' von Cobern gethan."

Ei, Knappe von Cobern, so zeige Dich schnell,
Wir lohnen Dir's herrlich, Du kühner Gesell!
Gepriesen das Oertlein, das Dich uns geschickt:
Wo ist er? hat Niemand den Tapfern erblickt?"

Da stolziret herbei ein baumlanger Fant:
"Hier ist der von Cobern, den Du jetzt genannt.
Mir dankst Du Dein Leben, mein fürstlicher Herr,
Ich schwang Dir zur Rettung die blitzende Wehr."

Und Alles preiset den langen Fant
Und nahet ihm freundlich und drückt ihm die Hand,
Der bläht sich und blicket gar stolz herum,
Als wär' er der Erste im Fürstenthum.

Da tritt ein bescheidener Mann hervor,
Der blickt zu dem Langen lächelnd empor:
"Von Cobern bist Du, o Goliath.
Der heute so rühmlich gestritten hat?

Ei, Landsmann, Gott grüß' Dich! ist's aber auch wahr,
Daß Dich das freundliche Oertlein gebar?
Komm', nenn' mir einmal zur sichern Gewähr
Von Cobern das heilige Wahrzeichen her."

Die Frag' treibt den Großen in arge Noth,
Er senket den Kopf, wird blaß und wird roth,
Er schielt nach des Feldherrn strengem Gesicht;
Er stottert und weiß das Wahrzeichen nicht.

"Ei Schuft! sind wir also betrogen von Dir?
Die eiserne Kett' Dir statt gülbener Zier.
So bist Du der von Cobern so muthige Mann?
Schnell sag' uns das heilige Wahrzeichen an."

"Im Gotteshaus, unter dem Hochaltar,
Da rieselt und plätschert ein Brünnlein klar,
Und murmelt voll Andacht des Priesters Mund,
So murmelt voll Andacht die Quelle im Grund.

Das ist das Coberner Wahrzeichen, Herr,
Ich will es behaupten mit Leben und Ehr!
Und willst Du mir's läugnen, Du frecher Gesell,
Beweis' ich's mit Kolben und Klinge Dir schnell!"

Da schneidet der Lange 'ne klägliche Mien',
Und denket dann furchtsam in seinem Sinn:
Hieb David den Goliath einst entzwei,
Zerhackt dich der Kleine wohl auch noch zu Brei!

Und verhöhnet, verlacht, es ist schier ein Graus,
Muß nehmen der Großhans mit Schande Reißaus.
Und hinter ihm spottet die ganze Schaar:
Weil er gar so ein prahlender Esel war.

„Knie her denn, mein Ritter, empfange den Dank."
Und der Fürst zieht die stattliche Klinge blank,
Schlägt dreimal den Kleinen: „Bist Ritter nun
Und sollst Dir beim Humpen heut gütlich thun."

Das merkt Euch, Ihr Coberner, jung und alt,
Ob nah' Ihr oder auch ferne wallt,
Gedenket voll Lieb' an das Vaterland,
Gedenket des Zeichens das wohl Euch bekannt:

„Im Gotteshaus, unter dem Hochaltar,
Da rieselt und plätschert ein Brünnlein klar,
Und murmelt voll Andacht des Priesters Mund,
So murmelt voll Andacht die Quelle im Grund."

Ehe wir diesen in historischer Hinsicht so merk=
würdigen Ort verlassen, dürfen wir die auf der
Oberburg gelegene Mathiaskapelle nicht unerwähnt
lassen. [20])

Die Zeit ihrer Erbauung kann nicht bestimmt
angegeben werden. Ihrem Baustyle nach gehört sie
der ersten Hälfte des 13. Jahrhunderts an. Wahr=

5

scheinlich verdankt sie ihre Gründung dem Gelübde
eines Kreuzfahrers. Die Sage bezeichnet den Ritter
Heinrich von Uelmen, welcher an der Erstürmung
Constantinopels Theil nahm und von dort eine Menge
Reliquien in seine Heimath zurückbrachte. Unter dem
Volk hat sich die Tradition bewahrt: die Tempelher-
ren hätten hier ihren Sitz gehabt. Ist auch diese
Aufstellung nicht zu bestreiten, so waren es doch kei-
nesfalls diese Herren, welche die Kapelle erbaut.
Aller Wahrscheinlichkeit nach ließ sie derjenige aus
dem Rittergeschlecht von Cobern [21]) aufführen, welcher das Haupt des heil. Mathias von seinem Kreuz-
zug mitbrachte. Da nun unsere Kapelle hinsichtlich
der Bauart viel Aehnlichkeit mit der Kirche des heil.
Grabes zu Jerusalem besitzt, so möchte wohl kaum
zu zweifeln sein, daß jener Kreuzfahrer den Riß aus
dem heil. Land mitgebracht und unser Baptisterium
darnach zum Gedächtniß seines heiligen Zuges erbaut hat. [22])

Gondorf.

Gondorf [23]) ist die Wiege eines uralten, tapfern
Geschlechts. Eine lange Reihe muthiger, entschlossener Ritter ging aus dem edlen Stamm der Leyen [24])
„equitum a petra‟ hervor. Ihr Wahlspruch war:

Sum petra. Petrino non crescunt lilia solo,
In petris aquilae nidificare solent. *)

---

*) Felse bin ich, auf Felsen gedeihet nimmer die Lilie,
Denn im Felsengeklüft horstet der Adler allein.

(Nach Klein.)

Felsenfest und unerschütterlich war aber auch ihre Treue. Sie, in Verbindung mit den Elzen und Metternichen, waren es, welche dem schändlichsten Churfürsten, welcher jemals auf dem trierschen Stuhl gesessen, jenem Christoph von Sötern, so entschlossen entgegentraten, als er den gallischen Hahn auf die Thore und Thürme der Städte des Moselthals pflanzen wollte. Zahlreiche Pröbste und Dechante an den rheinischen Cathedralen, ein Churfürst von Mainz, zwei von Trier entsproßten dem erlauchten Geschlecht. Allein so reich und angesehen es zu Zeiten auch war, so oft ward es wieder von den Schlägen des Schicksals getroffen. Eine Volkssage beurkundet, wie übel es zu mancher Zeit mit den Finanzen der mächtigen Ritter bestellt war. Obgleich wir das Jahrhundert, in welches sie zu setzen sei, nicht anzugeben vermögen, so verdient sie doch einen Platz:

Der rothe Aermel.

Gondorf besaß ein eignes Schöffengericht, welches selbst über Leben und Tod unumschränkt aburtheilen durfte. Nun trug es sich einmal zu, daß ein arger Verbrecher eingebracht wurde, dem man schleunig den Prozeß machen mußte. Da war guter Rath theuer; denn seit undenklichen Zeiten hatte sich solch unerhörter Fall nicht ereignet. Schleunigst wurden alle nothwendigen Requisiten zu dem peinlichen Gerichtsaktus hervorgesucht, das Schwert fand sich, wenn schon zur Genüge verrostet, in einem alten Wand-

schrank des Saales, einen Todtenkopf mußte der
Todtengräber herbeischaffen, die alten Bücher wur=
den aus den bestaubten Gemeindepapieren hervorge=
zogen, aber o weh! von den rothen Talaren, in
welchen die Herren zu Gericht sitzen mußten, fand
sich keine Spur. Da war großer Jammer unter
den edlen Schöffen. Ohne die rothen Röcke das Ur=
theil zu sprechen! nein, das wäre ja ein zu unver=
zeihlicher Verstoß gegen gute Sitte und Herkommen
gewesen, und was würde die wohlehrbare Einwoh=
nerschaft Gondorfs und der ganzen Umgegend dazu
gesagt haben, welche sich während der Sitzung unter
den Fenstern des Saales zu versammeln pflegten!
In höchster Verzweiflung rannten die Herren herum,
vergeblich lagen sie dem gestrengen Herrn Ritter in
den Ohren; dieser hatte eben die Talare zu den
Wappenröcken seiner Knechte verschneiden lassen und
nur ein einziger Aermel war übrig geblieben. End=
lich schaffte der jüngste der Schöffen Rath. „Es ist
hier, wohlehrbare Herren," redete er die mit Jam=
mermienen dastehenden Rathsherren an, „im Grunde
genommen nur in Betracht zu ziehen, daß das un=
tenstehende Volk im Glauben erhalten, werde, der
Delinquent werde in aller Form Rechtens zum Tode
verurtheilt; um es in diesem Glauben zu erhalten,
genügt der Aermel wohl hinlänglich, wenn Ihr mei=
nem Vorschlag geneigtes Gehör schenken wollet. Es
setze sich daher ein Jeder von uns der Reihe nach
an das offene Fenster, welches auf den Richtplatz
hinausgeht, und bekleide sich mit besagtem rothem
Aermel; dadurch vermeint das Volk, wir wären zur

Genüge in der hergebrachten Amtstracht und wird sich zufrieden stellen."

Der Vorschlag ward mit lautem Entzücken angenommen und der Delinquent glücklicherweise verurtheilt und in die andere Welt spedirt, obgleich er manchmal Glossen zu machen sich erlaubte, daß er Leute, welche nicht einmal rothe Röcke anhätten, doch unmöglich als seine gestrengen Richter anerkennen könne. Ob er auf dem Schaffot eine Rede an das Volk gehalten und dasselbe zum Aufruhr gegen die unberöckten Rathsherren bestimmt, darüber schweigt die Sage.

Ungleich tragischer ist das Ende des letzten Grafen von der Leyen. Er, einer der besten Männer seiner Zeit, der Wiederhersteller des schon sehr verfallenen Wohnsitzes seiner Vorfahren, beschloß (1831) sein Leben in bedrängter Lage zu Cöln. Ein neuerer Dichter (K. v. Damitz) nahm Veranlassung, sein Andenken in nachstehendem Gedicht zu feiern:

Am Sarge des Grafen Philipp von der Leyen zu Gondorf.

In tiefes Dunkel hüllet sich die Erde,
In dumpfes Schweigen Berge, Thal und Flur,
Und wie die Wolken auf den Felsen lagern,
So deckt die Nacht die schlafende Natur.
Nur leise hört man hier die Welle schlagen,
Die unablässig hin zum Meere eilt;
Und in dem Thurme nur des Uhu Stimme,
Wo er, des Unglücks treuer Wärter, weilt.

*

Da öffnet still sich eine Winzerhütte,
Und ernst und stille tritt ein Mann heraus,
Sieht in die Nacht und nach dem Thurm hinüber,
Und geht dann leise nach dem Gotteshaus.
Und tritt hinein, das heute unverschlossen
Geöffnet jedem treuen Diener stand;
Und schreitet weiter durch des Grabes Dunkel
Bis an des Altars hohe Gitterwand.

Und kniet jetzt vor einem Sarge nieder,
Der eine theure, theure Hülle barg,
Und faltete die dürren Knochenhände,
Und rückte näher, näher nach dem Sarg.
Er betete für seines Herren Ruhe,
Für seinen Herrn, der gerade ihn verkannt,
Für seinen Herrn, der Tausende beglückte,
Und jetzt von Tausenden verlassen stand.

Und kniete noch, als schon der Morgen graute,
Und ihm der Küster mit der Fackel naht,
Und auf dem Altar jetzt die Kerzen zündet,
Und dann der Pfarrer in die Kirche trat.
Und kniete noch, als schon die Leichenträger
Sich kalt und fühllos um den Sarg gereiht,
Und kniete noch, als von der heil'gen Stätte
Der Pfarrer jetzt die Leiche eingeweiht.

Und kniete noch und konnte sich nicht trennen,
Als jeder Träger seine Hänge nimmt,
Und kniete noch und hielt des Sarges Deckel
Als nun das Volk das de profundis stimmt;
Bis man gewaltsam ihn davon getrieben,
Bis spöttelnd man ihn aus der Kirche drängt,
Und dann den Mann, der Aller Willen lenkte,
Wie einen Bettler in die Gruft gesenkt.

Da sah der Alte stumm nach allen Seiten,
Doch Keinen sah er an der heil'gen Statt;
„So ist denn Niemand — fragt er — übrig blieben,
Der für den Fürsten eine Thräne hat?
Habt Ihr so schnell denn Alle schon vergessen,
Was liebevoll und freundlich er Euch gab?
Und Keiner greift, ihn einmal noch zu sehen,
Zu folgen ihm, nach Hut und Pilgerstab?"

Doch Keiner kam, wie auch der Alte fragte,
Ihm noch den letzten, letzten Gruß zu weih'n;
Und wie man einst im Leben ihm gehuldigt,
Im Tode stand er einsam und allein. —
Er war ja arm, war elend ja gestorben,
Wozu sich noch an seine Bahre dräng'n?
Kein Erbe stand, die Thräne zu belohnen,
Drum was für Grund, sie mühsam vorzuzwäng'n?

O ew'ges Fatum! wunderbar dein Wechsel!
Was einst du groß und mächtig hier gemacht,
Du läßt es plötzlich, wie es kam, verschwinden,
Und seine Herrlichkeit versinkt in Nacht.
Da liegt der Mann, der Tausende beglückte,
Von einem Einz'gen heute nur beweint. —
Bis sich die Nacht um Thal und Felsen lagert,
Und klagend ihm der Uhu sich vereint.

Eine kleine Strecke oberhalb Gondorf erhebt sich
auf dem felsigen Ufer des Flusses ein einfaches stei-
nernes Kreuz mit der Inschrift: Nickel Aswaldo.
Lange stand ich davor und sann nach, zu welchem
Zweck es der fromme Spender wohl hierher gesetzt
haben mochte, als ein ehrlicher Bauer den schmalen
Pfad heraufklimmte. Ich säumte nicht, ihm meine

Neugierde zu offenbaren, und er kramte auch alsbald
mit jener Gutmüthigkeit, welche den Bewohnern des
schönen Moselthals fast ohne Ausnahme eigen ist,
den Schatz seines Wissens aus.

Der Mondsüchtige.

„Es mögen wohl weit über hundert Jahre sein,"
begann er, „als da oben auf dem Felsen ein netter
Hof stand. Der Besitzer war ein alter, geiziger
Mann, der, sagt man, aus Trier hierher gezogen
sein soll. Er hauste droben und bekümmerte sich um
keine menschliche Seele, weder in Gondorf noch Leh=
men. Im Anfang sprachen die Leute wohl manch=
mal über ihn, aber endlich, da er Keinem etwas zu
Leide that, vergaß man ihn beinahe ganz. Der
Müller in dem Gondorfer Thal, nach dem Maifelde
zu, war fast eben so ein Kauz wie sein Nachbar auf
der Höhe, nur munkelte man von ihm allerlei weit
bösere Sachen. Viele wollten ihm manchmal zur
Nachtzeit begegnet sein; ein paarmal wurden etliche
Reisende erschlagen und wer weiß was mehr. Plötz=
lich hieß es in Lehmen, auf der Gondorfer Höhe
spuke es. Von dem Lubentiusfeste aus Cobern spät
zurückkehrende Bauern wollten auf dem Felsen um
Mitternacht eine weiße Gestalt gesehen haben. Der
Herr Pastor verwies den Leuten ihren Aberglauben,
allein es hatten es zehn und noch mehr Menschen
gesehen, und so beschloß er, selbst in einer mond=
hellen Nacht an Ort und Stelle die Sache zu prü=
fen. Die Leute hatten wirklich nicht gelogen; die

weiße Gestalt erschien auf dem Felsen, als aber der
geistliche Herr genauer hinsah, erkannte er in ihr
Niemand anders als den Fremden, der vor Kurzem
hierher gezogen war. Er kehrte nunmehr in das
Dorf zurück und den andern Tag war es in der
ganzen Gegend bekannt, der Herr Aswaldo sei mond=
süchtig. Das mußte auch der böse Müller erfahren
haben, denn er stellte sich alsbald am Abhang des
Felsens auf die Lauer. Sein raubgieriger Sinn
trachtete nach dem Gelde des Nachtwandlers. Er
wußte, daß dieser das Haus ganz allein bewohnte
und glaubte sich leicht durch die offene Thür einschlei=
chen zu können. Wie erstaunte er, als er das Hof=
thor wohl verschlossen fand. Seine Wuth stieg mit
jedem Augenblick; dort wandelte der Mondsüchtige
sorglos an dem furchtbaren Abhang des Felsens. Ein
einziger Stoß konnte ihn für ewig verstummen ma=
chen. Der Müller war bald entschlossen; wurde As=
waldo von dem Felsen hinabgestürzt, er hatte keinen
Zeugen seiner Unthat und wer wußte was der Ge=
mordete an beweglichem Hab und Gut besessen?
Leise schlich er sich hinter den Wandelnden, riß ihm
mit der Linken den mächtigen Schlüsselbund aus der
krampfhaft geballten Faust und stürzte mit der Rech=
ten den Schlaftrunkenen den Felsen hinab, daß seine
Glieder jämmerlich an dem spitzen Gestein zerschell=
ten. Dann eilte er in's Haus zurück, zündete einen
Kienspan an und begann nach den verborgenen
Schätzen zu suchen. Bald fand er reichere Ausbeute
als er gehofft. In einer wohlverschlossenen Truhe
lagen, für sein Auge, unermeßliche Schätze gehäuft.

Hals = und Armspangen von Ritterfrauen, Ohrge=
hänge, Sporen, eitel Gold und Edelgestein und
eine Menge gemünzten Goldes waren vor seinen
gierigen Augen ausgebreitet. Trunkenen Blickes be=
gann er sich zu beladen und steckte, um mit beiden
Händen arbeiten zu können, den Kienspan in die
Bretterwand. Während seines Raubgeschäfts hatte
er nicht bemerkt, daß ein dichter Rauch das Zimmer
zu füllen begann. Endlich sah er auf, gerechter Him=
mel! die Flamme hatte schon die ganze Wand er=
griffen und deutlich hörte er von dem Thurm des
nahen Lehmen die Sturmglocke heulen. Beladen mit
seinen Schätzen wollte er durch die brennenden Pfo=
sten bringen, allein zu spät; das ganze Vorderge=
bäude stand schon in Flammen und prasselnd stürzte
es zusammen, als er hinauszudringen versuchte. Ein
brennender Balken zerschmetterte ihm die linke Schul=
ter und bewußtlos sank er nieder. Als er wieder
zu sich kam, befand er sich im Freien. Der Pastor
und eine Menge Bauern standen um ihn herum.
Die furchtbar zerschmetterte Leiche Aöwaldo's war
bereits aufgefunden worden und zerknirscht gestand
der Missethäter sein Verbrechen. Nach drei Tagen
starb er unter entsetzlichen Schmerzen an seinen Brand=
wunden und kam dadurch dem rächenden Arm der
weltlichen Gerechtigkeit zuvor. Vorher stiftete er aus
seinem Eigenthum eine jährliche Seelenmesse und ließ
das steinerne Kreuz zum ewigen Andenken des Ge=
mordeten errichten.

Oberfell.

Jutta und Friedrich von Baden.

Zu Oberfell soll im Jahre 1268 die schöne Jutta[15]) von Pyrmont[26]) gelebt haben. Die Chronisten nennen sie eine „nitidam et elegantem puellam". Viele Ritter bewarben sich um Herz und Hand der schönen und reichen Erbin, allein sie fühlte für Keinen etwas. Eine Reise nach Frankfurt entfernte sie auf einige Zeit von ihren Besitzungen. Dort fühlte sie zum erstenmal der Liebe sanfte Allgewalt, sie sah den jugendlichen Friedrich von Baden, der seinem kühnen Freund, dem Prinzen Konradin von Hohenstaufen, sein Königreich Sicilien und die Kaiserkrone erobern helfen wollte. Sie sah die beiden Helden und ihr Geschick war entschieden. Die Liebe feierte einen ihrer schönsten Triumphe: die stolze Jutta, die sich noch vor wenig Wochen kühn vermessen, kein Mann solle sie je sein eigen nennen, sank dem Badenherzog an die männliche Brust und der Bund, den Gott so wunderbar gefügt, ward geschlossen. Aber das feindliche Geschick trennte die Geliebten, Friedrich zog mit seinem Freund über die Alpen; Jutta daheim nach Oberfell. Die geschichtlichen Ereignisse sind bekannt. Der Usurpator, Carl v. Anjou, schlug bei Tagliacozzo das Heer der Deutschen und Ghibellinen und wenige Monate nachher fielen die Häupter der edlen Ritter unter dem Beile des Henkers. Jutta hätte kein härterer Schlag treffen können; nur ihr unendliches Vertrauen auf die Vorfehung des Allmächtigen hielt sie aufrecht. Aber Freuden blühten fürderhin nicht mehr für die Unglückliche. Noch in demselben Jahr[27]) gab sie alle ihre Güter dem Frauenkloster Rosenthal[26]) und vertrauerte hinter den geweihten Mauern ihre schönste Jugendblüthe.

Catenes.

Jedem Reisenden mag wohl die seltsame Benennung dieses freundlichen Dörfleins auffallen. Es ist nicht so alt wie die meisten Ortschaften der Mosel und mag erst im 13. Jahrhundert entstanden sein. Seinen Namen leitete es von catena (Kette) her. Derselbe Ritter Zorno, Burggraf auf Thuron, dessen wir demnächst erwähnen werden, soll, um die vorüberschiffenden Fahrzeuge aufzuhalten und um sie dann desto sicherer von seinem Raubnest aus plündern zu können, eine ungeheuere eiserne Kette quer über den Fluß gezogen haben. Nach der Vertreibung dieses Wütherichs mögen sich wohl einige Insaßen hier angebaut haben und so wird nach und nach das Oertlein entstanden sein.

Alken mit Thuron.

Der gewippte Ritter.

Oberhalb Oberfell, wenn der Wanderer eine schroffe Felsenwand, welche sich ehedem bis in den Fluß erstreckte, überschritten hat, schaut ihm von beträchtlicher Höhe die alte Burg Thuron[29]), im Jahr 1198 von Heinrich von Sachsen=Braunschweig für seinen Bruder Otto gegen Philipp, Herzog von Schwaben, erbaut, mit dem nicht ganz unbeträchtlichen Flecken Alken entgegen. Dieses Alken kommt bereits im 10. Jahrhundert als „Stadt" vor und schien seine Vorrechte sieben Jahrhunderte hindurch behauptet zu haben. Noch heutigen Tags erblickt man die Ueberreste der alten Ringmauer, obgleich die Thürme und Thore, bis auf eines gegen Westen, verschwunden sind. Verschiedenen Herren, Rittern und Erzbischöfen angehörend, theilten sich nach einer zweijährigen Belagerung im Jahre 1248 die Erzbischöfe Arnold II. von Trier und Conrad von Cöln in den Besitz. Die Veranlassung zu dieser Belagerung ist folgende: Es war im Jahre 1231, wie Trithemius erzählt, als die Burg Thuron Pfalzbaierische Besatzung erhielt. Der Pfalzgraf Otto, ein frommer, gerechter, tapferer Fürst, hielt strenge Mannszucht und die fremden Kriegsleute waren in den sämmtlichen trierschen Landen geliebt und angesehen. Ein bitterer Groll zog aber in das Herz des friedliebenden Mannes ein, als Pabst Innocenz IV. (1245) die Excommunikation über seinen kaiserlichen

6

Freund Friedrich II. aussprach. Auch er war von
diesem Bannstrahl getroffen, denn das ergrimmte
Oberhaupt der Kirche hatte den Fluch über Alle, so
dem Kaiser anhingen, ausgesprochen. An die Stelle
der früheren Verehrung, welche er der Geistlichkeit
gezollt, trat ein finsterer Haß. Wo er es vermochte,
nahm er, oftmals, blutige Rache. Sein schönes
Besitzthum an der Mosel, das feste Thuron, zu be-
wahren warf er sein Auge im Kreise der ihm Treu-
gebliebenen umher. Seine Wahl fiel auf den Feldhauptmann Zorno, ein Mann mit einem eisernen
Charakter, listig zugleich und tapfer bis zur Verwe-
genheit. Mit einem auserlesenen Fähnlein kriegser-
fahrener Knappen entsandte er ihn seine Rechte zu
wahren und der Burggraf traf Veranstaltungen, die
den Erzbischof Arnold II. zittern machten. Eine Zeitlang hielt er sich in seiner fast unbezwingbaren Burg
ruhig, dann aber begann er die Feindseligkeiten mit
einem Nachdruck, daß die ganze Umgegend vor dem
Namen Zorno zitterte. Weit und breit bis in das
Maifeld trugen seine entzügelten Schaaren Raub und
Mord. Handel und Wandel ward gestört, kein Schiff
konnte den Fluß passiren, kein mit Gütern beladener
Wagen die Straße ziehen; Zorno wachte Tag und Nacht
und fiel unversehens aus seinen Hinterhalten heraus.

Vergebens waren alle Ermahnungen der beiden
Erzbischöfe, vergebens die Drohungen der gesammten
Ritterschaft, Zorno lachte ihrer hinter seinen Mauern.
Arnold wandte sich an den Pfalzgrafen selbst: „Den
schaden, de mir, in de minen goßhuisin, in
de mine gestlichte geschieht ist bon der zyt,

dat her Zorno plejere wart zu Thuron, fall
man mir verfichern in de gelten Bid goter
wareide." .. fo fchrieb der geiftliche Herr, allein
er predigte tauben Ohren.[30]

So gefchah es, daß Zorno eines Tags eine nahe
Anverwandte des Erzbifchofs in feine Gewalt bekam.
Er fchleppte die Unglückliche, welche gefegneten Leibes
war, in feine Burg und hielt fie hart troß ihrer
argen Noth. Als fie eines Knäbleins genefen war,
trat er in ihre Zelle, riß den Säugling von ihrer
Bruft und fchleuderte ihn mit rohem Gelächter er-
barmungslos und taub gegen die Bitten der bejam=
mernswerthen Mutter in den furchtbaren Abgrund.
Dies follte die leßte feiner unmenfchlichen Thaten
fein. Durch Beftechung gelang es der Unglücklichen
bei der Abwefenheit des Burgherrn zu entfliehen.
Sie warf fich in die Arme ihres erlauchten Verwandten.

Der Erzbifchof ergrimmte höchlichft als er die
verruchte That vernahm.[31] Er fchwur den Gottlofen zu fahen und ihm zu thun wie er dem Säugling gethan. Sogleich erließ er Sendfchreiben an
feine Lehnsleute nah und fern und alle fanden fich
bereitwillig ein. Die ganze Mofel waffnete fich und
mit einem ftattlichen Heerhaufen zog Arnold vor
die Vefte.

Allein Zorno fchien nicht bereit fich fo leicht zu
geben. Er hatte unermeßliche Vorräthe aufgehäuft,
die Befaßung war vollzählig und entfchloffen bis
auf den leßten Mann zu ftreiten. Ueberdem rech=
nete der Burggraf auf das Verfprechen feines fürft-

lichen Herrn und Freundes, ihn binnen Kurzem durch einige Fähnlein zu entsetzen.

Die Belagerung nahm indeß ihren Anfang; die Burg ward von allen Seiten eingeschlossen, verschiedene Stürme versucht; indeß vergebens. Einstimmig lautete das Urtheil der Belagerer, daß Thuron nur durch Hunger bezwungen werden könne.

Ein drohend Ungewitter thürmte sich indeß gegen den Erzbischof Arnold auf. Ein Bote brachte Kunde, daß in wenigen Tagen Pfalzgraf Otto der Durchlauchte an der Spitze eines mächtigen Heerhaufens zum Ersatz anrücke. In dieser argen Noth wandte sich der geistliche Herr nach Cöln an den Erzbischof Conrad von Hochstetten, ihn um Beistand an Geld und kriegskundigen Leuten ersuchend. Er versprach ihm die Hälfte aller der zu erobernden Besitzungen des Pfalzgrafen und so kam dieser auch alsbald angezogen. Mit vereinter Macht schlugen sie nun Otto zurück und kehrten dann mit erneutem Muth und frischen Kräften an die Belagerung zurück.

Zorno saß eben auf der höchsten Zinne seiner Burg und dachte über die seltene Bewegung im Lager nach, als ein Eilbote mit der Hiobspost zu ihm trat: der Pfalzgraf sei geschlagen. Erschrocken fuhr der Ritter auf, aber sogleich kehrte wieder die frühere Gelassenheit zurück, als mehrere seiner Knappen, Bestürzung in ihren Mienen, in das Gemach traten. „Was ist's!" rief er mit übermüthigem Tone; „das Unglück ist noch zu tragen, so lange Thuron steht. Nennen sich die eingebildeten Thoren doch schon ein ganzes Jahr lang die Köpfe an unsern Mauern wund und vermochten nicht einen Stein aus seinen Fugen zu reißen. So lange wir noch zu beißen und zu brechen haben, ist an Uebergabe nicht zu denken und bis dahin wird unser hoher Herr den angethanen Schimpf längst gerächt haben."

Allein seine Knappen theilten nicht Alle diese Sorglosigkeit. Mancher bebte vor der augenschein= lichen Gefahr zurück und der Verrath begann all= mählig Wurzel zu fassen.

Ein junger Ritter, der Sage nach Brenner ge= heißen [32]), hatte gleich beim Beginn der Belagerung daran gedacht, das unerträgliche Joch der Zwing= herrschaft Zorno's von sich abzuschütteln. Mit Ge= walt hatte ihn der Feldhauptmann vor Jahr und Tag gezwungen, Dienste auf der Burg zu nehmen und die Gelegenheit schien dem kühnen Jüngling zu günstig, als daß er sie sollte ungenützt vorübergehen lassen. Im Geheim suchte er die Stimmung der Burginsassen zu erforschen; nur zu viele gaben sei= nen Vorschlägen Gehör und es ward beschlossen, sich bei nächtlicher Stunde des Burgherrn zu bemächti= gen und ihn, gebunden an Händen und Füßen, dem Erzbischof auszuliefern. Allein Zorno stand bei sei= nen Creaturen noch zu hoch in Ansehen, sie hatten ja Gefahr und Beute mit ihm getheilt! Bald war er von dem Vorhaben der Verräther benachrichtigt und ehe sie es sich versahen fiel er mit seinen Ge= treuen über sie her, machte einen Theil nieder, die Andern ließ er in die Burgverließe werfen; unter diesen war auch Brenner. Für ihn, als den Urhe=

ber und Anstifter der Verrätherei, ersann der Burgherr eine eigenthümliche aber entsetzliche Strafe.

„Du begehrtest," höhnte er den Wehrlosen, „meine
Burg zu verlassen. Ich will Dir zeigen, daß ich
nach Deiner längern Gegenwart kein absonderliches
Gelüst trage. Schon in wenig Tagen wirst Du
Deine Freiheit erhalten!"

Damit verließ er seinen Gefangenen und schritt
zur Ausübung seines Vorhabens.

Auf die Zinne des nach Osten gelegenen Thurmes ward ein mächtiges Gerüst gezimmert und eine
Wurfmaschine mit einem ungeheuern Treibbalken daran gebaut. Zorno beabsichtigte nichts anderes,
als den unglücklichen Brenner vermittelst dieser Maschine über den Abgrund nach dem gegenüber liegenden Standquartier des Erzbischofs zu schleudern.
Als die Belagerer mit geheimem Entsetzen dem Bau
des Gerüstes zusahen, rief ihnen der Burgherr höh-
nend hinab: Er wolle ihnen einen Stellvertreter senden, an dem der Herr Erzbischof seine Lust, ihn
bei Gefangennahme in den Abgrund zu schleudern,
büßen könne.

Wirklich wurden alle Veranstaltungen zu der grau-
sen That getroffen; als Brenner sah, daß Bitten,
Versprechungen, ja selbst Drohungen nichts vermochten, bat er den Burgkaplan seine Beichte zu hören,
empfing Absolution und das heilige Abendmahl; dann
that er das Gelübde, daß, sollte er wirklich den
gegenüberliegenden Berg „sonder Gefährde" errei-
chen, er der heiligen Jungfrau eine Kapelle errichten wolle. [33]) Somit entkleidete er sich seiner Rü-

stung und bestieg die Zinne. Die Belagerer hatten
sich sämmtlich aus ihren Standquartieren begeben
um dem seltenen Schauspiel zuzusehen. Der Erzbischof lag mit seiner Geistlichkeit auf den Knieen,
Gott und die heilige Jungfrau um Schutz und Rettung für den Unglücklichen anflehend.

Der entscheidende Augenblick nahte heran, Brenner ward auf die Maschine gelegt, und nachdem selbige einigemal hin- und hergewippt worden war,
schleuderte sie ihn mit furchtbarer Kraft über den
Abgrund hinüber nach dem Standquartier des Erzbischofs. Der Ritter wäre unfehlbar verloren gewesen, wenn die Kraft der Maschine auch nur ein
wenig schwächer oder stärker gewirkt hätte. So aber
ward er in das Gebüsch des Abhanges geschleudert
und vermochte sich an einem der vielen Bleidensträuche
anzuklammern. Zorno sah zähnknirschend, daß seine
Absicht verfehlt sei und verwünschte seine Milde.

Der Ritter aber ward sogleich vor den Erzbischof
geführt, der ihn mit der ungeheucheltsten Theilnahme
empfing und ihn an dem Unmenschen zu rächen versprach. Brenner schilderte mit lebendigen Farben
den Zustand der Belagerten, er verhehlte es aber
auch seinem Beschützer nicht, daß durch einen Sturm
Thuron nun und nimmermehr einzunehmen sei. Hunger wäre noch das einzige Mittel, bemerkte er, und
die Burg sei noch auf Jahr und Tag mit allem
Nöthigen versehen. Unter solchen Umständen mußte
der Erzbischof mit ergrimmtem Herzen an einen gütlichen Vergleich denken und forderte Zorno, unter
Verheißung sichern Geleites, zur Uebergabe auf.

Allein der Ritter trotzte auf seine feste Burg, seine
noch immer großen Vorräthe und rechnete überdem
bestimmt auf ein zweites Entsetzungsheer. Monate
verstrichen unterdeß, Pfalzgraf Otto ließ nichts von
sich hören, denn er war übermäßig in seinem eige-
nen Lande beschäftigt, die oft ausbrechenden Unruhen
zu dämpfen. Ein Bote von Otto gesendet brachte
diese üble Botschaft und stimmte dadurch den Hoch-
muth des Ritters gar sehr herab. Bald begann der
Hunger unter den Burgbewohnern zu wüthen. Gern
hätte jetzt Zorno den früher angebotenen Vergleich
angenommen, allein der Erzbischof schwieg wohlweislich auf den Rath Brenners. So entschloß sich der
Burghauptmann, Ingrimm im Herzen, einen Vergleich
nachzusuchen. Die Bedingungen waren jetzt ungleich
härter. Sein und das Leben seiner Genossen, obgleich sie den Tod tausendfach verdient, wurde ihnen
gesichert, allein Alle mußten Urfehde schwören und
Zorno in's Kloster wandern. Ueberdem durfte weder er noch einer seiner Angehörigen jemals eine
Wohnung in oder um Alken in Besitz haben. [34])
    So endete die Fehde nach fast zweijähriger Be-
lagerung Thuron's im Jahre 1248, „des vier-
centen Daes vor sente remeyes Dage.“
Die Pfalzgräfischen Besitzungen wurden sämmtlich an
Heinrich Graf von Luxemburg zur Verwaltung übergeben, bis der Pfalzgraf Ersatz der Belagerungskosten und Vergütung des Schadens, so Zorno während seiner Herrschaft den trierschen Landen zugefügt,
geleistet habe. [35])

Zum ewigen Gedächtniß dieses glorreichen Sieges baute der Erzbischof und Brenner, seinem Gelübde gemäß, an der Stelle, wo er niedergefallen war, der heiligen Jungfrau eine Kapelle. Arnold II. segnete sie in höchsteigner Person ein.

Die Kapelle auf dem „Bleidenberg" wurde ein wunderreicher Zufluchtsort, und noch bis vor wenigen Decennien wallfahrtete das Volk dahin. Jetzt steht sie gleich Thuron verödet. Letzteres muß schon im Jahre 1616 im Verfall gewesen sein; denn die Herren von Wiltberg bewohnten es zu dieser Zeit schon nicht mehr, sondern hatten das am Fuß des Berges liegende Schloß inne. In diesem Gebäude, welches sich noch heutiges Tags recht stattlich ausnimmt, findet man ein altes Gemälde auf Leinwand, leider sehr beschädigt, indeß erkennt man noch recht deutlich den über den Abgrund schwebenden Ritter Brenner, einen Theil der Stadt Alken, die Burg und die Kapelle auf dem Bleidenberge.

Die Ehrenburg.

Nur eine halbe Stunde von dem rechten Ufer der Mosel tiefer in das Land hinein nach dem Hunsrücken zu, liegt in einem höchst romantischen Thale, ganz isolirt auf einem hohen Bergkegel, die alte „Ehrenburg." Erhabener, selbst noch in Trümmern, fanden wir keine Burg im ganzen Rhein und Moselland, und der Wanderer wird es nicht bereuen, den zwar etwas beschwerlichen, aber reizenden Weg

angetreten zu haben.   Ist auch das Erbauungsjahr
der Burg unbekannt, so können wir doch annehmen,
daß mehr als ein halbes Jahrtausend von diesen
Trümmern auf uns herabblickt; denn bereits im
Jahre 1190 kommen zwei Ehrenberger Ritter als
Zeugen bei der Belehnung der Pfalzgräfin Irmen=
trud und ihrer Tochter Agnes mit Schloß Stahleck
durch Erzbischof Philipp von Cöln, vor.   Die Rit=
ter und Herren zu Ehrenberg waren berühmt in
allen Fehden und Kämpfen der Vorzeit.   Um ihre
Gunst buhlten Fürsten und die adeligsten angesehen=
sten Familien des Rhein= und Mosellands sahen sich
gern mit ihnen verschwägert.   In allen Kreuzzügen
stritten Ehrenberger auf das tapferste und kehrten
ruhmbedeckt aus dem gelobten Lande zurück.   So
mächtig indeß auch das Geschlecht war, so erfuhr es
doch den Wechsel der Zeiten.

Der Ritter und die Leibeigne.

Im Jahre 1368 hauste der Ritter Friedrich auf
Ehrenberg.   Er war ein angesehener, weit und breit
geschätzter Mann.   Der Graf Johann zu Sponheim
belehnte ihn mit dem erledigten Waldeckschen Mar=
schallamt und übertrug ihm das gräfliche Banner.
Mangelte in einer Streitigkeit ein Schiedsrichter, so
wurde selten ein Anderer als der Herr zu Ehrenberg
gewählt.   Trotzdem freute sich wohl Keiner weniger
seines Lebens als der gestrenge Ritter.   Es schmerzte
ihn tief, daß ihm, dem Letzten seines Stammes,
kein männlicher Sprosse beschert worden war, und
um wenigstens einen Ersatz zu haben, nahm er

den Sohn eines seiner Lehnsleute und nahen Anver=
wandten zu sich. Der Junge wuchs heran und setzte
durch seine Kühnheit bald Alles in Erstaunen. Da
war kein Baum zu hoch, kein Pferd zu wild, kein
Wasser zu tief, er mußte Alles wagen. Er war
jetzt 18 Jahr, da trat er vor den Burgherrn, wel=
chen er nie anders wie Vater nannte, und begehrte
nach Coblenz zum Fasching zu ziehen. Der Ritter
runzelte die Stirn und sagte unwillig: „Was ficht
Dich an, Du unbändiger Gesell, weißt Du nicht
wie übel ich bei den Pfahlbürgern angeschrieben bin,
sie würden Dir Dein Vertrauen übel lohnen."

„Ist's weiter nichts!" rief lachend der junge
Ritter, „so laßt Euch kein graues Haar darüber
wachsen. Ich ziehe zur Kurzweil nach Coblenz und
die Bürger werden froh sein, wenn ich meine Klinge
gegen sie stecken lasse."

Ohne eine Antwort abzuwarten, stürmte er zum
Gemach hinaus und schwang sich auf sein Pferd.
Zwei Knechte sprengten ihm nach.

Zu Coblenz herrschte reges Treiben auf Gassen
und Plätzen. Der Fasching war in vollem Gange
und alle Straßen wimmelten von abentheuerlich ge=
putzten Leuten. Die Herbergen waren überfüllt und
mit genauer Noth nur fand unser Walter mit sei=
nen beiden Knappen ein Unterkommen „im Stern"
an der Mosel.

Der junge Graf von Isenburg=Budingen hatte
in derselben Herberge sein Standquartier und machte
gar großen Lärm mit seinen Reissigen und Rossen.
Als Walter durch den Thorweg ritt, lag er mit

einem schönen Fräulein im Fenster und rief spöttisch
herunter: „Ist das Eure ganze Begleitung, Herr
Ritter? traun, Ihr mögt mit zwei Mann schon einen
tüchtigen Aufzug halten!"

Der junge Ritter warf ihm einen Blick tiefster
Verachtung zu, allein er schwieg, denn er hatte es
sich vorgenommen, jeden Hader zu vermeiden.

Auf seinem Gemach angelangt, öffnete er das
Fenster und sah dem Treiben auf der Moselbrücke
zu. Auch unten in der Herberge wurde es wieder
stiller; der Graf war zum Faschingszug gezogen.
Da ging leise die Thüre auf und das Fräulein,
welches vor einer Stunde mit dem Isenburger zum
Fenster hinausgeschaut, steckte den wunderschönen
Kopf herein. Walter sprang erstaunt auf. „O ich
bitte verzeiht," lispelte sie schüchtern; „ich komme
Euch zu warnen. Der gestrenge Herr Graf hat Euch
auf den ersten Blick erkannt, Ihr seid der Stiefsohn
des Herrn auf Ehrenberg. Jetzt ist er fort um den
Coblenzer Herren anzuzeigen, daß Ihr im Weichbild
der Stadt wäret; gewiß kommen sie um Euch zu
fahen."

„Ha der Elende!" rief Walter ergrimmt. „Doch
sie sollen es wagen, ich habe mich sonder Gefährdte
unter ihren Schutz begeben. Aber wer seid Ihr, hold-
seliges Fräulein, die mich vor drohender Gefahr
bewahrte?"

„Ich bin kein Fräulein," erwiederte das Mädchen traurig. „Mein Vater ist des Herrn Leibeig-
ner und ich habe Gnade vor seinen Augen gefunden."

„Unglückliches Geschöpf," sprach der Ritter und umfaßte die Erglühende zärtlich. „Wie gern möchte ich Dich vor der Rohheit Deines Herrn schützen. Komm, fliehe mit mir auf die Ehrenburg."

„O denkt nicht daran mich zu retten," entgegnete die Arme, sich sanft loswindend. „Ihr habt gar nicht lange zu säumen, denn jeden Augenblick kann der Graf zurückkommen." Sie drückte dem Ritter noch einmal die Hand und wandte sich zur Thür, aber weit flog diese im selben Augenblick auf. Der Graf trat mit klirrenden Schritten in's Gemach.

„Höll' und Teufel!" rief er wüthend, als er die Dirne in demselben erblickte. „Nichtswürdige Metze, was hast Du bei dem Bastard zu suchen."

Mit hochgeschwungenem Schwerte trat er auf die Leibeigene zu, aber Walter sprang schnell dazwischen und schlug das gezückte Eisen zurück. „Wegen des Bastards sprechen wir uns Nächstens auf freiem Felde, Herr Graf," entgegnete er drohend. „Jetzt gebt Raum, denn ich bin nicht gesonnen ob Eurer Verrätherei in die Hände der Städter zu fallen."

Der Graf hieb statt aller Antwort wie rasend um sich und Walter mußte sich, um nicht schimpflich unter den Streichen des Wüthenden zu fallen, so gut wie möglich vertheidigen. Der Streit war bald entschieden: mit einer tiefen Halswunde stürzte der von Isenburg [36]) zusammen und Walter sprang eiligst die Treppe hinab nach dem Stall zu seinem Pferd. Seinen Knechten pfeifend drang er mit geschwungener Klinge durch den Volkshaufen, welcher bestürzt Raum gab. In donnerndem Galopp sprengte er

7

nach dem nächsten Thore zu, noch deutlich hörend, wie die Städter ihm nachriefen: „Ihm nach, es ist der Ehrenburger, er hat den Stadtfrieden gebrochen."

Sein gutes Pferd rettete ihn aber vor den Ver= folgungen der Städter. In Schweiß gebadet kam er auf der Ehrenburg an. In seiner gewöhnlichen, treuherzigen Art schilderte er dem Vater seine That und dieser tadelte ihn zwar wegen seines Ungehor= sams, allein er mußte seine Vertheidigung billigen.

Am andern Morgen stürzte athemlos ein Bote in das Gemach des Burgherrn. Der Herr von Polch, zu Coblenz ansäßig, sende ihn mit der bösen Nachricht: die Bürger rüsteten sich im Geheim, um die Burg zu überfallen. Herr Friedrich erhob sich zornentbrannt: „Die Pfahlbürger sollen's wagen den Burgfrieden zu stören! Doch ich lasse Eurem Herrn meinen Gruß entbieten und die Städter sollten mich nicht unbereit finden."

Der junge Walter schien aufzuleben, als er ver= nahm, was im Werke sei. Mit bewundernswürdi= ger Behendigkeit und Umsicht leitete er die Anstalten zur Vertheidigung der Veste, und in der That, die Coblenzer ließen nicht allzulang auf sich warten. In aller Frühe am andern Tage erschienen sie im Thale und klimmten, noch ehe die Sonne aufgegangen war, den steilen Berg hinan. Aber übel wurden sie dort oben empfangen und bald stürzten sie über Hals und Kopf den steilen Pfad wieder hinunter. Der Ueber= fall war vereitelt, aber die feigen Städter nahmen desto eifriger Rache an dem unbeschützten Eigenthum des Burgherrn. Die Felder wurden unbarmherzig

verwüstet, die Saaten zertreten, die Leibeignen getödtet oder fortgeschleppt und in allen Richtungen
ward gesengt und gebrennt. Es ging dem Ritter
schwer an's Herz, sein schönes Land so verwüstet zu
sehen und er schwur, sich nicht eher den Bart scheeren zu lassen, als bis er den Coblenzern vergolten,
was sie ihm gethan.

Wer weiß wie lange noch die Städter vor dem
Schloß gelegen hätten, wenn sich nicht Pfalzgraf
Ruprecht in's Mittel geschlagen hätte. [37]) Er ver-
wieß den Schöffen und Bürgermeistern ihr ungerecht
Verfahren und der Friede schien beigelegt. Herr
Friedrich aber und mit ihm Walter, ließen es nicht
dabei bewenden. Letzterer hatte erfahren, daß seine
schöne Retterin mit ihrem Vater nach dem Tode des
Grafen von Isenburg von den Coblenzern in strenger Haft gehalten werde. Im Stillen rüstete er nun
einige Fähnlein aus und rückte unverhofft vor die
Stadt. Sein Plan glückte vollkommen. Die schöne
Walrabe ward befreit und die Bürger büßten schwer
für ihr Vergehen. [36]) Ob er später das edle Mädchen als sein Ehegespons heimgeführt, darüber schweigt
die Sage.

Hatzenport.

Ueber die Entstehung des freundlichen Fleckens Hatzenport auf dem linken Ufer der Mosel, unweit Brodenbach, erzählt man sich nachstehende Legende, welche wir Klosterberichten entnahmen.

Den frommen Erzbischof Hetti oder Hatto, derselbe, welcher die Gebeine des heiligen Castors von Carden nach Coblenz brachte, überfiel, als er mit der kostbaren Reliquie die Mosel hinabschiffte, an dieser Stelle ein heftiger Sturm. Der Teufel, welcher das fromme Vorhaben zu vereiteln trachtete, stand hinter den Felsen und blies mit seinem feurigen Athem unaufhörlich in das aufgeregte Wasser. Allein das Gebet des Gesalbten des Herrn war wirksamer und der Erzfeind mußte mit Schande abziehen. Hatto aber befahl, als er in Coblenz wieder angelangt, eine Kapelle an dem Ort zu bauen, wo er so große Noth erlitten. Damit aber der böse Feind hinter den Felsen hinfürderhin nicht mehr sein Spiel treiben könne, ließ er die mächtigen Granitblöcke sprengen und wegräumen. Die Bauleute ließen sich später auf der Stelle nieder und das Oertchen behielt die Benennung „Hattonis portus" (zusammengezogen Hatzenport) bei.

Bischofsstein.

Auf demselben Ufer fortschreitend gelangt man zur Ruine Bischofsstein, deren Erbauung in's 13. Jahrhundert fällt. [39]) Die Volkssage setzt das Schloß des heil. Nicetius hierher, jedoch ohne allen Grund. Es soll dies ein prachtvolles, herrliches Schloß gewesen sein. Auf einem grünen, fruchtbaren Hügel soll es sich erhoben haben: dreißig Thürme, eine mächtige Halle, von marmornen Pfeilern gestützt, zierten es und der Schätze im Innern war kein Ende. Schon Venantius Fortunatus, ein Italiener, in der Mitte des 6. Jahrhunderts lebend, besingt das Schloß und seinen Erbauer. Es ist jedoch sehr unwahr= scheinlich, daß dieses Prachtgebäude hier gestanden haben soll. [40])

Das weisse Kalkband.

Weithin leuchtet ein sonderbarer Kalkanstrich, der sich gleichsam wie ein Ring um die Mitte des frei= stehenden runden Thurmes ziehet und fällt jedem Reisenden auf. Im Volk gehen allerhand Sagen über dieses Kalkband. Nach einigen soll der Fluß vor Jahrhunderten zu einer grausenerregenden Höhe gestiegen sein und der damalige Besitzer Bischofsstein habe diesen Ring zum ewigen Gedächtniß, daß die Fluthen bis zu seiner Veste gedrungen seien, um den Thurm ziehen lassen. Nach andern soll im 13. Jahrhundert ein Bischof aus dem nahen Frankreich mit einem wunderschönen Fräulein, welchem er sich

*

vermählt, hierher geflohen fein. Allein dem mein=
eidigen Priester folgte die Rache auf dem Fuß, fein
Geheimniß ward verrathen und von der Geistlichkeit auf=
geregt, rüstete sich die Ritterschaft des Mosellandes,
den Bischof in feiner Burg zu belagern. Jedoch
dieser stritt mit feinen treuen Franken tapfer und
die Belagerer mußten unverrichteter Sache abziehen.
Ihnen zum Hohn, daß er ihrer Macht spotte und
feine Treue unverbrüchlich fei, ließ er jenes weiße
Band um den Thurm ziehen, ein Symbol des Braut=
rings. So wenig wir die beiden vorstehenden Sa=
gen verbürgen können, um so mehr Wahrscheinlich=
keit besitzt die nachstehende, welche wir in Balladen=
form wiedergeben:

Der Bischofsstein.

Es war der Erzbischof Johann
Von Trier ein gar sehr frommer Mann,
Sein Herz war rein, fein Geist so klar,
Ein ächter Hüter feiner Schaar,
Der alle Frommen mächtig schützt,
Indeß fein Schwert den Bösen blitzt.

Dort wo die Mosel silbern fließt,
Die goldne Segenstraube sprießt,
Ragt bis zum Wolkenbau hinein
Die stolze Veste Bischofsstein,
Der Stein ist darum hingestellt,
Daß d'ran der Bösen Macht zerschellt;

Denn einstens hauf'ten frech im Land
Viel Schufte, die man Ritter nannt',

Es waren ſtahlbewehrte Flegel
Und ſchonten weder Kind noch Kegel.
Sie plünderten oft ohne Noth
Und ſchlugen manchen Wandrer todt.

D'rob zürnte ſehr der fromme Herr
Und ſprach: „Bei Gott und meiner Ehr',
Das Handwerk will ich ihnen legen
Von heute an auf allen Wegen."
Da ſetzt er in den Biſchofsſtein
'ne tapfre Kriegerſchaar hinein.

Die Krieger hielten ſtrenge Wacht
Und gaben auf die Moſel Acht.
Erwiſchten ſie ſolch frechen Wicht,
Ward gleich er mit dem Schwert gericht.
Die Wandrer zogen frei die Straßen
Und folgten fröhlich ihren Naſen.

Hei, da gerieth die Brut in Zorn,
Sie blieſen all aus einem Horn,
Vermaßen ſich gar fürchterlich
Und fluchten dabei läſterlich:
„Wird nicht der Biſchofsſtein genommen,
So werden wir zu Schanden kommen."

Einſt hatten ſie in finſt'rer Nacht
Zuſammen viel des Volks gebracht;
Wie Spinne leiſ' ſchlich Mann für Mann
Mit Kolb und Schwert zur Burg hinan.
Und eh' man ſich's verſahe drinnen,
Da ſaßen ſie ſchon auf den Zinnen.

Sie hauſ'ten drin wie wilde Thier',
Wie arge, böſe Teufel ſchier;
Ermordeten wohl Mann wie Maus
Und warfen was nicht blieb hinaus.

D'rauf, heidi, ging's zum Keller 'nein,
Da soffen sie den alten Wein.

Ein Knecht, der der Gefahr entronnen,
War schon in Trier mit nächster Sonnen,
Und meldete mit Wehgeschrei
Dem Bischof was geschehen sei.
Darob erfaßt ihn grimme Wuth:
„Ha Schuft', Ihr büßt's mit Eurem Blut."

Entbot schnell seine Mannen all
Und zog zur Burg mit Hörnerschall.
Er selber führte sie zum Sturm
Und war der erste auf dem Thurm.
Die Räuber waren stets besoffen
Und wurden auf den Tod getroffen.

In wenig Stunden war das Nest
Gesäubert wohl auf's Allerbest.
Die Räuber waren theils erschlagen,
Theils hielt man sie gar derb am Kragen,
Und setzte sie zu Molch und Kröte
In's Burgverließ. — 'ne böse Stätte.

D'rauf ließ der Bischof einen Ring,
Der um des Thurmes Mauer ging,
Von einem Maler eiligst zieh'n;
Der war von deutungsvollem Sinn:
„Der Bischof nur allein ist Herr,
Das merkt Euch all im Land umher."

Da ärgerten sich alle Ritter,
Der Hohn war ihnen gar zu bitter.
Der weiße Streif glänzt' weit umher
Und war nicht zu vertilgen mehr;
Noch heute bietet hell und klar
Er sich auf Meilenweite dar.

So war der Ring am Bischofstein
Stets aller Schurken Hohn und Pein;
Und heut noch denkt der Bösewicht,
Wenn ihm die Farb' in's Auge sticht,
Es möcht' wie jenen ihm gescheh'n
Und er gar schmählich untergeh'n.

Schloß Elz.

Folgt man dem Laufe des unter vielfachen Krüm=
mungen das Thal durchströmenden Elzflusses, wel=
cher sich bei Kern in die Mosel ergießt, so gelangt
man nach einer kleinen Stunde an eine majestätische
Veste. Es ist dies das Stammschloß des berühmten
Geschlechts der Elze. Keine Ruine sieht von der
steilen Felshöhe auf uns herab; eine wohl erhaltene,
fast noch in allen Theilen bewohnte Burg, trotzt sie
schon seit Jahrhunderten dem Zahn der Zeit und
wird ihm, verschont sie der Mensch mit seiner Zer=
störungswuth, noch Jahrhunderte trotzen. Das er=
lauchte Geschlecht der Elze führt seine Ahnen bis in
die graueste Zeit hinauf. Schon im 10. Jahrhundert
werden Elze in den Sagenbüchern der Turnierbe=
schreiber genannt; ob jedoch damals die Burg schon
gestanden, ist zu bezweifeln. Denn in den Büchern
trierscher Geschichte kommt sie erst im Jahre 1080
vor. Die Geschichte rühmt wahrlich nicht umsonst
ihre Tapferkeit, allein auch von ihrem Trotz, ihrem
Starrsinn weiß sie manches zu erzählen. Selbst
untereinander herrschte Hader und Zwietracht und

nicht selten wurde das Schwert der Schiedsrichter
ihrer Streitigkeiten.

Die Entstehung Trutzelz's.

Im Jahre 1308 saß ein strenger, tapferer Mann
auf dem erzbischöflichen Stuhl zu Trier; es war
Balduin von Luxemburg. Mit fester Hand hielt er
die Zügel der Regierung und die Sagen und Geschichten des Rhein- und Mosellandes erzählen seine
Thaten. Die unruhigen Ritter seines Erzstifts, besonders die großen trierschen Dynasten, die Elze,
Ehrenberg, Waldeck, Schöneck murrten ob der kräftigen Regierung; denn ungestraft durften sie es jetzt
nicht mehr wagen, den Bürger und Landmann zu
bedrücken und die kleinen Ortschaften zu überfallen.
Damals wurden viele Zusammenkünfte auf Elz gehalten, die Ritter und Herren klagten sich untereinander, wie sehr ihre Kraft gehemmt sei, und das
Ende war, daß man gemeinschaftlich den Fehdehand-
schuh dem Oberherrn hinwarf. Balduin war nicht
der Mann, der sich ungeahndet trotzen ließ; wie das
Wetter brach er im Jahre 1334 mit seiner treuen
Schaar, welche schon gleich glücklich gegen die Italiener als die Baiern gestritten hatte, auf. Die
Burgen Ehrenberg, Waldeck, Schöneck waren bald
eingenommen, allein noch ragten die Zinnen der
Veste Elz trutzig empor und Ritter Johann schlug
stolz alle Friedensanträge aus. So lang die Stärke
des Arms allein den Ausschlag gab, hielt er sich in
den Ringmauern seines Schlosses für unbesiegbar.
Schon mehre Monate lagen die Erzbischöflichen vor

dem Felsenneste und stießen sich die Köpfe daran
wund; Balduin vermaß sich hoch und theuer, er
wolle die „Ysenköpfe" zwingen und wenn er die
ganze Heeresmacht seines Bruders, des deutschen
Kaisers, herbeirufen müsse.

Unmuthig erging er sich eines Tags in Begleitung weniger Getreuen in der wildromantischen Umgegend. Von Trier her erwartete er einige Fähnlein, mit deren Hülfe er einen neuen Sturm wagen
wollte. Deshalb sah er sich nach einem hohen Standpunkt um, von welchem er weit in das Land hinein
zu schauen vermöge. Da wo jetzt der Burgpfad,
zum Fahrwege erweitert, gegen das Maifeld an-
steigt, springt schroff eine ungeheure Felsenmasse hervor. Dort hinauf klimmte der Erzbischof mit seinen
Begleitern und war höchlichst erstaunt, einen Punkt
zu treffen, der nicht allein eine herrliche Uebersicht
über das ganze Thal gewährte, sondern auch die
Belagerten arg gefährten und ihnen alle Verbindung
mit dem Maifeld abschneiden konnte. Als Balduin
auf dem höchsten Gipfel angelangt war und sich
eben einen festen Standpunkt wählen wollte, rollte
das morsche Gestein den Pfad hinab und hätte beinahe den Kirchenfürsten mit fortgerissen. „Ei, will
mich der Fels nicht leiden," sprach er lächelnd, sich
wieder aufrichtend, „so will ich ihn doch dazu zwingen." Und herabsteigend gab er den Befehl, auf
der Höhe eine Veste zu errichten. Bald belebte sich
das Thal von Bauleuten; der ungastliche Fels ward
mit einer mächtigen Mauer umzogen und von Woche
zu Woche stieg die neue Burg immer stattlicher empor.

Da ergriff Verzweiflung die Belagerten, der Hunger fing an mit seinem verderblichen Zahn unter ihnen zu wüthen, und jetzt war es an Balduin, von gütlichen Vorschlägen nichts hören zu wollen. In dieser Bedrängniß floh heimlich die einzige Tochter des Herrn zu Elz, die schöne Jutta, ein Mädchen von 16 Jahren, zu dem erbitterten Oberherrn. Ihr Flehen war so rührend, die Vorstellung der Reue ihres Vaters so wahrhaft, daß der strenge Herr Balduin, der dem schönen Geschlecht keineswegs so ganz abhold war*), sich erweichen ließ. Es kam im Jahre 1336 zu einer Sühne und Balduin, den Feind durch seine Großmuth beschämend, gab ihm die kaum erbaute Veste zu Lehen und erlaubte ihm seinem Titel: Herr zu Elz, noch den eines Burggrafen von Balden- oder Trutzelz beizufügen.

Der durchlöcherte Harnisch.

Dem Besucher der Burg wird von dem freundlichen Verwalter im Hof ein ziemlich hohes, noch wohl erhaltenes Burghaus gezeigt. Das gothische Aeußere, die vielen Erker mit zahllosen Schnörkeln und Zierrathen, die verrammelten Thüren geben ihm etwas Unheimliches. Nach der Sage haust darin der Burggeist und wir fanden in alten Chroniken nachstehende Erzählung.

Zu Ende des 15. Jahrhunderts lebte auf Elz die schöne Agnes, Tochter des Burggrafen. Schon

_____

*) Er war damals zwar 51 Jahre alt, galt aber immer noch für einen der schönsten Männer seiner Zeit.

in der Wiege verlobten sie, nach damaliger Sitte,
die Eltern mit dem Söhnlein des Ritters von Brauns=
berg. Die Kinder wuchsen heran, schienen aber
schlecht zu einander zu passen. Während das Mäd=
chen sanft und geduldig nur selten von Leidenschaften
überwältigt wurde, verrieth der Jüngling eine Hef=
tigkeit, ein Aufbrausen, das sich mit dem stillen
Sinn seiner Braut übel vertrug. Sie waren jetzt
in die Jahre gekommen, in welchen man den jungen
Ritter öfters mit seiner Verlobten allein ließ, damit
sich ihre Herzen zusammenfinden möchten. Obgleich
das Mädchen ihren Vater oft unter Thränen bat,
ihr Geschick nicht an das des rauhen Mannes zu
ketten, so stieß dieser sie doch kalt zurück, denn die
Verbindung versprach ihm allzugroße Vortheile. Der
Tag, an welchem sie im Beisein der beiderseitigen
Familien mit einander verlobt werden sollten, war
herangekommen.

In dem großen Rittersaal zu Elz saßen in stei=
fer Tracht die Matronen, die gestrengen Ritter so
wie die jüngern Leute. Festlich geschmückt harrte der
junge Braunsberg seiner Braut. Endlich trat sie in
den Saal, allein ihrer kummervollen Miene, den
verweinten Augen sah man es deutlich an, wie schwer
ihr der Gang wurde. Der Ritter runzelte die Stirn
und geleitete sie ziemlich unsanft zu ihrem Sitz. Dann
begannen die Unterhandlungen; hin und her wurden
Forderungen gethan und verworfen und der Burg=
schreiber hatte vollauf zu thun. Mancher Bogen
Pergament ward verkritzelt, ehe Alles in's gehörige
Gleiß gebracht wurde. Agnes hatte Allem mit pein-

8

licher Unruhe zugehört; als sich aber Braunsberg
erhob und ihr mit unfreundlicher Stimme den ersten
Verlobungskuß abforderte, empörte sich ihr jungfräu=
licher Sinn und sie sträubte sich, dem ungeliebten
Mann das Liebeszeichen zu gewähren. Da brach
der lang verhaltene Grimm des Ritters tobend aus,
mit heftigen Scheltworten strafte er die Ungehorsame,
ja er vergaß sich in seinem Zorn so weit, daß er
ihr den eisernen Handschuh in das zarte Gesicht
warf. Das konnten die Elzer Herren doch nicht
gleichgültig anschauen; die Brüder, die Vettern, ja
der alte Burggraf selbst erhoben sich entrüstet, schon
waren die Schwerter blank, als sich Agnes dazwi=
schen warf und die Männer beschwor, den heiligen
Burgfrieden nicht zu brechen.

Die Braunsberger zogen drohend ab und schon
den andern Tag gelangte ihr Fehde= und Absagebrief
auf Schloß Elz an. Ein langwieriger Kampf ent=
spann sich, keine der Partheien gab nach, keine hörte
auf die Ermahnungen der Erzbischöfe zu Cöln und
Trier. Ein volles Jahr dauerte nun schon die Fehde
und noch war an keine Beilegung des unseligen
Zwistes zu denken, als die Braunsberger die List
zu Hülfe nahmen. Sie wußten den Burggrafen
mit all seinen Söhnen und Vettern zur Belagerung
ihrer Veste aus Elz zu locken, und während mithin
die beste Mannschaft entfernt war, beschloß der ver=
schmähte Bräutigam einen Ueberfall. Zu nächtlicher
Stunde rückte er mit einer kleinen aber auserwähl=
ten Schaar den steilen Felsenpfad hinan. Vertraut
mit allen Oertlichkeiten drang er in den vordern

Hof, noch ehe der träge Wächter aus seinem Schlaf
erwacht war. Hier aber ward die kühne Schaar
durch das große innere Thor aufgehalten und ob
ihres Tobens erwachte die ganze Besatzung. Agnes
war die erste, welche von ihrem Lager aufsprang,
sie stieß das Fenster auf und übersah, bei dem hellen Schein des Vollmondes, mit einem Blick das
Drohende der Gefahr. Nur Eile und Entschlossenheit konnten hier retten; welch Geschick erwartete sie,
wenn sich Braunsberg ihrer wieder bemächtigte! Dieser
Gedanke beseelte sie plötzlich mit einem Muthe, der
ihrem Geschlecht nur selten eigen wird. Sie riß den
Prunkharnisch ihres jüngsten Bruders von der Wand,
wählte das leichteste Schwert und stürzte, halbge-
wappnet, in den Burghof, wo die wenigen Mannen
und Reissigen rathlos beisammen standen. Als sie
die geliebte Tochter ihres Ritters in solcher Verzweiflung sahen, schämten sie sich ihrer Zaghaftigkeit
und alle stürzten, durch ihre Anrede begeistert, durch
ein kleines Ausfallpförtchen in den Rücken der nächtlichen Angreifer. Agnes eilte in ihrer edlen Begei-
sterung Allen voran, allein die erste Kugel aus dem
Faustrohr des Ritters von Braunsberg traf sie und
zu Tode verwundet stürzte sie auf das harte Gestein.
Kaum sahen die Elzer das hochverehrte Burgfräu-
lein fallen, als sie mit einem unbeschreiblichen Grimm
über die Feinde herfielen. Zuerst sank der schändliche
Bräutigam, schwer getroffen von einem Kolbenschlag,
rechts und links stürzten seine Begleiter und nur einer entrann, um die traurige Mähr anzusagen.

Nach dem Tode derer, die die langwierige Fehde
veranlaßt schlossen die Partheien Sühne. Allein noch
bis vor Kurzem zeigte man in der Rüstkammer zu
Schloß Elz jenen weiblichen Brustpanzer von einer
Kugel durchlöchert, und das oben erwähnte Burg=
haus steht seit der Zeit verödet; denn in den ein=
samen Räumen wandelt der Geist der unglücklichen
Agnes.

Müden.
Die verfluchte Mühle.

Verrufen in der ganzen Umgegend ist die soge=
nannte Sonntagsmühle. Schon ihre Umgebung ist
schauerlich=romantisch; am Eingang einer tiefen, dun=
keln Felsenschlucht, überragt von hohem, schwarzem Ge=
stein, lehnt sich ihr altes Gemäuer an den verwitterten
Felsen. Jedem Beschauer fallen die kleinen, spitz=
bogigen Fenster, die gothischen Verzierungen und
Schnörkel auf und er frägt sich: wie eine Mühle
wohl zu so seltenem Schmuck komme.

Vor hundert Jahren, so geht die Sage, lebte zu
Müden ein reicher Pächter, dem fast alle Grund=
stücke der Umgegend zu eigen waren. Dabei war
er ein harter, rauher Mann und drückte den Armen
auf gar grausame Weise. Einmal fiel es ihm ein,
es wäre doch besser, wenn er den Gewinn, den die
Müller jährlich von dem Mahlen der vielen tausend
Malter Korn hatten, in seine Tasche stecken könne,

und er beschloß sogleich, sich eine recht schöne Mühle
zu bauen. Um recht billig zu gehauenen Steinen
zu kommen, kaufte er um ein Spottgeld das halb-
zerstörte Kloster Engelport ") und schickte seine Fröh-
ner aus, die Mauern ganz einzureißen und die
Steine die Mosel herabzuschiffen. Diese kamen aber
(753) des Abends wieder zurück und meldeten, der Vater
Kunibert habe sich ihrem Beginnen sehr ernstlich wi-
dersetzt und sie hätten es nicht wagen wollen, dem
frommen Mann ungehorsam zu sein. Da fing der
böse Pächter entsetzlich an zu toben und vermaß sich
unter gräulichen Flüchen, er wolle dem alten Gleiß-
ner die Glatze waschen wie noch Keiner. Der Vater Kunibert war ein frommer Einsiedler, der Wohl-
thäter der ganzen Umgegend und wurde von niedern
und hohen Leuten sehr geschätzt. Nach der Zerstörung des Klosters kam er hierher und baute sich in
den Ruinen desselben an. Dabei war er der Arzt
und Krankenpfleger der ganzen Umgegend und die
Landleute hielten ihn hoch und werth.

Des andern Morgens in aller Frühe machte sich
der Pächter mit seinen Fröhnern nach den Ruinen
auf. An der verfallenen Pforte kniete der ehrwürdige Greis in andächtigem Gebet und schien die Her-
annahenden gar nicht zu hören. Der reiche Pächter
fiel sogleich mit einer Fluth Scheltworten über den
frommen Alten her, dieser aber richtete sich würdevoll auf und bat ihn sanft, ihm Gehör schenken zu
wollen. Dann begann er mit rührender Stimme
das Schicksal des Klosters zu schildern, er erzählte
von den Wundern, die in seinen Mauern geschehen,

*

von dem ehemaligen Glanz, den es besessen, von den Leiden, die es erduldet, und schloß mit Vorlesung eines Briefes des hochwürdigen Bischofs zu Trier, worin versprochen wurde, daß eine Sammlung zu Wiedererbauung des Klosters im Bisthum veranstaltet werden solle. Kurz er sprach so zu Herzen dringend, daß den Fröhnern des reichen Mannes häufig Thränen über die gebräunten Wangen rannen; nur dieser selbst blieb ungerührt und befahl seinen Leuten Hand anzulegen. Noch einmal legte sich der Einsiedler auf's Bitten, ja er fiel dem Hartherzigen zu Füßen, als ihn dieser aber heftig zurückstieß, sprang er mit funkelnden Augen auf: „Mögest Du nie,“ rief er in frommem Eifer, „Segen von Deinem unheiligen Bau haben und der Himmel Dein gottlos Beginnen von Stund an strafen.“ Und der fromme Einsiedler hatte wahr gesprochen. Als der Pächter seine Mühle erbaut und, wie zum Hohn, die schönen gothischen Verzierungen, ja selbst die spitzbogigen Fenster des Klosters darin wieder angebracht hatte, kam das verheißene Unglück mit Riesenschritten. Sein einziges Kind kam in den Rädern um, sein Weib tödtete der Gram darüber, er selbst verfiel in Tiefsinn und starb als Bettler. Noch jetzt ist kein Segen in dem Mahlwerk, und der kleine Bach, der es treibt, oft ganz wasserlos.

Carden.

Das eigentliche Ritterthal der Mosel nimmt hier Abschied von seinem Besucher; von jetzt an schauen ihm die Denkmäler des frommen Sinnes unserer Vorfahren von den Ufern entgegen. Verschwunden sind die kräftigen Rittergestalten mit den Schwärmereien verliebter holder Fräulein, Alles athmet Andacht und selbst die Gegend nimmt jenen ernsten Charakter an, von welchem die Verehrung des Höchsten begleitet ist. Nur seltener schauen Ruinen ehemals fester Burgen von der Höhe grauer Felsen auf uns herab, und auch sie rufen uns die fromme Scheu der eisenbepanzerten Besitzer in's Gedächtniß zurück, deren Rohheit allein durch das ernste Wort des Priesters bezwungen werden konnte.

Der heilige Castor.

Welches Gemüth sollte nicht beim Anblick der uralten St. Castorsstiftskirche, die ihre drei hohen Dome vom Uferrande ehrwürdig emporstreckt, ergriffen werden. Hier, zu Carden*), waltete um das Jahr 351 der heil. Castor. Damals war die Gegend noch eine Wüstenei, aber der fromme Mann wählte sie gerade darum zu seinem Aufenthalt. Eine düstere Felsenhöhle*) war seine Wohnung, die Kräuter des Waldes seine Speise, Quellwasser sein Trank, die wilden Thiere seine erste Gesellschaft. Aber bald

---

*) Sie wird noch heutigen Tags gezeigt und liegt unterhalb des Ortes.

bevölferte sich die Gegend um ihn, die Heiden lechz=
ten nach der Speise des Evangeliums und bauten
Hütten um die Wohnung; so entstand Carden. Nach
langjährigem wunderthätigem Wirken nahm Gott
seinen Heiligen zu sich. Seine Gebeine waren viele
Jahrhunderte in der Erde verborgen, ohne daß Je=
mand gewußt hätte, wo sie beigesetzt worden waren.[13])

Zur Zeit des Bischofs Wiomadus gefiel es
Gott, die in der Erde verborgene Perle zu offen=
baren und die Gebeine des Heiligen, welche den
Menschen lange unbekannt waren, zu verherrlichen.
Er zeigte also in einer Erscheinung einem Priester,
mit Namen Marcius, einem ehrwürdigen und from=
men Manne, an welchem Orte der kostbare Schatz
verborgen sei, und fügte hinzu, daß er zu dem
Bischofe gehen und demselben die Offenbarung der
heiligen Ueberreste mittheilen solle.   Da aber jener
die Erscheinung für ein Traumbild hielt und sich
für unwürdig erachtete, daß ihm eine solche Offen=
barung zu Theil werde, so erschien ihm dasselbe
Gesicht zum andern Male und ermahnte ihn, es dem
Bischofe bekannt zu machen. Da war aber Marcius
bestürzt und bat Gott flehentlich, daß, wenn die Er=
scheinung von ihm käme, sie zum dritten Male sich
ihm zeigen möge, und er gelobte zu thun, was er
ihm befehle.   Gott zeigte also dem ehrwürdigen
Priester zum dritten Male, was ihm schon
zweimal mitgetheilt war.   Der Bischof Wiomadus
aber empfing den Priester Marcius, dessen An=
kunft ihm schon vorher offenbart worden war, mit
großer Ehre, und nachdem er die Ursache seiner

Reise erfahren hatte, dankte er dem Allmächtigen,
daß er seine Zeit für würdig gehalten, die Reliquien
des heiligen Castor zu enthüllen. Und er versam=
melte alle seine Untergebenen, geistlichen und welt=
lichen Standes, und theilte ihnen seine Absicht mit,
wie und zu welcher Zeit er nach Carden hinunter
reisen wolle. Am festgesetzten Tage nun fuhr der
genannte Bischof, begleitet von Priestern, Mönchen
und Laien, nach Carden hinab, wo sich auf sein Ge=
heiß eine unzählige Menge aus der Umgegend und
aus der Ferne, aus allen Ständen und von jedem
Alter, versammelt hatte. Nachdem sie drei Tage ge=
fastet hatten und die Messe vom Bischof gelesen war,
begaben sie sich zu dem Grabe; sie eröffneten es und
fanden den himmlischen Schatz und trugen ihn in
die Kirche, welche damals das Haus des heiligen
Paulinus genannt wurde, wo Gebete und Gesänge
zum Herrn geschehen bis auf den heutigen Tag.

Treis.

Pfalzgraf Herrmann.

Treis (ehedem Dreise oder Trys) entstand wahr=
scheinlich zugleich mit Carden, obgleich es in Urkun=
den erst später genannt wird.

Auf Schloß Wildenburg, deren Ruinen noch jetzt
stehen, hauste eine mächtige Dynastenfamilie, welche
mit Graf Bertolf 1122 ausstarb. Ein Nebenver=
wandter, Graf Otto der Rheinecker, aus dem gräf=

lichen Geschlechte von Salm, behauptete sich im Be=
sitz und baute später noch ein neues dazu, obgleich
ihn Kaiser Heinrich V. belagerte. "*) Als er sein
Ende herannahen fühlte, schenkte er sein Besitzthum
dem trierschen Erzbischof Albero von Monsterol,
allein Pfalzgraf Herrmann hielt beide Burgen besetzt
und schien nicht gewillt sie, trotz aller Abmahnungen,
wieder herauszugeben. Da ergrimmte der Kirchen=
fürst höchlichst und sammelte ein Heer, so mächtig
und sogleich so glänzend, daß die trierschen Geschichts-
bücher des Lobes fast kein Ende finden. Obgleich
schon Greis und eher gewohnt den Weihwedel als
das Schwert zu führen, verschmähte er es doch nicht
sich an die Spitze seiner Getreuen zu stellen. So
rückte er im Jahre 1148 vor die Burgen. Der
Pfalzgraf stand auf der Zinne und sah gedankenvoll
hinab, wie die glänzenden Ritterschaaren in den
Stahl= und Silberrüstungen sich im Thal immer
mehrten und mehrten und endlich alles, gleich einem
reißenden Waldstrom, überschwemmt hatten. Zu
solcher Stunde trat seine jüngste Tochter, die ihm
nach Treis gefolgt war, zu ihm und beschwor ihn
unter Thränen, nicht den Fluch der Kirche auf das
theure Vaterhaupt zu laden; allein Herrmann stieß
sie erzürnt zurück. Sein Stolz erwachte, er war
dem Erzbischof an Land und Leuten wohl gewachsen
und hätte selbst den Kaiser nicht als seinen Besieger
erkannt.

Albero hatte indeß, als erfahrener Feldherr, seine
Schaaren geordnet und trat, das Kreuz in der zit-
ternden Hand, vor die harrenden Schaaren. Ergrei-

fend war seine Rede, mächtig und durchdringend: „Auf dieses Kreuz, Ihr Ritter und Knechte, schwor der Pfalzgraf, die Rechte der Kirche zu schützen; auf dieses Kreuz schwor er, ihr ein getreuer Schirmvogt zu sein, und jetzt trotzt er hinter festen Mauern und spottet seines Gelöbnisses." *) Diese Anrede begeisterte Alle. Der Graf von Namur schwang das Kriegsbanner und rief zum Sturm und mit dem Kreuz in der Hand rückte der Erzbischof, gefolgt von seinen Schaaren, den Felsen hinan. Da wollte die Tochter des Pfalzgrafen schier vergehen; ihr frommer Sinn malte sich das Entsetzlichste von dem Auflehnen des Vaters gegen das gesalbte Haupt der Kirche. Sie eilte in sein Gemach und fand ihn bereits gerüstet; weinend stürzte das Mädchen zu seinen Füßen nieder und beschwor ihn bei allen Heiligen, bei ihrer kindlichen Liebe, abzustehen von seiner gottlosen Vertheidigung. Sie sprach so zu Herzen dringend, daß der Pfalzgraf das schon gezückte Schwert wieder in die Scheide stieß und zur Uebergabe blasen ließ. Der Erzbischof empfing sein Eigenthum unbeschadet zurück.

———

Clotten.

Richenza, Königin von Polen.

So unscheinbar der Ort auch ist, so diente er dennoch im 11. Jahrhundert einer Königin zum Wohnsitz. Richenza oder Richeza, auch Richza, Tochter des mächtigen Pfalzgrafen Ehrenfried, aus erlauchtem Geblüt stammend, [46]) ward bereits in ihrem zwölften Jahre mit dem Polenkönig Mierslav II. zu Gnesen verlobt. Im Jahre 1024 bestieg sie den Thron und leitete zehn Jahre lang mit Weisheit und Milde ihren an Geist und Leib schwachen Gemahl. Nach seinem Tode ernannten sie die Stände zur Regentin, allein sie zerfiel mit dem Adel, der ihr Willkühr und Anmaßung vorwarf, und um drohenden Gefahren zu entgehen, floh sie zu Kaiser Konrad II., welcher sie freundlich aufnahm. Eine Zeitlang irrte sie mit ihrem noch nicht 14 Jahre alten Sohn in dem deutschen Reich herum, unschlüssig, wo sie ihren Wohnsitz aufschlagen solle. Der Zufall führte sie endlich an die traulichen Ufer der Mosel. Der friedlich dahin rieselnde Fluß mit seinen waldbekränzten Höhen stimmte zu ihrem schmerzlich bewegten Sinn. In Clotten ließ sie sich nieder, während ihr Sohn in das Kloster zu Clugny trat.

In der ganzen Gegend ward sie bald wie eine Heilige verehrt, denn sie spendete den Armen reichlich von ihren großen Schätzen, besonders bedachte sie die Kirchen und Klöster. Die Clottener Burg, deren spärliche Ruinen noch heute zu sehen sind,

baute sie schön aus und öffnete jedem Rittersmann oder
Pilger gastfrei die Thore.   Doch sollte ihr Leben
fürderhin nicht ganz harmlos verstreichen.   Die Po=
len, welche sie erst vertrieben hatten, schickten, nach=
dem sie lange unter einander wegen der Herrschaft
gestritten, Abgeordnete an die ehemalige Königin
und forderten ihren Sohn Casimir auf den Thron.
Ihr Mutterherz bebte vor den Gefahren, welchen
eine solche Krone ausgesetzt war und sie schrieb ihrem
Sohn die zärtlichsten Briefe, um ihn von diesem
Schritt zurückzuhalten.   Der Jüngling aber, wenn
auch in der Einsamkeit des Klosters fern gehalten
von den rauschenden Vergnügungen der Welt, konnte
dennoch den Lockungen des Ehrgeizes nicht wider=
stehen; zudem mochten dem jungen Gemüth die Ent=
behrungen, welche das Mönchsleben mit sich brachte,
wohl lästig geworden sein.   Er sagte deßhalb zu und
es handelte sich jetzt nur noch darum, die Lösung
seines Gelübdes von dem Oberhaupt der Christen=
heit zu erhalten.   Lange ward hin und her gestritten
und berathen, ehe der Dispens kam *[7]); als er end=
lich anlangte, machte sich Casimir auf, nahm von
seiner Mutter zu Clotten Abschied und kehrte in sein
Reich zurück, wo er mit Jubel aufgenommen ward.
Von nun an weilte sie stets in Clotten, ließ für sich
und ihre Hausleute eine eigne Kapelle bauen und
beschloß ihr Leben im Jahre 1060.   Zu Cöln in der
Kirche der heil. Maria ad Gradus liegt sie begraben. *[8])

Oliver Tempelius.

Unterhalb Clotten befindet sich noch heutigen Tags ein Platz, welcher von dem Volk: „Auf der Schanz" genannt wird. Hier hat im 16. Jahrhundert wirklich ein kleines Vertheidigungswerk gestanden, dessen Entstehung folgende ist: *)

Als im Jahr 1580 ein großer Krieg in den Niederlanden gegen den König von Spanien wüthete, machte sich ein niederländischer Befehlshaber, Oliverius Tempelius, „ein vortrefflicher woll erfahrener Soldat und Gubernator zu Brüssel," auf, nahm bei 800 Mann kriegskundiger Soldaten zu sich und brach in das deutsche Gebiet ein. Cöln und Neuß beängstigte er, ohne es nehmen zu können, dagegen hauste er gräulich mit Mord und Brand zu Bonn und Andernach. Die ganze Mosel war in großem Schrecken, denn gleich einer rollenden Lawine vergrößerte sich nach jedem Siege der Haufen des Abentheurers. Unserm Clotten war er schon ganz nahe, Münster mußte sich mit schweren Summen loskaufen, Carden ward rein ausgeplündert; da ermannten sich die Bürger und Bauern, Tag und Nacht wurde an einem Erdwall gebaut und Alles was Waffen tragen konnte zur Besatzung aufgefordert. Oliver hatte von solchem Beginnen gar wenig Kenntniß und vermeinte das Oertlein zu plündern gleich allen andern. Von Carden aus sandte er eine Schaar, welche von den Geschwornen trotzig dreiundzwanzig hundert Reichsthaler begehrten, so sie friedlich abziehen sollten. Die Bürger sandten

sie mit Schimpf zurück und der Niederländer vermaß
sich mit schweren Eiden, den hochmüthigen Ort zu
züchtigen, daß kein Stein auf dem andern bleiben
sollte. Mit der beginnenden Nacht brach er mit all
seinem Volk auf und gedachte den Flecken zu über=
rumpeln. Vor der Schanz machte er Halt und er=
klimmte nach kurzem Rathschlag den Wall. Aber die
Clottener waren wohl auf ihrer Huth. Die Schild=
wacht stellte sich schlafend und als der gefürchtete
Mann nah genug war, stieß sie ihn mit der Helle=
barde durch die Brust. Im Augenblick war Alles
in Allarm, die Besatzung stürzte auf den Wall, that
einen Ausfall und erschlug bei zweihundert Mann.
Die Uebrigen flohen in scheuer Hast nach Carden
zurück und in die Berge. So war das Land von
einem argen Feind befreit. Das ganze Moselthal
athmete wieder frei. Alle Ortschaften schickten Ge=
sandte, die muthigen Clottener zu beloben und der
Erzbischof bewilligte ihnen zur Belohnung große
Freiheiten. Die rechte Hand des Oliver wird noch
heutigen Tags in der Gemeindekiste zu ewigem Ge=
dächtniß verwahrt.

Cochem.

Cochem [50]) war und ist noch immer ein ziemlich bedeutender Ort. Bereits im Jahre 1025 kommt es als Stadt (urbs) vor. Ursprünglich mochten hier die Römer eine befestigte Niederlage gehabt haben, deren Hauptcastell zunächst auf der Anhöhe, auf welcher sich jetzt das ehemalige Kapuzinerkloster erhebt, gestanden zu haben scheint. Um dieses Kloster, dessen Entstehung bis in die frühesten Zeiten hinaufgeht, hat sich wahrscheinlich nach und nach die Stadt gebildet. In den früheren Zeiten war ihr Handel weit ausgedehnter, als jetzt, sie sandte alljährlich zweimal zur Messe nach Frankfurt ein freies Marktschiff. Weit und breit berühmt waren auch ehedem ihre Jahrmärkte, zu welchen die zunächst gelegenen Städte an Rhein und Mosel Scherzes halber förmliche Deputationen sandten. So die Bopparder und Oberweseler in himmelblauen Wolkenperücken, die Coblenzer als Chinesen ꝛc. Von dieser Zeit mag es sich auch wohl herschreiben, daß Cochem gleich Schilda, Portehude und Trippstrill, an der Mosel als die Stadt, worin die tollsten Streiche getrieben werden, verschrieen ist. Aber auch wo es galt das Wohl des Vaterlandes zu vertheidigen, standen die Cochemer Bürger gleich Felsen in Sturm und Ungewitter.

Die Franzosen zu Cochem.

Es war zu Ende August des Jahres 1688, als der französische Marschall Boufleurs mit 15,000 Mann und zahlreichem Geschütz vor der Stadt erschien. Er umschloß dieselbe ringsum, auch von jenseits der Mosel her. Dann forderte er sie zur Uebergabe auf, allein die Bürger schwuren, sich bis auf den letzten Mann vertheidigen zu wollen. In ihren Mauern befehligte als Stadtkommandant der churtriersche Oberst Kratz von Scharfenstein; unter ihm standen die Hauptleute Gressenich und von Wenz. Der Obrist v. Chizola lag mit einem Häuslein Kaiserlicher, Major v. Golz mit einigen Bataillonen Brandenburger und ein Herr von Hagen mit einer Schaar Mainzer in der Stadt. Außerdem hatten die Trierer Hülfstruppen gesandt. Am 25. August ließ Bousleurs den ersten Sturm auf die schlecht befestigte Stadt thun, allein die Cochemer schlugen ihn herzhaft zurück. Der Marschall wüthete und trieb seine mordbegierigen Schaaren zum zweiten Male gegen die Mauern, allein auch jetzt und zum dritten Male wurden sie mit großem Verlust zurückgetrieben. Nachmittags endlich drangen unter dem furchtbarsten Kanonenfeuer die Franzosen durch die Bresche. Nun aber begann der entsetzlichste Kampf der Verzweiflung in den Straßen der Stadt. Dort oben, erzählt uns ein Schriftsteller der neuern Zeit, wo die hohen Mauern des Klosters dunkel aufragen, vertheidigte sich eine Hilfsschaar Brandenburger vom Reichsheere bis auf den letzten Mann, selbst über den Altären der Kirche; sie erlag erst, nachdem, durch Bomben angesteckt, die Gebäude aufloderten. Hier, links in der Bachstraße, machten die Kaiserlichen vom Regimente Stahremberg den wilden Grenadie

ren von Vendome jeden Fußbreit streitig. Tiefer
unter über Haufen von Leichen drangen mit gefäll=
tem Bajonette, vom Schloßberge herab, die volon-
tairs·du Roy vor; wüthend über den Verlust ihres
Obristen, den ein Bürger, welchem es an Kugeln
fehlte, mit einem Silberknopfe erschossen hatte. Ih=
nen gegenüber fochten die Trierer, so wie rechts un=
ter dem Gewölbe des kolossalen Pfarrthurms, wel=
ches die gens-d'armes von Bourbon angriffen, die
Mainzer. Ueberall stritten, untermischt, die Bewoh=
ner von Cochheim. Zuletzt zog sich gegen Abend der
Kampf auf den Marktplatz, wo dann Alle von der
Uebermacht erdrückt wurden. Sie hatten gestritten
gleich den Bürgern Saragossa's eines bessern Looses
und ewigen Nachruhmes würdig. Ehre ihrem An=
denken!

Ein neuerer Dichter (Klein) besingt ihre That
in einigen Distichen, welche wir unsern Lesern mit=
zutheilen nicht anstehen:

Muthige Streiter, gezeugt an der Oder, dem Rheine, der
Donau,
An dem Moselgestad', aber doch Deutsche gesammt!
Krieger und Bürger, vereint zum schönen Kampf für die
Heimath,
Schwerter mit Schwertern gekreuzt, trotzt ihr des Todes
Gefahr!
Nicht der Erfolg der That, die That selbst ehrt und der
Wille
Jeden entschlossenen Mann, welcher das Große beginnt:
Sanken die Sparter ja dort, gleich euch, auf tausend von
Leichen,

Ueber Gefall'ne schritt spottend der Perserdespot!
Aber es keimet die Frucht, die goldne, hervor aus dem
              Saamen,
Den Ihr der Erde gestreut, sterbend mit Blute gedüngt;
Noch nach Jahren entglüht der Sohn am Grabe des Vaters,
Höher begeistert, und schwört, ähnlich dem Tapfern zu sein!

Die Winneburg.

Rückwärts der Stadt öffnet sich das wildschöne
Wunnenberger Thal, in dessen Hintergrund perspek-
tivisch auf wolkenanstrebender Felskuppe die gleich-
namige Schloßruine kühn aufsteigt. Bemerkenswerth
ist diese Ruine um so mehr, als sie im Jahre 1638
in den Besitz des erlauchten Geschlechts der damals noch
Freiherren von Metternich kam, desselben Geschlechts, dessen hochverehrter Stammhalter der jetzige
Fürst von Metternich, Herzog von Portella, Herr
auf Königswart, Kaiserlich östreichischer Staatskanz-
ler 2c. ist. Die Wunnen= oder Winneburg wird
zwar erst im Jahre 1280 in Urkunden erwähnt, sie
ist aber bestimmt um zwei Jahrhunderte älter. Die
Lage auf hohem, fast unersteiglichen Felsen, so höchst
romantisch, war zu lockend für den damaligen Sinn
der Zeit. Viele edle Geschlechter hausten im Laufe
der Jahrhunderte auf ihr. Seit dem 14. Jahrhundert schon besaßen es indeß die Herren von Beilstein
und Poltersdorf und erst im Jahr 1635 starb das
Wunneberg'sche Geschlecht aus. Drei Jahre später
erhielt der Dompropst Freiherr Emmerich v. Metter=

nich die Belehnungszusage des Schlosses. Im April
und Mai des Jahres 1688 ließ der französische Kom=
mandant auf Montroyal, de Saxis, die damals noch
herrlich erhaltene Burg unterminiren und nachdem
alles Bewegliche fortgeschafft worden, in die Luft
sprengen.   Der große Thurm trotzte aber der ver=
wüstenden Kraft und erhebt noch heute stolz sein ehr=
würdiges Haupt.

Die eingemauerte Jungfrau.

Im Volk gehen allerlei schauerlich klingende Sagen
über diesen gewaltigen Thurm. Der Böse selbst soll ihn
dem Baumeister haben errichten helfen. Als nämlich
die Wunnenburg, wie die Sage erzählt, von ei=
nem Ritter, der aus dem gelobten Lande
zurückgekehrt, erbaut wurde, da wollte es dem
Bauherrn nicht gelingen, mit der hohen Thurmwarte
zurecht zu kommen. In seiner Verzweiflung wußte
er sich seines Leibes keinen Rath und rief den Für=
sten der Hölle an. Zu damaliger Zeit zeigte sich
dieser auch bereitwilliger als jetzt, er kam und er=
klärte, den Thurm in wenig Tagen zu bauen, wenn
der Baumeister seine einzige Tochter im Fundament
lebend einmauern wolle. Das Haar des unglücklichen
Vaters sträubte sich, allein sein Leben stand auf dem
Spiel, er vollzog das entsetzliche Verbrechen. Der
Teufel aber machte sich nunmehr anheischig, so lang
die Erde stünde, sollten Menschenhände die Burg nicht
vernichten können. Als im Jahr 1688 die Franzosen
die Mauern sprengten, da bedienten sie sich jener Er=

findung des Teufels, wie Milton im paradise lost erzählt, des Pulvers und der Satan war es daher selbst, der sein Werk wieder zerstörte. Dem Thurm dagegen konnte er trotz allem Wüthen nichts anhaben, denn der Geist der darin eingemauerten reinen Jungfrau breitete schützend seine Fittiche darüber aus. Noch jetzt hört man oft leises Wehklagen aus den alten Mauen tönen.

Das Cochemer Schloß.

Heinrich der Tolle.

Die Ruinen dieser ehemals gar stattlichen Burg stehen dicht an dem Fluß auf einem mächtig hohen Berg oberhalb der Stadt. Bereits im Jahr 950 besaßen nach einander die Pfalzgrafen Herrmann, Ehrenfried, Otto das Schloß als Reichslehen. Schon früher aber stand auf der Stelle die sogenannte Altenburg.

Im Jahre 1055 starb der Herzog Conrad von Baiern, sein Erbe war der Pfalzgraf Heinrich, mit dem Beinamen der Tolle, furiosus, der Sohn des Grafen Ludolph. Obgleich im Besitz fast unermeßlicher Reichthümer, hatte er doch wenig Freude daran, denn sein Kopf hatte in früher Jugend durch einen Unglücksfall gelitten und er beging in Folge dessen die tollsten Streiche. Seine Familie bestimmte ihm eins der schönsten Mädchen aus edler Familie

zur Gattin, hoffend, er würde durch so zarte Pflege
gesunden. Mathilde (nicht Adelheid, wie einige sagen) hing auch mit unendlicher Liebe an dem Gemahl und ihre Liebe wirkte so mächtig auf den Pfalzgrafen, daß ein ganzes Jahr verging, ohne daß sich
sein Wahnsinn gezeigt. Schon glaubte man ihn geheilt, als er plötzlich erklärte, er wolle in's Kloster
gehen. Vergebens waren die Vorstellungen seiner
Familie, vergebens die Thränen und Bitten seiner
Gattin. Der Vorsatz war kaum ausgesprochen, als
auch schon die rasche That folgte. In einer Schen-
kungsakte vermachte er der Kirche einen großen Theil
seiner Güter, wenn er und seine Gattin das Zeitliche gesegnet haben würden. Sein Schloß Siegeberg aber übergab er gleich jetzt dem Erzbischof Anno
von Cöln, welcher es zu einem Kloster umgestalten
ließ. Dann nahm er unter Thränen Abschied von
den Seinen und begab sich in's Kloster Echternach
(Andere sagen Görz). Seine Ideen schienen indeß nicht
weniger wandelbar als toll. Er war kaum von seiner Melancholie geheilt, als er zu seiner Gattin zurückkehrte und für's erste alle seine Schenkungen für
null und nichtig erklärte. Als sich der Erzbischof
Anno weigerte, Siegeberg zurückzugeben, fiel er mit
einem schnell zusammengerafften Haufen raublustiger
Kriegsgesellen in das kölnische Gebiet und sengte
und brennte furchtbar auf dem flachen Lande. Der
Kirchenfürst schloß sich entsetzt in dem festen Aachen
ein und ließ von hier einen allgemeinen Aufruf an
seine Getreuen ergehen. Da waffnete sich jeder Bürger, Bauer und Rittersmann und der Pfalzgraf

warb schimpflich aus dem Land geschlagen. Mit dem Groll im Herzen und merklichen Zeichen wiederkehrender Tollheit floh er nach Cochheim auf sein festes Schloß. Mathilde empfing ihn mit geöffneten Armen, sie allein, die Sanfte, die Engelgute hatte keine Vorwürfe für ihn und war ihm, trotz aller Anfechtungen, unwandelbar treu geblieben. So saß er am andern Tag finster brütend im traulichen Gemach an ihrer Seite. Plötzlich erfaßte ihn die Raserei im höchsten Grade, sich selbst nicht mehr kennend ergriff er eine nahstehende Streitart und schmetterte die Unglückliche nieder; dann trennte er ihr mit entsetzlicher Kälte das blondgelockte Haupt vom Rumpfe und trat mit dem haarsträubenden Lachen des Wahnsinns unter seine Mannen, den blutigen Kopf hoch in die Höhe streckend. Entsetzen ergriff bei diesem Schreckbild die rohen Kriegsleute, die Bande des Gehorsams lößten sich im Augenblick; wüthend fielen sie über das wahnsinnige Ungeheuer her und legten es in Ketten. Am selben Tag noch ward er nach Trier zum Erzbischof gebracht, und weil dieser kein Urtheil über ihn zu sprechen wagte, zurück in's Kloster geschleppt, wo er bald nachher sein elendes Leben endete.

Beilstein.

Die beiden Brüder.

Beilstein, bereits oben erwähnt, war schon im 12. Jahrhundert Reichslehen und die Herren von Braunshorn besaßen es damals.

Im Jahr 1363 starb der letzte der Braunshorn und Burg Beilstein fiel an seine Tochter Lyse, Frau auf Wunnenberg. Ihr Nachkomme Philipp von Wunnenberg war es, welcher 1530 die schwer ver=schuldeten Güter von Trier löste und das kölnische Lehensrecht über sich erkannte. So weise und spar=sam der Vater war, so heftig und ungestüm zeigten sich seine drei Söhne.

Der Vater sah ungern den steten Hader der Brü=der, allein er war zu schwach ihn zu verbannen. Zeit seines Lebens hatte ihm der unselige Streit viel Kummer gemacht und er war herzlich erfreut, als der jüngere, Philipp, den er stets am meisten ge=liebt, seinen Bitten nachgab und sich einstweilen auf die Burg Alzey zurückzog. Er gab der Hoffnung Raum, daß der rauheste und heftigste seiner Söhne, Cuno, dann wohl auch Beilstein verlassen würde. Aber der alte Herr hatte sich darin leider gar sehr getäuscht. Cuno machte es sich jetzt auf der Burg erst recht bequem, mißhandelte die Knechte und höhnte den greisen Vater, so oft ihm dieser Vorwürfe machte. Um eine bessere Stütze und Pflege seines Alters zu haben, nahm der Burgherr die junge Tochter eines

entfernten Anverwandten zu sich. Mathilde muß ein
schönes Fräulein gewesen sein, denn Herr Philipp
zu Alzey gestand dem Vater, als er sie bei einem
Besuch auf Beilstein sah, daß noch nie ein Weib
ihm besser gefallen habe als sie. Der Greis bat
aber so flehentlich den Sohn, er möge ihm nicht
die sanfte Pflegerin vor seinem Tode rauben, daß
dieser gern seine Gefühle unterdrückte. Nicht so
Cuno. Sein roher Sinn trachtete nach dem Besitz
des Mädchens. Weniger schonend als der Bruder
trat er vor sie hin und erklärte ihr, er wolle sie
der Ehre würdigen: sie als seine Hausfrau heimzu-
führen. Bescheiden, aber fest, erwiederte das Fräulein: über ihr Herz habe nur Herr Philipp mehr zu
gebieten. Wohl brauste der rohe Mann auf, aber
da verwieß ihm der Burgherr sein ungeziemliches
Ansinnen und knirschend fügte sich Cuno. Plötzlich
(1583) starb der Vater und er, als der älteste
Sohn, nahm Beilstein und Wunneberg, ohne das
Testament eröffnet zu haben, in Besitz. Philipp zu
Alzey vernahm mit Erstaunen die ungerechten Hand-
lungen seines Bruders. Er fürchtete im Augenblick
weniger für sein Eigenthum, als die arme Mathilde.
Das Testament lautete ganz anders. Der Vater
hatte ihm die Herrschaften Wunneberg und Beilstein vermacht [1]) und vergebens waren alle Abmahnungen des Bruders. Auch das Mädchen hielt der
finstere Mann in strenger Haft. Da übermannte
endlich den gutmüthigen Philipp der Zorn. Er berief seine Lehnsleute, warb ein Häuflein und zog
bei nächtlicher Weile vor Beilstein. Mathilde, be-

10

reits unterrichtet, hatte sich ihrer Haft entledigt und
öffnete eine Hinterpforte. Philipp zog mit den Sei=
nigen ein[32]) und entwaffnete die wenigen Reissigen.
Da aber stürzte tobend Herr Cuno in den Burghof;
mit erhobenem Schwert wollte er den Bruder an=
fallen, aber versöhnend trat Mathilde unter die
Streitenden und die Waffen senkten sich. Cuno be=
gab sich seiner ungerechten Forderungen und zog
nach Wunnenberg. Das Mädchen ward die Gattin
Philipps.

Leimen.

Der Eremit.

Der Anblick der spärlichen Ueberreste einer ehe=
maligen Einsiedelei, die sich hier auf dem rechten
Ufer malerisch auf rauher Felsenwand erhebt, erweckt
in dem Reisenden das Andenken frommer Aufopfe=
rung, die in unsern Zeiten vergeblich gesucht werden
dürfte. Ein hundertjähriger Eremit, Walther, wel=
cher sich von Brod und Kräutern nährte, jede milde
Gabe aber, die er selbst erhielt, den Armen reichte,
lebte hier zur Zeit Erzbischofs Egilbert.[53]) Oft
reiste der wohlthätige Mann zu den Raubgesellen
und Schnapphähnen des Hunsrückens, Gefangene zu
lösen; oft im härtesten Winter nach entlegenen Bur=
gen, dürftige Leibeigene von drückenden Zinsrück=
ständen zu befreien. Er war Rathgeber und Helfer
bei Krankheiten, Wassernoth und Feuerverheerungen.

In der Nachbarschaft hieß er nicht anders als der
„gute Vater". Knaben und Mädchen kamen ihm
schon von Weitem entgegen. Einst am Frühmorgen
schwebte eine Flamme über seiner Klause und die
Glocken rings erklangen von selbst. Von allen Seiten eilte man herbei: da lag der Edle mit lächelnder
Miene leblos auf dem Lager. Unter dem lauten
Jammer der Umgegend wurde seine Hülle, noch un-
verwesen am sechsten Tage, nach Kloster Stuben
gebracht. [54])

Kloster Stuben.

Im Jahre 1138 [55]) übergab ein reicher Edler
Namens Egelolfus einen beträchtlichen Theil seiner
Güter dem Abt von Spankirsbach [56]) zur Stiftung
eines Frauenklosters, unter St. Augustinsregel, an
dieser Stelle. Seine einzige Tochter, Gisela, früh
verlobt mit einem Ritter von Huntheim ward
Aebttissin und Erzbischof Albero bestätigte die Wahl.
Ein trauriges Ereigniß bewog das Mädchen zu einem
so ernsten Schritt. Ihr Bräutigam hatte sich wenige
Tage vor der Vermählung nach Trier begeben, um
seine Freunde zu dem schönen Fest zu laden. Da
stand die harrende Braut an dem Gestade und blickte
sehnsüchtig die Wasserfläche hinauf, von wo der Geliebte herabgesegelt kommen sollte. Das Schiff nahte,
bunt bewimpelt und geschmückt; laut erschallten Ju-
belklänge und mischten sich in die Freudenrufe der

kommenden Gäste. Liebend streckte Gisela die Arme aus und Berthold, ungeduldig sie an seine Brust zu drücken, sprang, als das Fahrzeug nur noch wenige Schritte vom Ufer entfernt war, in das Wasser. Allein er hatte der trügerischen Fläche zu viel vertraut; gerade jene Stelle war grundlos und die schwere Rüstung zog ihn unrettbar in die Tiefe. So mußte die unglückliche Braut den Theuren vor ihren Augen versinken sehen. Von Stund an beschloß sie sich fürderhin dem Himmel zu weihen und trat wenige Jahre später in das Kloster zu Stuben, welches ihr Vater erbaut.

Die „sorores de insula beati Nicolai in Stuppa" kamen bald in großes Ansehen und das Kloster ward eins der reichsten. Die mächtigsten Ritter und Herren beschenkten es und ließen ihm ihren Schutz angedeihen. [57])

Jetzt ist dieser gottgeweihte Bau bis auf wenige Reste verschwunden. Es hinterläßt einen schmerzlichen Eindruck in dem Herzen des für das Schöne und Erhabene empfänglichen Wallers, wenn das öde, dachlose Gemäuer der Kirche auf ihn herabblickt. Verschwunden sind alle Zierrathen: die gothischen Gesimse und Rosetten; nur spärlich drängt sich falbes Moos aus den Mauerritzen und der ehemals reich mit Marmorplatten bedeckte Boden ist von habsüchtigen Händen aufgerissen und hinweggeschleppt. Jetzt wuchern Schlingpflanzen und Gras darauf. Auch die Nachkömmlinge jener Nachtigallenschaar, welche, frommer Sage zufolge, durch den heiligen Bernhard, weil ihr allzu weltlicher Schlag den Con=

vent vom Gebet abzog, aus Himerode verwiesen, hierher flüchtete, hat Gesträuche und Baumkronen verlassen. Im Jahre 1790 hob Churfürst Clemens Wenceslaus das Kloster auf; denn leider hatte die strenge Zucht im Laufe der Jahrhunderte immer mehr einer gewissen Frivolität die Oberhand gelassen.

Die Neefer Kapelle.

Bereits zu Ediger und Eller blickt die auf schwin=delnder Felshöhe gelegene Neefer Kapelle von ferne auf die Flußschiffer herab. Die Gegend ringsum gehört zu der schönsten an der Untermosel und die Fernsicht auf der Höhe ist eine der reizendsten. Den=ken wir uns ganz in das Idyllische:

Es ist eben Morgen, freundlich windet sich der bläuliche Strom durch das begrünte, sonnenbeglänzte Thal, eine tiefe Stille herrscht in der Runde. Horch, da schlagen die Thurmuhren der benachbarten Dör=fer zehn, und herab von der Peterskapelle hallt ein Trauergeläute. Von Neef aus zieht ein Leichenzug hinauf nach der Kirche: voran geht das Kreuz, von schwarzem Flore umwallt, es folgt die Schuljugend, Mädchen und Knaben, dann wankt die Todtenbahre heran, den Zug schließen die Bewohner des Dorfes in andächtigem Gebete. Die fernen Schläge des Thurmes rufen den Verblichenen immer näher und näher; in seinen Kindes= und Mannesjahren haben

*

sie ihm so oft geklungen, jetzt tönen sie ihm den Scheidegruß.

Fragt der Fremde nach der Ursache dieser sonder= baren Erscheinung, dieses berganwallenden Leichen= zugs, so hört er Folgendes:

In alten grauen Jahren hatten die Neefer ihre Kirche unten im Thale, hier auch begruben sie da= mals ihre Todten. Die Kirche stand mehrere Jahr= hunderte; da machte ihre Baufälligkeit und die zu= nehmende Zahl der Einwohner eine neue nöthig und sie rissen die langgebrauchte ab, um an ihrer Stelle eine andere, schönere aufzuführen. Alles im Dorfe legte Hand an, mit dem größten Eifer schaffte man die Baumaterialien herbei. Die Bemühung der Dörf= ner unterstützten mit Geld und Rath die edlen Fräu= lein des benachbarten Klosters Stuben. Aber wie erstaunte man jeden Morgen! Steine, Gehölz, kurz Alles, was man gestern zusammengebracht hatte, fand sich heute oben auf der Höhe. Anfangs glaubte man, böswillige Menschen machten sich Nachts den Spaß, der Anstrengungen des ganzen Dorfes auf diese Weise zu spotten. Endlich nach Verlauf meh= rerer Tage, wo der Raub sich immer wiederholte, beschlossen die Beherztesten des Dorfes, die Nacht bei dem Herangeschafften zu verbleiben. Erwartungs= voll standen sie da und harrten; siehe, da glitten auf einmal von dem stillen, sternbesäten Mitternachts= himmel leichtbeschwingte Geister hernieder, die man für Engel erkannte. Durchbebt von frommem Schauer fielen die Wächter alsbald auf ihre Kniee und bete= ten; die heilige Schaar aber trug mit Blitzeseile

Alles hinauf nach der auserwählten Stelle. Jetzt erſt erkannte man den Willen des Himmels; die Kirche wurde am ſelbigen Orte aufgebaut und neben ihr weihte man den Kirchhof ein. Seit der Zeit, ſo oft ein Einwohner von Neef ſtirbt, geleitet man ihn hinauf und legt ihn dort auf luftiger Höhe zum langen Schlafe nieder.

Die Kloſterfräulein von Stuben erhielten, ihrer Unterſtützungen wegen, Theil an der neu aufgebau=ten Kapelle und an beſtimmten Tagen des Jahres ſah man die frommen Jungfrauen nach ihr hinauf=wallen. Die kleine alterthümliche Kirche ſteht noch; aber das ſtolze, unten im Thal gelegene Kloſter iſt ſchon ſeit lange bis auf wenige Spuren in Trümmer geſunken.

Bulay.

Die drei Zecher.

Gleichwie Briedern in der Vorzeit an der gan=zen Moſel durch ſeine Kirchweih berühmt war, ge=noß Bulay deſſelben Rufes. Noch bis auf die heu=tigen Tage iſt das Andenken an die „drei Zecher" bewahrt. In Begleitung des Edeln Zant von Merl beſuchte ſie im Jahre 1360 der durch Körperſtärke ausgezeichnete Friedrich von Hattſtein[38]), Feldhaupt=mann zu Limburg. Es waren viel der edlen Ritter beiſammen und einen nach dem andern wandelte im=mer mehr die Luſt an, ſich durch irgend einen küh=

nen Streich hervorzuthun. So faßen sie Alle eines Tags auf dem Gehöft des Zant von Merl beisammen und zeigten ihre Kraft im Trinken. Manches abentheuerliche, wunderbar klingende Stückchen tapferer Zecher war schon hervorgesucht worden, als plötzlich der Hattsteiner aufsprang, das an der Thür lagernde Ohmfaß beim Spund faßte und leicht damit auf den Tisch sprang, ein donnerndes Lebehoch dem Erzbischof von Trier ausbringend. Mit Neid sahen die übrigen Ritter den Gewaltigen das mächtige Faß an den Mund setzen. Die beiden Heimburger von Neef und Aldegund konnten sich aber nicht länger mäßigen und schwuren die Ehre ihres Namens aufrecht erhalten zu wollen. Flugs wurden noch zwei andere Fässer herbeigebracht und die ehrliebenden Ritter gesellten sich eiligst zu dem gefürchteten Zecher. So standen zum Erstaunen der Ritter und Knappen diese drei Athleten und ließen den römischen Kaiser, den Erzbischof von Trier und die Frau Aebttissinn von Marienburg und Stuben laut leben. Endlich sank einer nach dem andern schach und matt unter den Tisch.

Schloß Arras.

Der Köhler und seine zwölf Söhne.

Dicht bei Alf ergießt sich der starke Uesbach in
die Mosel. Folgt man dem Laufe desselben eine kurze
Strecke, so gelangt man in ein rückwärts sich auf=
thuendes wildromantisches Thal. Reicher Genuß er=
wartet bei jedem Schritt den Naturfreund, sein Ge=
müth wird vielfach bewegt. Hier beschäftigen es tiefe
Schluchten, ungeheure Felsblöcke, alten Druidenaltä=
ren gleich. Dann folgen wieder Gebilde vulkanischer
Ausbrüche: Felsverklüftungen, Lavamassen, Schlacken=
haufen. Ueberall die Spuren furchtbaren, allgewal=
tigen, zum Theil noch wirksamen Feuers.

Auf einem vereinzelten, wildüberwachsenen Berg=
kopfe im Hintergrund dieses Thales erscheinen, auch
hier das Treiben der Ritterwelt zurückrufend, die
noch übrigen spärlichen Mauerreste der Burg Arras,
welche ernst auf den unten mit dem Uesbach zusam=
menfließenden Alfflüßchen herabsehen.

Die Entstehung dieser Burg verliert sich in die
graueste Vorzeit. Die Sage berichtet von einem Köh=
ler und seinen zwölf Söhnen, welche das Land einst=
mals aus großer Gefahr erretteten.

Im Jahre 938 unter der Regierung des Erz=
bischofs Ruotberts [59]) brach ein Schwarm der wilden
Hunnen, vom Rhein kommend, in das stille Thal
ein, welches damals nur von einigen Köhlerfamilien
bewohnt war. Auf ihrem Zug hatten sie Alles weit

und breit verwüstet und ein übles Schicksal stand
den Städten des Hunsrücken und des Rheingaues
bevor, wenn die zügellose Schaar erst die Mosel
überschritten hatte. Da stand ein muthiger Köhler
auf, Vater von zwölf rüstigen, mannhaften Söhnen,
sammelte er diese und die Schaar seiner Freunde und
Verwandten um sich und stellte sich der eindringen=
den Horde entgegen. Weise vertheilt auf den Höhen,
hinter Felsen und Gesträuchen hielten sie die raub=
gierigen Feinde, welche bestürzt über den unerwar=
teten Widerstand waren, vom weitern Vordringen
ab. Währenddeß aber sammelte der Pfalzgraf Herr=
mann seine Getreuen um sich, die Grafen der Mo=
sel=, Maien= und Trechirgaue stießen mit zahlreichen,
kampfgeübten Schaaren zu ihm und die Hunnen er=
litten eine vollständige Niederlage. Allgemein wurde
aber die Kühnheit und Entschlossenheit des Köhlers
und seiner zwölf Söhne gepriesen. Der Pfalzgraf
schlug ihn zum Ritter und der Erzbischof Ruotbert
baute ihm eine stattliche Burg, auf dieselbe Höhe,
wo noch jetzt die Ruinen sich erheben. So ward der
schlichte Köhler der Gründer des berühmten Ge=
schlechts der Arrase⁶⁷), welches bis zum heutigen
Tag noch die sogenannten Spitzwecke (die Form von
den Schildern der Hunnen) im Wappen führt.

Erzbischof Arnold und die Ritter von Nantersburg.

Gerade zwei Jahrhunderte später, im Jahre
1138, war die Burg Zeuge einer großen Gewalt=

thätigkeit und Auflehnung gegen den Lehnsherrn.
Graf Otto, Herr auf Rheineck, bedrängt von dem
Erzbischof Albero von Monsterol, reizte die Ritter
von Nantersburg, Werner und Johann, daß sie in
das Gebiet des Erzbischofs einfielen und dessen Burg
Arras mit List wegnahmen. Albero erfuhr die
schändliche That, als er gerade auf dem Rückweg
von einem Zug nach Italien, wohin er Lothar den
Sachsen mit einer Schaar Ritter begleitet hatte, be=
griffen war. Wir haben diesen ritterlichen Kirchen=
fürsten bereits bei der Einnahme von Treis (s. S.
86) kennen gelernt, er war nicht der Mann, der
sich ungestraft in seine Rechte eingreifen ließ. Er=
zürnt brach er alsbald mit einem großen Heere auf
und schwur bei seinem Fürstenhut: er wolle sich
nicht eher den Bart scheeren lassen⁶¹), bis
er der frechen Räuber Burg gebrochen und sein Ei=
genthum wieder erobert habe. So rückte er vor
beide Vesten zugleich und brach sie glücklich nach
langwieriger Belagerung. Im Triumph zog er als=
dann, die besiegten Ritter mit sich schleppend, zu
Trier ein.

Kloſter Marienburg.

Ipse tuos quotiens miraris in amne recursus,
Legitimosque putas prope segnius ire meatus.

(„Oefters bewunderſt Du ſelbſt zur frühern Stelle die
Rückkunft,
Glaubſt zu ſäumen, obſchon mit geregelter Schnelle
Du fortſtrömſt. ")

ruft Auſonius[67]), und wirklich wird ſich der Wanderer von der muthwilligen Flußnire genect halten,
wenn er die Ruinen des obigen Kloſters nach Verlauf
mehrerer Stunden zum zweitenmal wieder erblict. Der
Fluß beſchreibt hier einen ungeheuren Bogen.

Hier ſtand ſchon in uralter Zeit ein Schloß
(castrum) und im Jahre 1145 wurde unter Erzbiſchof Albero ein Frauenkloſter dicht nebenbei gegründet. [68]) Die Nonnen kamen bald in den Ruf
großer Frömmigkeit, allein ihre Lage war, beſonders in Kriegszeiten äußerſt gefährlich, die Feinde
benutzten die ſchwer wiedereinnehmbare Stelle gar
zu gern, um ſich darauf feſtzuſetzen. Die frommen
Nonnen waren dann immer den Zudringlichkeiten
der rohen Kriegsleute ausgeſetzt und man erzählt
ſich noch jetzt, daß ſich zu wiederholtenmalen junge
Rittersmänner, zumal wenn ſie von einnehmender
Geſtalt waren, beim Abzug eine der jüngern Schwe-
ſtern mitgenommen hätten. In Betracht dieſes großen
Aergerniſſes trug Churfürſt Richard von Greifenklau
darauf an, daß ſich das Kloſter auflöſen und man
die Gebäude in ein feſtes Schloß umgeſtalten ſolle.

Zu dem Behuf sandte er den trierschen Offizial, Doktor Johann von der Ecken, ab, welcher auch seine ganze Beredtsamkeit aufbot, die Aebtissinn und zwölf adlige „Conuents-Jonffern" zum Weichen zu bringen. Es war Alles vergebens, die frommen Schwestern gefielen sich gar zu gut in ihrem herrlich gelegenen Kloster. Endlich legte sich auf Veranlassung des Churfürsten, der Pabst (Leo X.) in's Mittel und befahl, die Klosterfrauen nach dem nahgelegenen Stuben zu versetzen. Auch dieses gingen sie nicht ein, sondern verlangten Pension und Erlaubniß: zu leben wo sie wollten. Richard, um die widerspenstigen Damen endlich los zu werden, bewilligte es und schlug dann die bisherigen Revenuen zu seinen Tafelgeldern. Jetzt ist alles bis auf die Mauern abgerissen und wo Marienburg sonst zweimal den verwunderten Reisenden anlachte, steht nur noch eine traurige Ruine. Die beabsichtigte Befestigung kam nie zu Stande und auch die Franzosen zogen später Monroyal, zwischen Enkirch und Wolf, weiter oben gelegen, vor. Eine herrliche Aussicht hat man übrigens auf dem sogenannten Prinzenköpfchen; ich verfehle nicht den Reisenden darauf aufmerksam zu machen.

11

Zell. [64]

Im 12. Jahrhundert war der jetzt so bedeutende Ort noch ein erbärmliches Dorf, hob sich jedoch im Laufe der Jahrhunderte gar sehr. Eine Menge edler Ritter und Herren zogen nach und nach in seine Mauern und verliehen dem Ort dadurch immer mehr Glanz und Ansehen. Noch jetzt sind in den zwar engen Gassen, die Burghöfe und alten Wohnhäuser der Ritter zu sehen. Schon im 14. Jahrhundert legten die Churfürsten zu Trier eine gar große Bedeutung auf das Oertlein. Sie ließen Schanzen, Ringmauern, Thürme und Warten anlegen und gewährten den Bürgern herrliche Freiheiten.

Als Franz von Sickingen, gefürchteten Andenkens, im Jahr 1522 unter Churfürst Richard von Greiffenklau gen Trier zog, um es einzunehmen, sendeten die Zeller aus ihrer Bürgerschaft fünfzig wehrhafte Männer, welche eine treffliche Stütze dem arg bedrängten Churfürsten wurden. Einstmals wagte sich die kleine Hülfsschaar bei einem Ausfall zu weit vor und sah sich plötzlich durch eine wohl zehnfache Uebermacht abgeschnitten. Trotzdem ließen sie nicht den Muth sinken und wehrten sich mannhaft gegen den Feind, bis Succurs nahte. Seit dieser Zeit ging das Sprüchwort: „Er steht fest wie ein Zeller!" (he staiht ferme, wie'n Celler us dem Hamm. [65])

Pünderich.

Die Marien-Krone.

Gegenüber waldbewachs'nen Höhen,
Die, durch manche Sage wohl bekannt,
Auf Mosella's Felsenufer wehen,
Liegt ein Dörschen an des Flußes Rand.

Pünd'rich heißt es; buntgestreifte Auen
Schließen es von allen Seiten ein,
Hinter ihnen ziehen sich die blauen,
Fernen Hügel hin, bepflanzt mit Wein.

Einsam steht hier auf geweihter Stelle,
Wo ein Kreuzweg durch die Fluren führt,
Eine alterthümliche Kapelle,
Von den frommen Dörfern schön geziert.

Drinnen ruht auf steinernem Altare
Gnadenspendend ein Marienbild,
Eine Silberkrone in dem Haare
Und von weißem Schleier eingehüllt.

Früher prangte eine gold'ne Krone
Auf der Jungfrau hochgeweihtem Haupt;
Doch sie ward mit frevelhaftem Hohne
Einst von Ritter Klobwig ihr geraubt.

Ueber Simmern kam er hergeritten,
Manche Burg besaß er an dem Rhein.
Die er seinen Nachbarn abgestritten,
Durch verweg'nen Trotz und Heuchelschein.

Klobwig dacht' jetzt an dem Moselstrande
Seiner Tochter den Gemahl zu frei'n;
Denn in seinem eignen Heimathslande
Mochte Keiner Schwiegersohn ihm sein.

Eben zog ein schwarzes Ungewitter
An dem nahen Horizonte auf:
Ueber Pündrichs Fluren sprengt der Ritter
Mit dem Rappen im gestreckten Lauf.

Winde sausen und es stürzt der Regen
Auf die dürren Saaten fürchterlich;
Nirgends winkt ein Obdach ihm entgegen,
Denn das Dörfchen birgt in Bäumen sich.

Sieh', da blicket endlich die Kapelle
Ragend aus dem Fruchtgefild' hervor;
Bald trägt ihn der Rappe zu der Stelle,
Die er sich zum Schutzdach auserkohr.

Doch er nahte dem geweihten Orte
Nicht mit frommem, ehrfurchtsvollem Sinn,
Sondern drängte durch die off'ne Pforte
Keck das Roß bis zum Altare hin.

Kaum erholt er sich vom wilden Ritte,
Als die Krone ihm in's Auge fällt,
Die mit gold'nen Strahlen aus der Mitte
Matt das ganze Heiligthum erhellt.

Stille liegt es, nur die Donner rollen
Dumpf in den Gebirgen fern und nah,
Gleich, als wollte Gott im Himmel grollen
Ob der Frevelthat, die jetzt geschah.

Klodwig greift mit schnöder Raubbegierde
Nach des Schmuckes wundervoller Pracht,
Werde, spricht er, meines Rosses Zierde,
Das mich treulich bis hierher gebracht.

Und er setzt dem Göttlichen zum Hohne
Auf des Rosses Haupt die gold'ne Last;
Dieses fühlte kaum die heil'ge Krone,
Als ein schrecklich Rasen es erfaßt.

Grimmig sträuben sich der Schweif, die Mähne,
Und sein Flammenauge sprühet Glut;
Knirschend reibt es in dem Mund' die Zähne
Und es stürzt hinaus in wilder Wuth.

Leicht getragen auf der Winde Flügel
Braust es durch in grauenvollem Flieh'n,
Ueber Felder rennt es, über Hügel
Zu dem nahgeleg'nen Flusse hin.

Und es springt in langgestrecktem Satze
Von dem Ufer in die Fluth hinab,
Roß und Reiter mit dem gold'nen Schatze
Deckt in einem Nu das feuchte Grab.

Donnernd rauscht's seitdem an dieser Stelle,
Vormals eine glatte Silberbahn;
Schäumend schlägt die aufgereizte Welle *)
Jenseits an die schroffen Ufer an.

Und den Schiffer überfällt ein Grauen,
Wenn er diesen Wogensturm erblickt,
Durch Gebete athmet er Vertrauen,
Die er fromm zur Mutter Gottes schickt.

Oftmal sah man schon in heil'gen Nächten
Roß und Reiter stürzen nach der Fluth;
Glüh'nde Zügel hielt er in der Rechten,
In der Linken das geraubte Gut.

---

*) Die sogenannte Pündericher Furth.

Starkenburg.

Der Wanderer sieht hier mit Erstaunen auf ho=
hem Fels ein Dörflein liegen, dessen Häuser sich
gleich einer gescheuchten Heerde Rehe auf die schwin=
delnde Höhe lagern, um dort gleichsam Schutz zu
suchen. Der Fels ist mit spärlichen Mauerresten
ehedem mächtiger Gebäude bedeckt, und obgleich jene
von habsüchtigen Händen immer mehr und mehr
verschleppt werden, so lassen sie doch auf eine gar
gewaltige Veste schließen. Hier stand vor Jahrhun=
derten das stolze Schloß der Starkenburge, ein Ge=
schlecht, uralt und mächtig bis auf unsere Zeiten.

Schon zu des Frankenkönigs Dagobert Zeiten
soll die Starkenburg gestanden haben und schon da=
mals waren ihre Ritter angesehen im Rhein= und
Moselland. Der eigentlichen Besitzer der Starken=
burg, der Grafen von Sponheim, Herkommen und
Entstehung verlieren sich in grauem Alterthum.⁴⁶)
Im 13. Jahrhundert besaßen sie die beträchtlichsten
Landstriche am Rhein und an der Mosel, und des=
halb wohl auch suchten sich die Churfürsten mit dem
vielvermögenden Geschlecht in gutem Vernehmen zu
halten. Wie trutzig und ernst sie sich aber zeigten,
wenn sie ihre Rechte angetastet glaubten, mag nach=
stehende Geschichte erhellen.

Lauretta von Starkenburg.

Der große Churfürst Balduin von Trier hatte
im Jahr 1314 den Grafen Johann II. von Star=

kenburg=Sponheim zum obersten Amtmann seiner Lande, zwischen Mosel und Rhein gelegen, ernannt. Es ließ sich beinahe voraussehen, daß diese genaue Verbindung mit dem Erzstifte Veranlassung zu mancherlei Reibungen geben würde. Johann starb indeß bald darauf, ebenso wie sein Nachfolger Heinrich der Jüngere, ohne daß beide das Resultat davon gesehen hätten. Damals wüthete eine grimmige Fehde zwischen Churfürst Balduin und einer Nebenlinie des sponheimischen Hauses zu Creuznach, welche sich mit dem Graf von Kyrburg und Dhaun und Pfalzgraf Ruprecht gegen ihn verbündet hatten. Obgleich Balduin, ebenso gewandt in Staatshändeln, als in Fehden muthig, die Verbündeten zu trennen wußte, konnte er doch das belagerte Creuznach nicht nehmen. Ebenso ging es ihm mit Castellaun.*) Hier ward er aber nicht durch die Waffen, sondern die Thränen eines Weibes besiegt. Die Gattin des Grafen Simon von Sponheim hatte sich mit ihren Kindern hierher in das feste Schloß geflüchtet. Sie war eine geborne von Falkenburg, also die Nichte des Churfürsten. Der ergrimmte Erzbischof umgab alsbald mit seinen Truppen die Veste. Wurfgeschosse und Sturmbalken waren schon errichtet, sieggewohnte Söldner rüsteten sich zum Sturm; da öffneten sich die Thore und die Gräfin mit abgehärmten Wangen, thränengerötheten Augen, umgeben von ihren Kin=

---

*) Städtchen und Schloß im Hunsrück, mehrere Meilen rechts von der Mosel.

dern, trat heraus und warf sich dem zürnenden Re=
genten zu Füßen: „O bedenket!" rief sie flehend,
„bedenket, ehrwürdiger Vater, gegen wen Ihr Euer
Schwert kehrt. Es ist Eure eigne Nichte, es sind
die Kinder Eurer Base, die hülflosen, schwachen,
welche Ihr beschützen, nicht befehden solltet. Schont
meiner, schont ihrer und verzeiht, es ist ja so groß
zu verzeihen und zu retten." Lange kämpfte der
gestrenge Herr mit sich, aber endlich siegte das Fle=
hen der weinenden Frau. Gerührt zog er ab und
gab ihrem Gemahl die eroberten Länder wieder und
den Frieden.

Kaum war indeß dieser blutige Streit beigelegt,
so erhob sich an der Mosel, wo die Sponheimisch=
Starkenburgsche Linie herrschte, ein neuer. Lauretta,
geborne Gräfin von Salm, die Gemahlin des verstorbenen Grafen Heinrich des Jüngern von Star=
kenburg *), eine entschlossene, herrschsüchtige Frau,
widersetzte sich auf das bestimmteste den Forderungen
des Erzbischofs, welcher einige Güter zu Birkenfeld
in Anspruch nahm. Unfähig, den Trotz der gereiz=
ten Frau zu beugen, beschloß Balduin ihr eine recht
empfindliche Züchtigung anzuthun. Bei Birkenfeld,
auf trierschem Lehen, errichtete er eine stattliche Zwing=
veste, deren Mannen die sponheimischen Leute durch
stete Raubzüge in Schrecken setzen und beunruhigen
sollten. Die Gräfin ertrug nicht lange geduldig diese
Unbill. Mit männlichem Muthe bot sie ihre Vasallen auf, schlug die Erzbischöflichen glücklich und drängte
sie in ihre Grenzen zurück. Das hatte Balduin nicht
erwartet; er, der auf den deutschen Thron zwei Kai-

ser gesetzt, der siegreich in das lombardische Reich
eingezogen war, die großen trierschen Dynasten, Elz,
Ehrenberg ꝛc., unterdrückte und fast in keiner Fehde
unterlegen, von einem Weibe besiegt! Sein Stolz
empörte sich, ein mächtiges Heer brachte er zusammen und drohte die ganze Grafschaft mit Feuer und
Schwert zu verheeren. Der Gräfin fehlte es weder an
Muth noch an der angestammten Klugheit ihres Geschlechts. Sie sah ein, daß sie diesem Sturm nicht
widerstehen könne und beschloß ihn wohlweislich von
sich abzuwenden. Zu diesem Behuf sandte sie zwei
ihrer Verwandten nach Trier, um mit dem Erzbischof gütliche Unterhandlungen zu pflegen. Wirklich
erlangten diese auch von dem zürnenden Nachbar
einen Waffenstillstand. Jetzt hatte die muthige Gräfin gewonnenes Spiel, überall hatte sie ihre gehei-
men Botschafter, welche ihr von dem Thun und
Treiben ihrer Feinde schleunig Nachricht brachten.
So war eines Tags große Versammlung von Rittern und Knappen auf Schloß Starkenburg, man
saß eben rathschlagend im großen Saale, als ein
Bote hereinstürzte und der Gräfin die Nachricht
brachte, der Erzbischof habe, nur in Begleitung weniger geistlicher Herren und Laien, eine Reise auf
dem Fluß nach Coblenz beschlossen. Da zuckte es
freudig in dem schönen Angesicht der Gräfin. Mit
fragenden Blicken wandte sie sich an die Versammlung, welche fast einmüthig ausrief: man dürfe die
Gelegenheit, den mächtigen Feind zu fahen, nicht
ungenutzt vorübergehen lassen. Zwar standen Einige
auf und meinten: es sei eine gewagte Unternehmung,

Hand an den Gesalbten des Herrn zu legen; allein
Volker von Starkenburg, ein naher Anver=
wandter der Gräfin und gar mannhafter Ritter,
sprang kühn vor und rief laut: die Schuld komme
allein auf ihn. Ein dankbarer Blick aus den Augen
der Burgherrin belohnte ihn und so ward der Ueber=
fall beschlossen.

Am Fuße der Starkenburg, wenig seitwärts,
drängt sich ein mit Buschwerk bewachsenes Vorland
in die Mosel. Man nennt den Platz noch heute die
Portswiese. Das Wasser hat sich hier, an dem Fuße
eines mächtigen Schieferfelsen, ein fast unergründ=
liches Bett gewühlt und der Fluß scheint still zu stehen.
An dieser Stelle, so berichtet die Sage, war die
Mosel durch eine starke eiserne Kette geschlossen,
welche jedes Vordringen verhindern mußte. Arglos
kam das Schifflein des Erzbischofs angeschwommen
und sah sich unverhofft aufgehalten. Plötzlich bra=
chen aber zu gleicher Zeit von beiden Seiten mehre
Nachen mit Bewaffneten aus dem dichten Gebüsch
der Ufer hervor, sprangen in das Schiff und nah=
men, trotz aller Gegenwehr, den Kirchenfürsten ge=
fangen. An dem Thor der Starkenburg stand ge=
senkten Blickes, umgeben von ihren drei Kindern,
die Gräfin Lauretta und warf sich, sobald sie des
Erzbischofs ansichtig wurde, zu seinen Füßen nieder,
ihn demüthigst um Verzeihung bittend, daß sie einen
solchen Schritt zu ihrer Nothwehr gewagt. Balduins
Stolz war aber zu tief gekränkt, daß er einen so
großen Schimpf, ein so ungeheures Verbrechen an
seinem Ansehen, hätte verzeihen können. Fast er=

zürnt stieß er die Knieende von sich und bedingte sich
nur ehrliche, standesgemäße Haft. Die kecke, frevel=
hafte That erregte indeß nicht allein im trier=main=
zischen Erzstift ungeheures Aufsehen, sondern auch
im ganzen gesammten Deutschland. Von allen Sei=
ten drohte man der Gräfin. Die Geistlichkeit rief
von den Kanzeln herab zu den Waffen, die Ritter=
schaft rüstete sich, viele Städte am Rhein selbst sand=
ten Fehdebriefe. Die Gräfin indeß trotzte auf
ihre feste, fast unbezwingbare Burg, hielt aber den
Erzbischof nichtsdestoweniger in edler Haft. Er ward
mehr als ein lieber Gast, hochgeehrt seiner hohen
Würden halber und mit Ehrfurcht bedient, als wie
ein Gefangener betrachtet.

Als man nun sah, daß man bei der festen Frau mit
Drohungen nichts ausrichtete, bequemte man sich zu
gütlichem Zureden. Balduin, von der ehrfurchts=
vollen, aufmerksamen Behandlung gerührt, haupt=
sächlich aber, weil die Kraft seines Geistes und Ar=
mes dem von ihm kaum gegründeten trierschen Chur=
staat nöthig war, bewilligte die Forderungen der
Gräfin. Die Bedingungen, die sie stellte, waren
nicht hart und Balduin soll, als er wieder auf sei=
nem Stuhl zu Trier saß, gespöttelt haben, daß die
Gräfin ihn, den reichsten Fürsten Deutschlands, so
wohlfeilen Kaufs losgegeben habe. Zuvörderst ver=
langte sie die Brechung der Zwingburg zu Birken=
feld und Abtretung der Güter des Erzstifts daselbst,
11,000 Pfund Heller Lösegeld und als Pfand, wenn
der Erzbischof bei Lebzeiten die Sühne brechen sollte,
die Summe von 30,000 Pfund Heller, wofür die

Schlösser Cochem, Berncastel und Mandterscheid über-
antwortet werden sollten.) Welche große Wichtigkeit
auf strenge Ausübung des Vertrags gesetzt wurde,
beweißt die Masse von Unterschriften unter der
Sühne v. 7. Juli 1328. Der Churfürst zeigte sich
überdies in allen Dingen als Ehrenmann. Als die
Geistlichkeit und vor Allen Pabst Johann XXII. der
Gräfin mit Excommunikation drohte, verschmähte er
es nicht, sich für sie auf's angelegentlichste zu verwenden. In seinem Schreiben an den Pabst sagte
er: „Er sei von der sehr ehrbaren Gräfin durch ein
Ungefähr gefangen und eine Zeitlang festgehalten
worden, bitte aber, ihr dies Vergehen verzeihen zu
wollen, dies wäre sein und seiner Geistlichkeit Wunsch."
Aus dieser allerdings sehr großen Bereitwilligkeit
möchten manche schließen, der Churfürst habe während seiner Haft auf Starkenburg in den Liebesban-
den der Gräfin geschmachtet. Dies ist aber nicht
wohl denkbar. Die damals allerdings noch schöne
Frau, wie die Chronisten berichten, zählte doch schon
40 Jahre. Er, der schöne Fürst aus dem Luxem-
burgschen Kaiserhaus, hätte wohl allerwärts besser
fahren können und sich dabei die unfreundliche Erinnerung und den übertheuren Minnesold sparen
können. Balduin hielt sein Wort, weil er es als
Fürst gegeben hatte und er seiner Würde als solcher
durch Verletzung des Vertrags geschadet haben würde.
Schwere Ahndung traf jedoch die Anhänger der Gräfin. Sie mußten baarfuß vor dem Hochaltar der
Kirche Namens ihrer Gebieterin Abbitte thun und

außerdem wurden ihnen noch andere schwere Bußen auferlegt.

So endete die Geschichte, von welcher sich damals ganz Deutschland erzählte. Die weitern Thaten der muthigen Gräfin finden wir später erzählt.

Wie das Dörflein Starkenburg in so schwindelnde Höhe des Felsens gelangt sei, davon berichtet uns die Sage Nachstehendes:

Die Entstehung des Dörfleins Starkenburg.

Ein Ritter zu Starkenburg, zu welcher Zeit es gewesen sei, vermögen wir nicht anzugeben, ward arg bedrängt von einem bösen Nachbar. Dieser verheerte ihm seine Felder, führte seine Mannen fort und that ihm steten Abbruch an Land und Leuten. Endlich rief der Ritter von Starkenburg seine Vasallen zusammen und zog nach der Burg seines Widersachers, um ihn niederzuwerfen. Dieser hatte indeß von dem Vorhaben Nachricht erhalten und während der Ritter auf seinem Zug begriffen war, überfiel er im Rücken desselben die Starkenburg, worauf sich nur noch einige Knappen befanden. Er gedachte der Veste mit leichter Mühe Herr zu werden; aber die Bauern, deren Hütten damals noch zerstreut am Fuß des Felsens lagen, machten sich eiligst mit Weib und Kind auf und trieben den ungebetenen, fremden Gast mit Schimpf und Schande zurück. Als nun der Ritter von dem Zuge siegreich zurückkehrte und seine Bauern um seine Burg unter freiem Himmel gelagert fand, war er höchlichst er=

12

freut ob ihrer Tapferkeit und baute den Aermsten unter ihnen Wohnungen auf der Höhe, um, wie er sagte: „diese treuen Bauern=Vertheidiger immer um sich zu haben." Daraus entstand nach und nach das Dorf. Die Burg verfiel wahrscheinlich in den Zeiten des ewigen Landfriedens.

Monroyal.

Kein Besucher unsers herrlichen Flußthals sollte an dieser Stelle vorüberschiffen, ohne die prachtvolle Aussicht, welche man auf der Höhe dieses Felsens genießt, bewundert zu haben. Der Fluß macht hier, wie bei Marienburg, eine ungeheure Krümmung, deshalb sieht der Naturfreund von der Höhe sein Silberband wohl drei und viermal sich durch die steilen Gebirgsmassen drängen. Freundliche Dörfer, verfallne Klöster und Ritterburgen, Weinberge, waldbekränzte Höhen, lachende Obstfelder wechseln auf die überraschendste Weise mit einander ab. Wo man den Blick nur hinwendet, trifft er auf majestätische Punkte. Hierher stelle sich der Freund des Erhabenen, Schönen, hierher der Spötter, der bisher nur mit mitleidigem Lächeln von unserm Moselthal sprach. Sinkt er hier nicht gerührt, ergriffen auf seine Kniee, so mag man ihm alles Gefühl für Natur und die Allmacht Gottes absprechen. Und dieser großartigen Ansichten zählt das Flußthal viele, viele. Selbst da, wo man ihm vielleicht nicht mit Unrecht den Vor-

wurf der Einförmigkeit zu machen glaubt, ist es
mehr die bedeutungsvolle Ruhe einer einfachen, still
erhabenen, aber prunklosen Natur.

Die Trümmer eingestürzter Mauern, die Masse
unbedeckter Gewölbe, die angefangenen, mit unge=
heurem Fleiß in den harten Felsen getriebenen Grä=
ben, welche hier zu den Füßen des Wallers zerstreut
liegen, rühren nicht aus den Zeiten des Faustrechts,
des Ritterthums her. Kaum anderthalb Jahrhun=
derte sind verstrichen, seit der Bau erhoben wurde.
Ludwig XIV., den sein Zeitalter den Großen
nannte, schuf ihn durch sein Gebot. Es war im
Jahr 1687 als der französische Hof, wohl einsehend,
von welchem Vortheil ihm ein fester Platz in den,
durch den Waffenstillstand vom 15. August 1684 [69])
auf die schändlichste, widerrechtlichste Weise in Besitz
genommenen Länder sein würde. Den französischen
Ministern war die Wichtigkeit der Mosel, als der
kürzesten und bequemsten Straße nach Deutschland,
nicht unbekannt, und sie beschlossen, sich ihrer durch
einen Festungsbau zu versichern. Lange suchte man
nach dem tauglichsten Platz und schon hatte man sich
für die Halbinsel, worauf Marienburg steht, ent=
schieden, als sich der berühmte Vauban für den Tra=
bener Berg erklärte. Schnell wurden, im Sommer
desselben Jahres, 8000 Mann zur Bedeckung der
Bauten zusammengezogen [70]), die Bauern weit und
breit zusammengetrieben und zum Frohndienst ge=
zwungen. Mit Hülfe von 5000 Arbeitern schritt das
Werk rasch vorwärts. Damals krönte noch ein kö=
niglicher Tannenwald den Gipfel des Felsens; die=

ſer war bald weggehauen und Vauban ſelbſt, mit
Hülfe des Intendanten der Länder an der Saar,
de la Goupilliere und dem Grafen de Bussy, lei=
tete die Arbeiten. Indeß erhielt das ungeheure Werk
doch nie die Ausdehnung, welche ihm zugedacht war.
Der Hauptgraben, der die ſchmale Halbinſel von
Kevenich bis Wolf durchſchneiden und ſein Waſſer
demnach direkt aus dem Fluß ſchöpfen ſollte, mußte
unterbleiben. Es mag den franzöſiſchen Baumeiſtern
doch zu bedenklich erſchienen ſein, einen Graben hun=
dert Klafter tief in den Felſen hineinzutreiben.

Gleich im folgenden Jahr machte ſich die neue
Feſtung durch ihre kühnen, verwüſtenden Streifzüge
furchtbar. Die umliegenden Provinzen drohten un=
ter der entſetzlichen Laſt zu erliegen, denn rohe Bar=
barenvölker hätten nicht unmenſchlicher ſengen und
brennen können, als dieſe nichtswürdigen, feingebil=
deten Franzoſen. Zehn Jahre lang hatte dieſe Zwing=
burg der neuen Zeit die Bewohner der Moſel und
des Rheins in Schrecken gehalten, da zerſtörte ſie
der Friedensſchluß zu Ryswyk vom 30. Oktober 1697.
Gleich in den erſten Frühlingtagen des kommenden
Jahres wurden Mauern und Wälle abgetragen,
Thürme und Thore geſprengt, und jetzt erinnert nur
eine mit Schutt und Graus gefüllte Fläche an die
Werke franzöſiſchen Uebermuths und Gewaltthätigkeit.

Gräfenburg und Trarbach.

Die muthige Gräfin Lauretta von Starkenburg, deren kühne That gegen den Erzbischof Balduin wir oben beschrieben haben, ist die Erbauerin dieser ehemals so gewaltigen Veste. Obgleich ihr der Churfürst Urfehde geschworen, so traute sie doch nicht ganz und gar. Wenn sie auch ob des Vergehens ungekränkt in ihren Rechten blieb, wer schützte dereinst ihre Kinder vor Anmaßung und Unbill? Zudem war die Starkenburg ein zwar festes Schloß, ihre innern Räume begannen aber doch schon von dem Zahn der Zeit gar sehr benagt zu werden. Sie hatte ihrem fürstlichen Gefangenen zur Zeit ein Lösegeld von 11,000 Pfund Hellern abgetrotzt, eine Summe, bedeutend für die damalige Zeit. Diese beschloß sie dazu zu verwenden, ein mächtiges Bollwerk gegen das Erzstift zu errichten. Eine Burg allein ohne Stadt genügte ihr nicht, deshalb warf sie ihre Blicke in die Umgegend, einen schicklichen Platz zu suchen. Eine Viertelstunde von Starkenburg, dem alten Travenne (jetzt Traben) gegenüber, mündet ein starker Bach in die Mosel. An dieser Stelle beschloß sie (wahrscheinlich um das Jahr 1329) ihr Trutz-Trier zu gründen. Die Mauern und Thürme wurden auf die Felsenwand, welche kaum ersteiglich ist, gesetzt; unterirdische Verbindungsgänge durch die Felsen in das Thal hinab gebrochen, kurz es ward ein Werk geschaffen, des muthigen Geistes der Gräfin würdig. Die Burg galt für eine der festesten

*

und man muß noch heutigen Tags in den giganti=
schen Trümmern den hohen Geist einer Frau von
solcher Unerschrockenheit ehren.   In dem Munde des
Volks gehen viele wunderbare, geheimnißvoll klin=
gende Sagen über die Erbauerin.   Mancher, der
noch spät in den Ruinen verweilte, will ihren Geist
in den halbverschütteten Gängen erblickt haben, wie
er ernst gewinkt und sich dann seufzend entfernt habe.

Die Kriegsfurie hat zu allen Zeiten hier am ent=
setzlichsten gewüthet, waren es nicht die Schweden,
so waren es die Franzosen, waren es nicht die Hol=
länder, so waren es die Churtrierschen selbst. [71])
Den Franzosen endlich, die sich schon so oft dem
armen Moselthal so furchtbar gemacht hatten, war
es vorbehalten, die alte Veste zu zerstören.   Als im
Jahr 1733 Churfürst Franz Georg, allein, ohne
den Reichsschluß abzuwarten, Ludwig XV. den Krieg
angekündigt hatte [72]), brach der Marschall Belle-Isle
in aller Stille mit 16 Regimentern Grenadieren nach
Trarbach auf.   Die Stadt wurde am 9. April 1734
überrumpelt, die Besatzung der Festung aber noch
bei Zeiten gewarnt.   Diese wurde nun förmlich be=
lagert und mit einem Kugel= und Bombenregen im
eigentlichen Sinne des Wortes überschüttet.   Allein
2634 Bomben, jede 500 — 560 Pfund schwer, war=
fen die Franzosen hinein.   Da endlich, nachdem alle
Communikationsgänge, die Commandanten=Wohnung,
die Casernen und der neue Thurm zusammengeschos=
sen waren, außerdem eine Bresche, zwei Wagen
breit, den Sturm begünstigte, übergab der tapfere
Vertheidiger, Wilhelm Freiherr von Hohenlohe, den

Platz. Er zog unter kriegerischen Ehren mit seinen 243 Mann aus und gleich darauf demolirten die Franzosen die schöne Veste.

Graf O'Connor.

Im Jahre 1722, als nach der Clausel des Utrechter Friedens die Holländer aus Trarbach und der Gräfenburg abziehen mußten, kam als Commandant der Besatzung ein höchst seltsamer, finsterer Mann in die Stadt. Die Einwohner flohen scheu vor ihm zurück und er ward nach Kurzem schon mehr gefürchtet und gehaßt als geehrt. Dieser Mann war aus königlichem Geblüt entsprossen; Roderich O'Connor, sein naher Verwandter, hatte wirklich die Königskrone von Connaught getragen, und er war herabgewürdigt zu dem Commandanten eines elenden Provinzialstädtchens! So können große Ereignisse mächtige Geschlechter stürzen. Dieser Mann hieß O'Connor und war ein geborner Irländer. Als Wilhelm III. im Jahr 1689 den englischen Thron bestiegen hatte, wurden nach Unterdrückung der Barclayschen Verschwörung alle Katholiken aus London und endlich auch gegen 80,000 tapfere Irländer, der Kern der irischen Jugend, vertrieben. Unter diesen war auch Graf O'Connor. Er, dessen Vater nicht anders als knieend bedient wurde, mußte für Sold Dienste bei fremden Herren nehmen. Unser Graf war insbesondere von den Vorurtheilen seiner hohen Abkunft eingenommen; er haßte die Menschen,

weil sie ihm die Ehrerbietung, welche sie seinem er=
habenen Stande schuldig sein sollten, nicht darbrach=
ten. Besonders aber war er den Protestanten abge=
neigt, und durfte man es ihm verargen? Der Pro=
testantismus hatte ihn um Hab und Gut, Vaterland
und all die schönen Hoffnungen der Jugend gebracht.
Die Einwohner des Städtchens, meistens Protestan=
ten, blickten daher eben so scheel auf ihn, wie er
auf sie, und wer weiß was nicht geschehen wäre,
wenn er nicht plötzlich am 29. April 1730 das Zeit=
liche gesegnet hätte. In dem Städtchen herrschte
darüber eine solche Freude, daß man hätte glauben
mögen, der größte Despot wäre nach langjährigen
Unterdrückungen mit Tode abgegangen. Das An=
denken des Grafen O'Connor lebt aber noch heuti=
gen Tags in dem Gedächtniß vieler Trarbacher.

Der Wellstein.

Landeinwärts von Trarbach, wenn man den Lauf
des kleinen Baches, welcher sich hier in die Mosel
ergießt, aufwärts verfolgt, gelangt man durch ein
wildromantisches Thal an eine Höhe, welche sich iso=
lirt auf dem Gebirge erhebt. Gewaltige Steinflöße
liegen hier zerstreut, dabei ragt aber eine mächtige
Felsmasse auf. Der Augenschein lehrt, daß nicht
die Natur und der Zufall diese sonderbaren Gebilde
geformt, sondern der Mensch seine Hand daran ge=

legt habe. Es ist vielfach über dieses Monument gesprochen, mitunter auch gefabelt worden, besonders früher, wo es noch weniger von dem Zahn der Zeit und dem Uebermuth der Menschen gelitten hatte. Manche hielten es für einen Druidenstein, andere für ein Grabmal, wieder andere bestreiten alle Mit= wirkung des Menschen und behaupten, die Natur habe, wie so oft anderwärts, in eigensinniger Laune diese Massen auf einander gethürmt. Wir schreiben keine antiquarische Abhandlung und wollen und kön= nen das pro oder contra dieser Hypothesen nicht näher untersuchen. Sicherlich ist es aber doch irgend ein religiöses Denkmal eines gallischen Stammes, welcher es benutzte, um die Ueberreste gefallener Krie= ger beizusetzen; dabei mag es auch nebenbei wohl zum Opferaltar gedient haben. Viele tausend Men= schen konnten*) „umher in der amphitheatralischen Schweifung des Gebirges stehen und das Heilige schauen und verehren, was der Priester hier beging."⁷⁾

Die Sage tritt uns hier in Ermanglung aller weitern Auskunft entgegen. Noch lange vor Cäsars Zeiten floh ein gallischer Stamm hierher über die Mosel, um mit ihrem König in dem fernen Gebirg Schutz zu suchen vor den Verfolgern. Ihr Häupt= ling hatte die Schwester eines tapfern Heerführers geschändet und floh jetzt vor der Rache des beleidig= ten, erzürnten Bruders. Dieser holte den Schänder seiner Ehre sammt seinen Genossen hier ein und ein

---

*) Wie Storck berichtet.

wüthender Zweikampf entspann sich. Der Treulose
fiel und an der Stätte ward der sogenannte Kampf=
stein*) errichtet. „Es waren dies zwei gewaltige
Wacksteine (sagt Hofmann in seiner „trorbachischen
Ehrensäul"), einer lag platt auf dem Boden, Sym=
bol des Ueberwundenen, dem Sieger hingegen ward
der andere hochauf gerichtet." Die trauernden Gallier
bauten dagegen ihrem gefallenen Heerführer aus
rohen Felssteinen, die sie künstlich ohne Mörtel auf=
einander setzten, ein prunkloses Mausoleum und be=
gruben seine Leiche mit allen Waffen darunter.

Das Kloster Wolf.

Die Kogelherren.

Auf der Höhe des sogenannten Gückel= oder
Gipfelbergs liegen die Ruinen des Wolfer Klosters.
Auch hier genießt der Wanderer eine Fernsicht, so
schön, daß Keiner vorüberziehen sollte, ohne den
Berg bestiegen zu haben.

Das Kloster leitet seine Entstehung zwar nicht
aus den ältesten Zeiten her, ist aber doch in man=
cher Hinsicht für die Geschichte nicht unwichtig.

Wenige meiner Leser haben wohl je von einer
Congregation frommer Priester: der Kogelherren,

*) Unweit des Schaafhofes.

gehört. So wenig unsere Zeit auch von dem Wir=
ken jener Männer unterrichtet ist, so sehr erregten
sie doch zur Zeit ihrer Entstehung die Aufmerksam=
keit Deutschlands und der angrenzenden Länder. Die
verschiedenartigen Orden, die Stiftung so zahlloser
Klöster waren ein Bedürfniß der damaligen Zeit;
sie mußten dazu dienen, das Chaos der Völkerwan=
derung zu ordnen, die öden Steppen, durch immer=
während Kriege hervorgerufen, anzubauen und in
fruchtbares Ackerland umzuschaffen. Sie mußten
dazu dienen, dem rohen Geist der damaligen Zeit
Zügel anzulegen, seinem verderblichen Wirken den
heiligen Schild des Evangeliums entgegenzuhalten
und es in sein Nichts zurückzuführen. Allein die alte
Wahrheit bewährte sich auch hier: Was die Menschen
gestiftet, vernichten sie wieder durch eignen Uebermuth.
So riß in den Klöstern Unzucht und schlechte Sitte ein
und sie verfielen, nachdem sie lange Jahrhunderte hin=
durch oft so segenreich gewirkt hatten. Indeß verlangte
die Geschichte ihr Recht, die Umwälzungen der kom=
menden Jahrhunderte begehrten einen Vorläufer, die
Wissenschaft, welche so lange geschlummert, erhob
sich aus ihrem lethargischen Schlaf. So hatte man
bisher geglaubt, die Jesuiten hätten zuerst anerkannt,
daß der Priester des Herrn nicht allein untadelhaft
an Sitten, sondern auch nicht Laye in den Wissen=
schaften sein dürfe. Dem ist nicht so; dem obenge=
nannten Orden der Kogelherren *) gebührt diese Ehre.

---

*) Sie hießen auch Froterherren, Scholares, der gemeine Mann
nannte sie nach ihren großen runden Hüten (Kogel) so. Ihr
Stifter hieß Gerhardt Groot.

Leider gingen sie unter, während die Jesuiten, stark
durch ihre Einigkeit, so gewaltig aufblühten.

Das neu gestiftete Wolfer Kloster empfing 1487 [*])
den Orden der Kogelherren, allein leider erblühte
demselben kein allzuglückliches Gedeihen in seinen
Mauern. Uneinigkeit unter den Brüdern riß schon
1507 unter ihnen ein und als die Jesuiten auftraten,
wurden sie bald ganz und gar verdrängt. Dennoch
verließen die vormaligen Bewohner ihren Sitz nur
ungern und noch um die Mitte des vorigen Jahr=
hunderts trug sich nachstehende Geschichte daselbst zu,
welche noch heutigen Tags in dem sogenannten Cröf=
ferreich erzählt wird:

Die gespenstigen Ordensherren.

Zu Traben lebte um die Mitte des vorigen Jahr=
hunderts ein begüterter Weinbergsbesitzer, der hatte
eine wunderschöne Tochter. Das Mädchen war so
schön, daß selbst die phlegmatischen Holländer, welche
damals zu Trarbach in Besatzung lagen, oft über
die Mosel kamen, um bei dem Vater ein Schöppchen
Rißbacher zu sich zu nehmen und nebenbei der schö=
nen Lisbeth zu hoffiren. Darunter zeichnete sich vor
allen andern ein alter Hauptmann aus. Klüger als
seine Kameraden suchte er erst des Vaters Freund
zu werden, ehe er sich an die Dirne wagte. Dessen
hatte er sich nun bald versichert, denn er war reich;
das Geld war freilich auf den Feldzügen und daher
nicht auf die beste Art zusammengebracht, allein was
verschlug das? Der Vater schien nicht abgeneigt,

dem Hauptmann, trotz seiner grauen Haare, welche
sich schon hier und da zeigten, seine Tochter zu geben; desto schlimmer kam aber der alternde Cumpan
bei dem Mädchen selbst an. Dessen Herz war schon
längst vergeben und zwar an einen muntern, ge-
wandten Burschen, der zwar nicht allzuviel Geld,
aber doch die treuste Liebe für seine Lisbeth besaß.
Er wohnte zu Cröff, hatte weder Mutter noch Vater mehr und besaß nichts weiter als ein kleines
Gütchen, gesunden Geist und Körper und ein paar
rüstige Arme. Den Liebenden hatte das wohl genug
gedünkt, nicht aber dem Vater des Mädchens; deshalb wies er den jungen Franz, als er ihm seine
Herzensangelegenheit vortrug, höhnisch zurück. Die
Liebenden konnten sich seitdem nur mehr verstohlen
sehen und sprechen; gewöhnlich geschah dies, wenn
Lisbeth eine alte Base in dem nahgelegenen Cröff
besuchte. Der Holländer, wohl merkend, daß sein
Nebenbuhler die Schuld trug, daß er verschmäht
worden, hinterbrachte das dem Alten, welcher zornig
die Base in Cröff zu Rede stellte und ihr streng an-
befahl, das Mädchen niemals aus den Augen zu
lassen. Jetzt waren die Liebenden übel daran, jeder
Ausweg wurde ihnen dadurch abgeschnitten; indeß
wußte Franz bald Rath. In den schönen Herbstnächten
hielt er mit seinem Kahn an dem Cröffer Ufer und
wenn Alles schlief, klopfte er leise an das Hinter-
pförtlein des Häuschens, welches dicht am Strande
lag, und sein Liebchen schlüpfte alsbald heraus und
man koste und verliebte manches schöne Stündlein,
bis der Hahn krähte, dann kehrte sie immer behut-

13

sam und leise, wie sie gekommen war, zurück. Aber
o weh! auch das verriethen böswillige Menschen.
Der holländische Hauptmann hinterbrachte es eiligst
dem Vater, welcher es anfangs kaum glauben wollte;
endlich beschlossen die beiden Männer, sich durch den
Augenschein zu überzeugen und brachen zu dem End=
zweck an einem schönen Herbstabend nach den Rui=
nen des Wolfer Klosters auf. Sie hatten vernom=
men, daß dies gewöhnlich der Liebenden Zufluchts=
ort sei. Lange harrten sie hier, hinter dem bemoos=
ten Gestein versteckt, und blickten unverwandt auf
die Mosel, ob kein Nachen sich auf den klaren Wel=
len schaukle — alles blieb still. Der Mond, bisher
ruhig und unumwölkt an dem hellen Sternhimmel
seine Bahn verfolgend, begann sich nach elf Uhr zu
verdüstern und der Wind fegte heftiger durch die
mächtigen Nußbäume, welche schaurige, lange Schat=
ten auf die Ruinen warfen. In dem Hauptmann
begannen allmählig, durch die lautlose Stille hervor=
gerufen, seltsame Erinnerungen aufzuleben, die Spuk=
geschichten der Jugend, die Ammenmährchen traten
vor seine Seele, er schaute auf seinen Begleiter, die=
ser schlief starr und fest und schnarchte, daß das Ge=
stein zitterte. Auf dem Kirchthurm zu Cröff schlug
es eben zwölf; der letzte Klang war kaum verhallt,
als der Wachende rings um sich ein Knistern, ein
Flüstern, Stöhnen und Seufzen vernahm, welches
ihm das Haar emporsträubte. Das Gestein schien
sich zu bewegen, schob und dehnte sich und plötzlich
blendete matter, falber Lichtschein seine Augen. Er
rüttelte und schüttelte sich, biß sich auf die Zunge

um sich zu überzeugen, daß er nicht träume, — nein
er sah wahr. Aus den verfallenen Kreuzgängen
schritt langsam und feierlich ein langer Zug männlicher Gestalten in seltsamen, schwarzen Kutten. In
den magern Händen trugen sie vergelbte brennende
Wachskerzen, die einen fahlen Schimmer verbreite-
ten, ihre Gesichter waren aschgrau und todtenbleich,
die Augen geschlossen. Und immer mehr und mehr
traten aus den Gewölben, hinter den Pfeilern hervor, alle sammelten sich auf einem kleinen freien
Platz und als der Hauptmann sein Ohr vorneigte,
vernahm er deutlich Chorgesang, der aber so entsetzlich schauerlich klang, daß ihm das Blut in den
Adern schier zu Eis gefror. Als die gespenstigen
Ordensherren ihren Gesang beendet, zogen sie langsam weiter und kamen gerade auf den seitwärts liegenden Holländer zu. In ihrer Mitte schritten acht
Brüder, welche einen großen Sarg trugen, und von
neuem erscholl der Gesang, aber noch schauriger und
stärker denn zuvor. Näher und immer näher kamen
sie, ihr Gang war Schweben; selbst die zarten Gras-
halme beugten nicht ihre Häupter unter ihren Füßen.
Da packten den Hauptmann alle Schrecknisse der
Geisterwelt; mit einem entsetzlichen Schrei sprang er
auf und rannte, als ob alle Geister und Furien der
Hölle sich auf seine Ferse geheftet, den Berg hinab.
Von diesem Schrei erwachte sein Begleiter, halb
träumend sah er noch, wie die spukhafte Schaar,
einer nach dem andern, in der Mosel verschwand.
Am andern Morgen suchte man nach dem Hauptmann, man fand ihn unter dem Abhang eines Fel-

sens mit zerbrochenem Genick. In der tollen Hast
war er diesen wahrscheinlich hinabgestürzt. Als sich
nach einigen Wochen Franz von neuem meldete, gab
ihm der alte Herr gern sein Mädchen und eine reiche
Aussteuer dazu; denn er wähnte den jungen Menschen unter dem besondern Schutz einer überirdischen
Macht. Die gespenstigen Ordensherren hat man seitdem nicht wieder erblickt.

Uerzig.

Die Ur- oder Michelsley.

Vor Uerzig drängen sich gewaltige Felsen bis
dicht an das Ufer. Einer vor allen fällt dem vorüberziehenden Wanderer auf. Altes Gemäuer bedeckt
ihn vom Fuß bis zur Höhe, die geschäftige Hand
des Menschen höhlte ihn zum Theil aus und baute
einen mächtigen Thurm an seine Vorderwand. Seltsame Gedanken steigen in dem Waller auf, wenn
er über Zweck und Ursprung dieses Gebäu's nach-
denkt. Einer hält es für ein Gefängniß, ein anderer für eine verlassene Einsiedelei und keiner vermuthet vielleicht richtig. Mit Hülfe eines vortreff-
lichen Gewährsmanns *) wollen wir eine Erklärung
versuchen.

---

*) Des Herrn von Stramberg.

Auf und neben dem Felsen, wo sich noch jetzt der vielbesprochene Thurm erhebt, stand bereits im 11. Jahrhundert ein burglicher Bau. Erzbischof Cuno ward um das Jahr 1066 hier schmählich gefangen gehalten; die Legende dieses frommen Märtyrers theilen wir unten mit. Nach dem gewaltsamen Tod des Erzbischofs mied Jedermann dies verfluchte, unheilig gewordene Schloß und es verfiel immer mehr und mehr in Schutt und Graus. Um das Jahr 1246 kam ein Raubritter aus dem Wormsgau, Wirich von Daun, hierher. Er war von seinem Bischof, seiner zahllosen Räubereien und Schandthaten wegen, vertrieben worden und vermeinte sein schändliches Gewerbe an der Mosel auf das herrlichste wieder fortführen zu können. Zu dem Endzweck sammelte er seine Burgmannen und unternahm den Wiederaufbau der verfallenen Urley. Von jetzt an begannen seine Raubzüge wieder, die Schiffe auf der Mosel wurden überfallen, geplündert, versenkt; die Reisenden getödtet oder ihnen nach unmenschlicher Gefangenschaft ein Lösegeld abgepreßt. Wohl mag damals mancher Unglückliche sein Leben hoffnungslos hinter jenen feuchten Mauern verjammert haben, allein die Stunde der Vergeltung schlug. Das Geschrei der Mißhandelten drang bis nach Trier und Erzbischof Arnold II. überfiel das Nest, zerstörte den Bau wiederum und führte die Mannen in die Gefangenschaft. Die natürliche Festigkeit konnte jedoch keine Menschenhand der Ley rauben und bald erhob sich wieder eine neue stattliche Burg auf der verwüsteten Stätte. Zwei friedliebende, jedoch nicht

*

weniger tapfere Rittergeschlechter gingen aus der un=
bedeutenden Urley hervor. Mancher Reisende kann
es sich nicht wohl erklären, wie sich in diesem engen
Raum die gepriesenen Ritter des Mittelalters ein=
pferchen konnten.   Die übertriebenen Vorstellungen
von der Pracht und Prunksucht der früheren Jahr=
hunderte werden dadurch gar sehr herabgestimmt.
Das eine Geschlecht nannte sich Ritter von Orley
und wird bis Ende des 16. Jahrhunderts genannt,
das zweite schlichtweg von der Leyen und aller Wahr=
scheinlichkeit nach, ist das noch jetzt blühende Fürsten=
haus der Leyen ein Zweig desselben. Als eines burg=
lichen Baues wird die Urley zuletzt 1504 erwähnt.
Das ist in wenig Worten die Geschichte der alten
Burg.   Die zweite Erinnerung, welche sich an die
Urley knüpft, ist nachstehende Legende:

Der Märtyrer Cuno.

Es geschah, daß im Jahre 1066 der erzbischöf=
liche Stuhl zu Trier erledigt ward.   Man war im
Domkapitel in arger Verlegenheit ob der neuen Wahl;
während man aber noch berathschlagte, wurde den
Trierern durch Vermittelung des mächtigen Cölner Erz=
bischofs Anno ein neues Oberhaupt in der Person des
Probstes Cuno, Grafen von Pfulingen, gewählt. Da=
rüber ergrimmten die Trierer sehr, denn sie vermeinten
sich in ihren Rechten gekränkt. Deßhalb lagen sie dem
jungen Grafen Theodor, damaligem Statthalter, be=
ständig an, diesen Schimpf zu rächen.   Dieser, ein

heftiger, geldsüchtiger Mann, machte sich auch an
dem Tag, wo man den Einzug des Bischofs erwartete, mit seinem großen Haufen Reissigen auf und
zog ihm entgegen. Die Sonne war noch nicht aufgegangen als sie zu Kyllburg, wo der Bischof Her-
berg hielt, anlangten. Alles lag noch in tiefem
Schlummer, desto sicherer wurde das Haus umstellt
und die arglosen Schläfer überfallen. Anfangs glaubten die Begleiter des heiligen Mannes, die Kriegsleute kämen um ihren neuen Herrscher im Gepränge
abzuholen, als die rohen Männer aber die reichen
Schätze zu plündern begannen, wurden sie zu spät
ihren Irrthum gewahr. Der fromme Cuno ward
nunmehr mit Spott und Hohn gewaltsam fortgeführt
und, seines Schmucks beraubt, auf das feste
Schloß zu Uerzig an der Mosel gebracht; allda be-
wachten und bewahrten sie ihn streng. Dem Haß
des Domkapitels und des Grafen Theodorich war indeß
damit nicht genügt. Vierzehn Tage saß der alte
Mann in dem feuchten Thurm; endlich drangen am
1. Juni vier rohe Henkersknechte in seinen Kerker,
rissen ihm seine Gewande vom Körper und schleppten ihn auf die Spitze eines hohen Felsens. Hier
überhäuften sie ihn mit Spott und Hohn, banden
ihm die Hände auf den Rücken und riefen: Hat dich
der Herr wirklich zum Bischof erwählt, so wird er
Dir jetzt seinen Schutz nicht versagen. Damit stürzten sie ihn mit Hohngelächter den furchtbaren, zacki-
gen Felsen hinab. Allein siehe da, ein Wunder geschah: unverletzt sank, wie von Engeln getragen, der
heilige Mann in den Abgrund. Darob ergrimmten

die Henkersknechte gar sehr und zum zweitenmal
stießen sie ihn hinab, und wieder und auch zum
drittenmal ward er gerettet.

Aber so verstockt und verhärtet waren die Mör=
der in ihrem Sinn, daß sie Gottes Finger in die=
sem Wunder nicht erkannten. Wüthend zogen sie
ihre Schwerter und hieben ihm unter gräulichen
Flüchen das greise Haupt ab. Seinen Leichnam
ließen sie dann, mit Gebüsch und Dornen bedeckt,
auf freiem Felde liegen. Vierzig Tage lang lag er hier
und ward endlich von mitleidigen Seelen vor der
Kirchthür zu Lösenich begraben. Als aber zahlreiche
Wunder das Grab verherrlichten, wurde er später
in das Kloster Tholey gebracht. Graf Theodorich,
fortan von Gewissensbissen gepeinigt, nahm das
Kreuz; allein er, der Unwürdige, sollte das gelobte
Land nicht sehen; auf der See erhob sich ein gewal=
tiger Sturm und er sammt seinen Mannen ertrank.

Das Kloster Macheren.

Die Nonne und der Ritter.

Auf dem linken Moselufer oberhalb Rachtig
öffnet sich, indem sich das Gebirge einigermaßen
von dem Strome zurückzieht, eine kleine Fläche, die
sogenannte Tafel. An dem Ende derselben, in einer
traulichen Einsamkeit, rückwärts an den Berg ge=
lehnt, erscheint das ehemalige Nonnenkloster Mache=
ren, nach Urkunden im Jahre 1237 gestiftet. Die

Sage berichtet, dies Kloster habe vordem auf dem rechten Rheinufer, in der Nähe von Niederlahnstein, gestanden und die dortigen Landleute erzählen sich noch jetzt von einer weißgekleideten Nonne, die in heiligen Nächten an dem Bächlein auf= und ab= schreitet. Ernst und mild betet sie mehrentheils aus einem Buch, das sie geöffnet vor sich trägt. Schon manchen hat sie in stillen Nächten durch ihre leuch= tende Gestalt erschreckt, obgleich sie Keinem etwas zu Leibe thut, ja oft sogar freundlich grüßet. Wenn sie sich aber zeigt, so geht es den Bach hinauf in der Schlucht toll zu. Wüstes Geschrei, Gekreisch, wilde Lieder, aber auch dazwischen die süßen Töne des Salve Regina durchzittern die stille Nacht; dann und wann rollt auch ein feuriges Rad dem Bache zu. In dieser Schlucht soll das Kloster Macheren vor altersgrauer Zeit gestanden haben. In so hei= ligem Ruf die Nonnen auch standen, um so wüster und unheiliger ging es in den geweihten Mauern des Convents selbst zu. Die Junkherren der nahge= legenen Edelhöfe kamen allnächtlich verkleidet an das Kloster, stiegen über die Mauern und wenn sie Alle im großen Betsaal versammelt waren, begann ein gräuliches, unzüchtiges Bankettiren; gottlose Reden wurden geführt und schändliche Unzucht getrieben. Die Langmuth des Himmels war allzugroß und sah lange dem schändlichen Treiben zu.

Nun trug es sich zu, daß eine neue Novize auf= genommen werden sollte; diese war ein junges Mäd= chen aus einer armen Ritterfamilie. Der Schmerz über den Verlust des Geliebten, welcher im Kampf

gefallen sein sollte, hatte sie zu dem so ernsten Schritt
getrieben. Die neu Aufgenommene war ein Muster
von Frömmigkeit und Tugend und eben dadurch
wurde sie bald das arme Opfer der gottlosen Schwestern, denn sie sträubte sich auf's ernsteste, trotz aller
Verlockungen und Drohungen, in ihr schändliches
Leben einzustimmen. Da wurde die arme Ermesinde nun mißhandelt, eingesperrt und mußte die
niedrigsten Dienste verrichten. So saß sie eines
Abends still weinend in einem Winkel des Gartens.
Da schellte es, aber die Pförtnerin war wahrscheinlich im großen Saal beim Bankett und niemand
hörte. Endlich erhob sich das Mädchen und ging
selbst die Pforte zu öffnen. Da stand ein junger
Pilgersmann mit blassen Wangen und bat flehend-
lichst um Aufnahme für diese Nacht: er komme aus
fernen Landen her und könne nicht weiter ziehen.
Die junge Nonne schrack beim Klang dieser Stimme
sichtlich zusammen, führte den Ermatteten aber trotzdem in eine Zelle und erquickte ihn mit Speise und
Trank. Aengstlich bemerkte sie, daß der Fremde jede
ihrer Bewegungen mit seinen Augen verfolgte und
endlich in höchster Aufregung aufsprang und ausrief:
„Ermesinde, theure Ermesinde, ja ich täusche mich
nicht, Du bist es selbst; o komm und verlaß diesen
heiligen Ort, der mich für ewig von Dir trennt!"
Da knickte das Mädchen gleich einer gebrochenen
Lilie zusammen, — sie hatte den todtgeglaubten Geliebten erkannt! Die Liebenden feierten das schöne Fest
des Wiederfindens unter Thränen; was blieb ihnen
für Hoffnung? Ermesinde hatte bereits das Gelübde

abgelegt und an eine Rückkehr war nicht zu denken. Da durchzuckte ein Gedanke ihren Kopf, das laster= hafte Leben der Schwestern trat vor ihre reine Seele; wäre ihre That mehr zu verdammen gewesen, wenn sie das Haus der Unzucht schon längst geflohen hätte? Der Vorsatz, es jetzt zu thun, stand im nächsten Augen= blick bei ihr fest. Sie beredete mit dem Ritter Tag und Stunde und die Liebenden schieden mit frohen Hoffnungen; Berthold versprach jeden Abend zu kom= men, bis die Stunde geschlagen, in welcher sie den geweihten Mauern für immer den Rücken wenden würden. Einige Abende darauf harrte Ermesinde an der kleinen Pforte des Geliebten, da ertönten Schritte und ein Greis, zitternd unter der Last der Jahre, trat gebeugt in den Garten, um ein Nacht= lager flehend. Die junge Nonne war eiligst bereit, dem Begehr zu willfahren, ergriff des Alten Arm und geleitete ihn nach dem Gebäude. Unter der Thür aber stand die Aebtissin mit ihrem Sponsen und als sie des Greises ansichtig wurde, schalt sie ihn heftig und befahl ihm, die heiligen Mauern alsbald zu meiden; der Alte flehte, sie zürnte, darob versam= melten sich die „Convents=Jungfern", ergriffen den Armen und stießen ihn zur Thür hinaus. Dieser aber erhob das gebeugte Haupt und streckte drohend den Arm aus: „Wehe, Wehe, dreimal Wehe über Euch, die Ihr Euch Dienerinnen des Herrn schelten laßt!" rief er mit furchtbarer Stimme. „Der Tag des Gerichtes wird kommen und dann Heulen und Zähnklappern sein!" Alsbald umzog ein drohendes Gewitter den ganzen Horizont und lagerte sich schwer

über die Fläche. Die Nonnen aber hörten nicht das
Krachen des Donners, sahen nicht das Leuchten der
Blitze, sie bankettirten alle im großen Saale, und
anstatt zerknirscht auf den Knien zu liegen, sandten
sie gotteslästerige Reden gen Himmel. Ermesinde
aber kniete mit ihrem Geliebten am Hochaltar und
flehte die Mutter Maria an, daß sie ihr die Bre=
chung ihres Gelöbnisses verzeihen sollte. Plötzlich
ertönte ein furchtbarer Donnerschlag, leuchtende Blitze
fuhren herab, die Erde erzitterte und that sich auf:
das Kloster, mit allem was darin lebte und athmete,
ward verschlungen. Ermesinde aber, weniger schuld=
los als die übrigen, soll der Sage nach nicht ver=
dammt worden sein. Dennoch findet ihre Seele nicht
Ruhe, bis die Sünden der gottlosen Nonnen abge=
büßt seien und deshalb betet sie eifrig auf ihren
nächtlichen Wanderungen.

Zeltingen.

Jeder Wanderer, der im Rhein= und Mosellande,
wenn auch nur kurze Zeit, verweilte, hat gewiß von
dem lieblichen Zeltinger Wein sprechen hören. Mit
um so größerm Interesse wird er das freundliche
Oertchen in Augenschein nehmen und sehnsüchtig nach
den Bergen blicken, auf welchen der herrliche Reben=
saft gedeiht. Die vorzüglichste Lage hat der soge=
nannte Martins= oder Josephshof. Daß auch schon
unsere Vorfahren davon gar wohl unterrichtet waren,
mag nachstehendes Gedicht bekunden:

Zeltingen.

Der beste Wein.

Sprecht Ihr vom Rhein, von dem Burgunderland,
Von edlen Weinen, die ihr je getrunken,
So schweig' ich still, obwohl auch mir bekannt
Ein Oertlein ist, das könnt' traun ärger prunken.

Zeltingen heißt's, im schönen Moselthal,
War't Ihr nie da, so habt Ihr viel verloren;
Da trägt der Weinstock Reben ohne Zahl,
Den hab' zum liebsten Wein ich mir erkoren.

Leicht, klar wie Gold, ein süß und sanft Getränk,
So fließt die Gottesgab' die Kehl' hinunter;
Des Weines bin ich immer eingedenk,
Sein denk' ich über's Jahr wie auch jezunder.

Die Mönchlein früh'rer Zeit die bauten gern
Die Zellen hin, wo in der Glut der Sonne
Die Reb' gedieh, da ehrten sie den Herrn
Und dachten sein in Demuth und in Wonne.

Der Martinshof, von Alt und Jung gekannt,
Und weit und breit geschätzt ob seiner Reben,
Erzeuget Wein, den besten wohl im Land,
Die Stiftsherr'n haben ihm den Nam' gegeben.

Auch bis nach Trier drang jenes Weines Ruhm,
Der Churfürst Philipp hätt' ihn gern genossen,
Doch nicht beliebt war sein streng Herrscherthum,
Die Mönche hielten ihm ihr Faß verschlossen.

„Ei trotzt mir nur, ich bin der Churfürst noch
Und mein Befehl, mag er Euch auch verdrießen,
Soll mir zur Stell' ein Fäßlein schaffen doch,
Und thätet ihr's auch noch so arg verschließen."

14

D'rauf rief er wohl die halbe Clerisei
Und eine Inspektion ward vorgeschoben,
Die Herren stellten ein sich gar getreu,
Es war wohl allen d'rum, den Wein zu proben.

Am Wehl'ner Ufer reiht sich Schiff an Schiff,
Gehorsam trat der Abt an das Gestade,
Und seine Mönch' er all zusammen rief,
Zu bitten um des Herrn Churfürst's Gnade.

Herr Abt, sprach der, man hat mir baß gerühmt
Des Klosters Reichthum und der Mönche Sitten,
Zu schauen komm ich das wie sich's geziemt,
Doch wollt' ich vorher um 'nen Trunk Euch bitten.

Alsbald führt unser Abt den strengen Herrn
In seines Klosters reichgeschmückte Hallen,
Die Inspektion vergaß man da recht gern,
Vom Becherklingen thun die Wände schallen.

Was Rhein, was Mosel, was die Nah' erzeugt,
Es blinkte in der Becher rothem Golde.
Und Alles jubelt, nur der Abt der schweigt
Und zeigte sich dem Lärmen nicht gar holde.

Es ward ihm klar, daß nicht dem Kloster galt
Die Inspektion, wohl aber seinem Keller;
Da dachte denn der gute Abt alsbald:
List wider List, ich sehe doch noch heller.

Trinkt, trinkt ihr Herr'n, so lang ihr trinken wollt,
Dacht' er bei sich und ließ die Gläser füllen;
Vom Mutterfaß ihr doch nichts sagen sollt,
Mögt an dem Kretzer euren Durst euch stillen.

Als nun der Churfürst baß die Kehl' geschwenkt,
Erhob er sich und ließ sich fortgeleiten;
Und wie er dann den Abschiedstrunk empfängt,
Thät er den Abt zu sich nach Trier bescheiden.

„Ich lob Euch sehr", sprach er zu ihm gewandt,
„Eu'r Regiment thät mir gar wohl behagen,
Und kommt Ihr einmal n'auf in's trier'sche Land,
Sollt Ihr auch über schlechten Wein nicht klagen.

„Das sag' ich aber offen Euch und frei:
Ihr könnt zu Trier mit Wehl'ner nicht den Gaumen kühlen.
Gepriesen sei die Wehlener Abtei,
Die solchen Rebensaft thät alle Jahr erzielen.

Da lacht der Abt gar herzlich in den Bart:
„Habt Dank, Herr Churfürst," sprach er sonder Bangen,
„Euch schmeckt der Wein, daß Ihr das Lob nicht spart,
„Und dennoch könnt Ihr bessern noch empfangen.

„Kommt wieder Ihr zu einer Inspektion,
Und gilt sie nicht dem Wein, wohl aber der Gemeinde,
Dann sollt Ihr Wehlener trinken in eigener Person, —
Bis dahin spar'n wir ihn für — unsre guten Freunde."

Bernkastel.

Das freundliche Städtchen, einst wohl befestigt,
wie noch jetzt die spärlichen Ueberreste der Ring=
mauern und Thürme zeigen, bietet manche interes=
sante Sage dar. Die Zierde Bernkastels, das schöne
Schloß, dessen Ruinen noch heutigen Tags traurig
öde von dem hohen Berggipfel auf uns herabblicken,
war ehedem eines der schönsten und festesten Bauten
an der Mosel. Mit dieser Burg beginnt auch zu=
gleich die Geschichte des Städtchens. Als ihr Er=
bauer wird Adelbero, aus dem ardennischen Hause,
Probst von St. Paulin bei Trier, genannt. Wahr=

scheinlich fällt die Zeit dieser Erbauung um 1009.
Ludolph, der Mönch aus Goslar, Erzbischof zu
Trier und der erste Churfürst, hatte im Jahr 1008
das Zeitliche gesegnet. Sein vornehmlichster Vertraute Adelbero, Schwager Kaiser Heinrich II., hatte
nach seinem Tode nichts eifrigeres zu thun, als sich
der guten Meinung des Volks und der Clerisei zu
Trier zu versichern. So geschah es, daß er zum
Erzbischof gewählt wurde. Der Kaiser war sehr
über die Anmaßung seines Schwähers erbittert, belagerte ihn in Trier und setzte den Babenberger
Poppo auf den bischöflichen Stuhl. Lange kämpfte
Albero, endlich ward er besiegt und im Jahre 1017
auch das feste Beronis Castellum, unser Bernkastel,
nach dem Erbauer so genannt, erstiegen. Adelbero
lebte noch 18 Jahre in Buße und heiliger Stille im
Paulinsstift.

Später im Jahre 1198 ward das Schloß von
Neuem befestigt, aber 1201 von Erzbischof Johann
wiederum zerstört. Im Jahre 1692 brannte das
schöne, feste Gebäude durch ein ungefähr entstande-
nes Feuer ab.

Der Doktorwein.

Es war im Jahr 1360 als Erzbischof Boëmund II.
von argem Fieber geplagt auf der Burg anlangte,
um entfernt von lästigen Geschäften, im Genuß einer herrlichen Natur, des kranken Körpers zu pflegen. Aerzte über Aerzte wurden verschrieben, kamen,
sahen, erschöpften sich in über die Maßen gelehrten

Tiraden und entfernten sich kopfschüttelnd wie sie ge=
kommen waren. Das kalte Fieber wollte und wollte
nicht weichen. In seiner Herzensangst schrieb Sr.
erzbischöflichen Gnaden im ganzen Bisthum aus:
„Wer sich getraute, das böse Fieber zu bannen,
möge kommen und der größten Belohnung gewärtig
sein." Da dachten wohl manche dies pretium affecti-
onis zu verdienen; als sie aber vernahmen, wie
viele graduirte Männer sich schon die Köpfe an dem
leidigen kalten Fieber des Churfürsten eingerannt
hatten, sank ihnen der Muth. Der Bischof gab die
Hoffnung auf, je wieder von dem üblen Gast be=
freit zu werden. Endlich, nach Verlauf mehrerer
Monate, vernahm ein alter, tapferer Rittersmann
im Hunsrück, der den Rest seiner Lebenstage größ=
tentheils im Weinkeller zubrachte, wie unheilbar der
gnädige Herr darniederläge. Nun hatte man dem
alten Saufkumpan einige Tage vorher eine „Ahme"
edlen Bernkastler zugeschickt, welche ihm so trefflich
mundete, daß er wohl den ganzen Tag den Mund
am Spund hatte. „Soll mir Gott!" rief er schier
ergrimmt, „hat Sr. erbischöflichen Gnaden den Na=
gel in der Faust und weiß nicht, wo er ihn hin=
schlagen soll. Hat man sein Lebtag ein köstlicher
Gewächs als diesen Bernkastler in die Kehle gegos=
sen? Das ist der wahre Doktor und hohl mich der
Gottseibeiuns, der brave Bischof hat mir in der
Sponheimer Fehde das Leben gerettet, ich will ihn
curiren!" Alsbald machte er sich auf, packte, nicht
ohne einige schmerzliche Blicke, sein noch halbge=
fülltes Fäßchen auf, und zog nach dem Vern=

*

kastler Schloß. Die Erzbischöflichen machten gar
große Augen, als der mannhafte Herr Ritter, das
Fäßlein auf den gewaltigen Schultern, in das Vor=
gemach trat. „Ich will den Herr Churfürst curiren,"
sprach er naiv. Die Hofschranzen rümpften spöttisch
die Nasen, zischelten unter einander; aber da es
strenger Befehl war, Jeden ohne Ausnahme zu
dem Kranken zu lassen, so öffneten sie behende die
Thür. Der Bischof sah hoch auf, als der Ritter
in das Gemach trat. „Ei, Gott zum Gruß!" rief
er trotz seiner Schwäche lächelnd, denn er vermuthete
einen lustigen Schwank. „Was bringt Ihr Schönes,
Herr Ritter?" „Guten Dank!" erwiederte dieser,
sich keuchend seiner Last entledigend, indem er den
Schweiß von der gebräunten Stirn abwischte. „Ich
habe gehört, Ihr läget an einem übeln Gebreste
darnieder und da wollte ich als ein rechtschaffener
Lehnsmann nichts verabsäumen, um Ew. bischöfliche
Gnaden wieder auf die Beine zu helfen!"

„Ihr seid mir hoch willkommen," rief der freund=
liche Prälat zurück, „nur heraus damit, wißt Ihr
einen guten Rath?"

„Rath?!" entgegnete der Ritter mit komischem
Zorn. „Bei unsrer lieben Frauen, That, That!
Ew. bischöflichen Gnaden und h i e r liegt der Hase
im Pfeffer." Dabei schlug er mit der gewaltigen
Faust auf sein Fäßlein, daß es durch das Gemach
dröhnte. Der Kranke erhob sich erstaunt. „Träumt
Ihr, Herr Ritter. Dies Faß? . ." und dabei deu=
tete er zweifelhaft auf den großen Arzneibehälter.

„Nichts weniger als dies Faß!" rief der Ritter treuherzig. „Es allein enthält das wahre Lebensarcanum. Jagt Eure Quacksalber zur Burg hinaus, gießt ihnen ihre höllischen Tränke in die verruchten Gurgeln und haltet's mit meiner Medizin." Dabei drehte er den Krahnen und heraus in einen goldenen Becher strömte der edle Bernkastler Rebensaft. Viel Mühe kostete es zwar, ehe der Erzbischof zur Einnahme dieser wunderlichen Arznei zu bewegen war; endlich entschloß er sich und siehe da — der edle Herr Ritter hatte richtig calculirt. Das kalte Fieber schwand in wenig Wochen. Der Wein aber, der dies Wunderwerk vollbracht, führt noch bis auf heutigen Tag den Namen: „Der Doktor." Ob er seine Heilkraft auch in der neuern Zeit bewährte, darüber schweigt die Geschichte und wir vermögen es nicht wohl anzugeben; nur so viel wissen wir gewiß, daß dieser gepriesene Rebensaft ein unvergleichliches Getränk in Feuer, Feinheit und würzhaftem Geschmack ist. [74])

Das Kreuz zu Tünkel.

Oberhalb Bernkastel erheben sich mächtige, hohe Felsen und auf der Spitze des höchsten steht ein verwittertes, bemoostes Kreuz. Noch heute staunt der Wanderer, wie solches in so gewaltige Höhe gelangt und wer es wohl aufgerichtet haben möchte. Die Sage erzählt von einem Ritter auf dem Hunsrück, der in seinem Hauswesen ein arger Tyrann gewesen

sein soll. Seine Bauern schindete er auf alle nur
erdenkliche Weise und richtete sie durch Frohndienste
beinah zu Grund. Hatte auch Einer von den ar=
men Leuten unter unsäglichen Mühen sein Feld be=
stellt, so kam der Ritter und richtete es beim Bir=
schen nach Füchsen und Hasen zu Grund. Da er=
hob sich nun groß Wehklagen und selbst mancher
geistliche Herr, der gerade die Straße zog, ver=
säumte es nicht, dem Ritter in's Gewissen zu re=
den. Es war aber Alles vergebens; gerade auf die
Pfaffen hatte der böse Mann einen unauslöschlichen
Haß geworfen. Seine liebste Beschäftigung war
und blieb das Waidwerk. Einstmals jagte er in
dem rauhen Felsengebirg zwischen Longcamp und
Bernkastel; im Nachsetzen eines feisten Hirsches merkte
er nicht, daß es dunkler und immer dunkler wurde.
Die Nacht war eingebrochen ehe er es sich versah,
und rathlos, des Weges unkundig, irrte er umher,
stieg von Fels zu Fels und fand nirgend einen Aus=
weg. Da plötzlich sah er ein Lichtlein in der Tiefe
flackern. Eiligst verfolgte er den Pfad in der Rich=
tung, von wo es herleuchtete, allein immer weiter
schwand es und immer weiter und der Ritter rastlos
nach, bis der trügerische Führer auf einmal ver=
schwand. In diesem Augenblick theilten sich die Wol=
ken, der Mond trat strahlend hervor und mit Ent=
setzen sah sich der Ritter auf der Spitze eines unge=
heuern Felsens, von welchem er, wie weiland Kai=
ser Maximilian, weder rück= noch vorwärts konnte.
Das Haar sträubte dem argen Sünder empor und
zum erstenmal erkannte er Gottes Gericht, fiel auf

seine Kniee und sandte ein inbrünstiges Gebet zum
Himmel. Dann gelobte er, ein vollendet guter
Mensch zu werden und zur Ehre des Herrn ein
Kreuz auf dieser Spitze errichten lassen zu wollen.
So harrte er bis zum andern Morgen und siehe,
eine unsichtbare Hand geleitete ihn den Felsen hinab.
Von Stund an besserte er sich, erfüllte sein Gelübde
und ließ das Kreuz dort oben errichten. Sein Haar
aber war, so berichtet die Sage ausdrücklich, in die-
ser einen Schreckensnacht schneeweiß geworden.

Cues.
Nikolaus Cusanus.

Mancher, besonders um die Wissenschaft, hoch-
verdienter Mann ist aus unserm schlichten Moselthal
hervorgegangen. Der berühmteste unter allen ist
aber der Cardinal Nikolaus Cusanus.

Das herrliche Hospital zu Cus und manche
andre schöne Stiftung an der Mosel sind sein Werk
und auch seinem Jahrhundert hat sich dieser Mann
hochverdient gemacht. Ueber seine Herkunft ist vielfach in neuerer Zeit gestritten worden und wir theilen mit, was uns Sage und Geschichte berichten.

Nikolaus Crifftz (oder Chrypffs, Krebs) ward
1401 zu Cues geboren. Sein Vater war ein wohlhabender Schiffmann [*] und bestimmte sein Cläs-
chen zu seinem achtbaren Gewerb. In dem Jun-

gen waltete aber ein anderer Geist, der sich nicht in diese engen Schranken bannen ließ. Das Auf= rollen der Seile, Flicken der Segel, das Scheuern und Putzen des Verdecks, der ganze Schiffsdienst ekelte den 12jährigen Knaben gar bald an. Oft saß er auf dem Vordersteven in Träumereien ver= sunken und irgend eine alte Chronik, ein beschriebe= nes Pergamentblatt konnte ihn ganz und gar hin= reißen. Der Vater schalt und dabei blieb es nicht immer, tüchtige Prügel hagelten oft auf den armen Jungen herab. Eines Tags aber lief der Geduld= becher des gestrengen Vaters über, Nikolaus hatte wahrscheinlich wieder eine unverzeihliche Dummheit gemacht; kurz er nahm den ihm zu Allem untauglich scheinenden Buben und warf ihn vor der Abfahrt, einige hundert Schritte unterhalb des Ortes, wo jetzt das Hospital steht, an's Land. Der Fleck, wo er niederfiel, heißt noch heutigen Tags der „Schmeiß= graben." Der Knabe, weit entfernt sich über diese unvernünftige Härte zu beklagen, raffte sich geschwind auf und kam nach langem Umherirren zum Grafen von Manderscheid in der Eifel, der ihn als Dienst= jungen aufnahm. Seiner Gewandtheit gelang es bald sich die Söhne des Grafen und auch diesen selbst geneigt zu machen. Der Graf ward sein mäch= tiger Protektor [77]) und sandte ihn mit seinen Söh= nen nach Deventer, um den Studien obzuliegen. So gelangte Nikolaus zu seiner wissenschaftlichen Ausbildung und das Unmögliche ward durch ihn möglich — im 24. Jahre ward er zum Dechant er= wählt. Immer höher und höher stieg er nun. Auf

dem Concilium zu Basel (1431) sprach er mit sol=
cher Kraft und hinreißender Klarheit, daß ihn Pabst
Eugen IV. in Gesellschaft des Erzbischofs von Ta=
rantaise nach Constantinopel sandte, um die Verei=
nigung der morgenländischen Kirche mit der abend=
ländischen zu Stand zu bringen. Ward der Zweck
der Sendung auch verfehlt, so behielt Krebs, der
jetzt nach der damaligen Sitte den Namen Cusanus
angenommen hatte, in Nikolaus V. doch einen mäch=
tigen Gönner. 1448 ward er Cardinal (der einzige
Deutsche, der zu so hoher Würde gelangte). Als
Legat bereiste er die deutschen Provinzen und bei der
Liebe, mit welcher ihn seine Landsleute empfingen,
vermochte er manchem Mißbrauch zu steuern. Da
kam er auch nach Cues, verzieh seinem Vater und
man feierte ein fröhliches Familienfest. Bei allem
Glanz, der ihn umgab, und trotz des europäischen
Rufes, den er damals schon erlangt hatte, bewahrte
er aber doch immer eine patriarchalische Einfachheit.
Seine Schwester, der Teufel des Hochmuths und
der Eitelkeit mußte schon zur damaligen Zeit in die
Weiber gefahren sein, glaubte unmöglich in ihrer
schlichten Bürgertracht vor dem gefürchteten, berühm=
ten Bruder erscheinen zu können. Sie lehnte sich
deshalb kostbare Kleider und trat, ziemlich aufgebla=
sen, den Weg an. Wie ward ihr aber, als Cusa=
nus ihr trocken erklärte: eine Schwester in derglei=
chen kostbaren Mummenschanz gehüllt kenne und habe
er nicht, sie solle in ihrer rechten und schlechten Familien=
tracht vor ihn kommen. Die Beschämte mußte ohne
Gnade abziehen. Bereits gegen das Jahr 1433 hatte er

den erſten Stein zum Hospital zu Cues legen laſſen,
aber erſt 1458 kam die Stiftungs=Urkunde zu Stande.
Das Hospital war zur Aufnahme 33 alter, gebrech=
licher Greiſe beſtimmt und noch heutigen Tags be=
ſteht die fromme Stiftung in ſegensreichem Wirken.
1464 den 11. Auguſt ſtarb dieſer große Mann zu
Todi. [75])

Volkssage vom bösen Maurus und seinem Eheweib.

Maurus war ſeiner Zeit im ganzen Dörflein
Cues als ein übler Patron verſchrieen. Er tollte
und polterte unter gräulichem Saufen ganze Nächte
hindurch und beunruhigte die ganze Nachbarſchaft.
Am allerſchlimmſten war aber doch ſein armes Weib
daran. Bei der geringſten Veranlaſſung mißhandelte
und ſchlug er ſie, daß oft die Freunde und Ver=
wandten die Streitenden tremmen mußten. Jedes
Leid hat aber doch einmal ſeine Gränzen. Der böſe
Maurus, ſo nannte man ihn allgemein, ſtürzte am
heiligen Pfingſttag betrunken in eine Grube und
brach jämmerlich das Genick. Seine Frau, obwohl
er ſie bei Lebzeiten gar grauſam behandelt hatte,
bereitete ihm doch ein anſtändiges Leichenbegängniß.
Wie ſtaunten aber die Leute, welche ſeine vergäng=
lichen Ueberreſte zur Grube beſtattet hatten, als ſie
auf der Rückfehr den Maurus in dem Fenſter ſeines
ehemaligen Wohnhauſes liegen ſahen, wie er höhniſch
auf die Begleiter, welche ihm den letzten Dienſt er=

wiesen hatten, herabblickte. Seine Frau schlug an=
dächtig drei Kreuze; bald überzeugte man sich aber,
daß der böse Mann auch nach seinem Tode keine
Ruhe finden konnte. Es hat ihn zwar seit jener
Zeit Niemand mehr leibhaftig im Hause gesehen,
aber doch gab er sich häufig durch nächtliches Rumo=
ren, besonders an jenen heiligen Tagen, welche er
dem Bachus zur Zeit geweiht hatte, kund. Der un=
ruhige Poltergeist ward endlich, damit er die Ein=
wohner und Nachbarn nicht mehr ferner beläſtige,
in den Wald, Cues gegenüber, verbannt. Dort trieb
er sich lange herum, neckte die Einwohner von Cues,
welche den Wald besuchten, auf allerhand Weise,
weil sie seine Verbannung veranlaßt hatten. Am
Tage, wo er einigemale wieder in seinem dreieckigen
Hute und grauem Rocke gesehen wurde, erschreckte
er oft die Leute, welche auf sein Gebiet sich wagten.
Oft schob er Steine den Berg hinab nach den Vor=
übergehenden. Oft schwaßte er mit sich selbſt, dann
lachte er wieder mit sich selbſt und war hoch ver=
gnügt, wenn er Jemanden einen liſtigen Streich ge=
spielt hatte. Oft drückte er auch auf die Hotten *)
derjenigen, welche dort Streu holten, so schwer, daß
sie kaum wegzukommen vermochten. Oft warf er
sich wiederum so furchtbar auf den Fährnachen, daß
er zu versinken drohte. Viel Vergnügen machte es
ihm auch, wenn er Nachts die Fährleute durch:
Hol' über! beunruhigt und bethört hatte. Vergebens

---

*) Tragkörbe.

15

waren die Fährleute im Dunkel der Nacht oft nach dem jenseitigen Ufer gerudert, um den Rufenden abzunehmen. Niemand fand sich aber am Ufer; wie lachte dann der alte Schalk oben im Walde über den gespielten Streich. Die Fährleute zeigten sich daher zuletzt klüger und achteten auf den Ruf: Hol über! nicht mehr, wenn der Rufer nicht seinen Namen angab. Der lästige Maurus ward endlich, um seinen Neckereien ein Ende zu machen, zum zweitenmale beschworen und nach dem Hinterwalde, zwei Stunden von hier, verbannt, wo er sich etwas ruhiger gebehrdete. Er erschreckt nur hin und wieder einen Vorübergehenden mehr, ohne Jemanden ein besonderes Leid zuzufügen. Bei dem Heinzerather Springen läßt er sich bisweilen noch hören und sauset dann, als wollte er alle Bäume entwurzeln, durch den Wald dahin. Doch vergißt er seiner Heimath noch nicht ganz; er schleicht noch einigemale, besonders an hohen Festtagen, nach seiner alten Wohnung und beunruhigt sein altes Quartier und trübt den Frieden.

Velbenz.

Unsere Mosel ist nicht allein an ihren Ufern schön, auch die verschiedenen Seitenthäler, deren sie viele zählt, bieten dem Freunde der Natur mannigfaltige Genüsse. Ein solches Thal, welches wir fast mit jenen in den Alpenländern vergleichen möchten, hebt am Ausfluß des Baches „der Hinterbach," hinter dem Dörfchen Mühlheim, an. Durch herrliche, blumigte Wiesen, an fruchtbarem Ackerland, gesegneten Reben vorbei, erreicht man den Flecken Velbenz. Eine Viertelstunde weiter nimmt das Thal einen wild=romantischen Charakter an und plötzlich erheben sich auf einem dicht bewaldeten, hervortretenden Berg, kühn und pittoresk, die Ruinen der uralten Burg Velbenz. Es ist dies das Stammschloß eines mächtigen, berühmten Geschlechts, dessen Ahnen bis zu den Austrasischen Königen hinauf reichen. Schon im 6. Jahrhundert wird Velbenz in einer Schenkung König Childeberts II. erwähnt. Das Geschlecht stieg höher und immer höher und ward selbst im 15. Jahrhundert in den Herzogsstand erhoben. Aber auch den Wechsel der Zeiten mußte es erfahren. Ludwig XIV., den sein Zeitalter den Großen nannte, obgleich ihm eher der Beiname: der Würger und Länderverschlinger, gebühre, hatte durch die Errichtung der sogenannten Reunionskammern zu Metz sowohl Velbenz als das St. Remigsland zu seinem Reich geschlagen, doch ließ er dem damaligen Pfalz=grafen Ludwig Leopold das Anerbieten machen: die beiden Gebiete sollten ihm verbleiben, wenn er die französische Landeshoheit anerkennen wolle. Der Pfalzgraf, ein Deutscher in Herz und That, stieß den Antrag mit Unwillen von sich und zog es vor, lieber mehrere Jahre lang als Vertriebener in kümmerlichen Umständen zu Straßburg zu leben. Das Mißgeschick verfolgte ihn auch noch in dem freiwilligen Exil. Eilf Kinder wurden ihm von seiner Gemahlin geboren und fast alle mußte er sie überleben. Zwei seiner Söhne starben auf dem Felde der Ehre. Der dritte und älteste, Gustav Philipp, sog auf seinen Reisen so viel schändliche Grundsätze ein, daß sich, als er endlich wieder zurückkehrte, Alles mit Abscheu von dem vollendeten Ungeheuer abwandte. Der Vater jedoch, der, wie aus Allem hervorgeht, ein äußerst strenger, vielleicht auch harter Mann gewesen sein mochte, ließ den Ungerathenen greifen und ihn auf Schloß Lautereck in strenge Haft bringen. Dort stürzte sich der Unglückliche in einem unbewachten Augenblick in den Abgrund und hauchte sein Leben an dem spitzigen Gestein aus.

Der Vater starb zu Straßburg 15 Jahre darauf (1694) und vermachte, auffallend genug, dem König von Schweden durch Testament seine Erbschaft, welche jedoch durch den Nyswyker Frieden an Kurpfalz überging. Das ganze ehemalige Velbenz'sche Gebiet bildete einen Landstrich von 2 Stunden Länge und 1 $^{1}/_{2}$ Stunden Breite.

Clausen.

Eberhards Bild.

Bei Müster und Pisport (Pipini portus) vorbei,
wo jener köstliche Wein, nächst dem Braune= und
Ohligsberger die Blume der Moselweine, wächst,
windet sich eine alte römische Seitenstraße in zier=
lichen Krümmungen den Berg hinan. Den Wande=
rer wird die herrliche Aussicht für die kleine Mühe
gar sehr lohnen, zudem kaum eine halbe Stunde
von der Mosel entfernt, in stiller, romantischer Ein=
samkeit, der berühmte Wallfahrtsort Clausen an
einem Bergabhang lagert. Es ist dies Clausen seit
dem Jahr 1440 durch einen schlichten Bauersmann,
des Namen Eberhard, gar sehr berühmt gewor=
den. Dieser ehrliche Landmann, ein inbrünstiger
Verehrer der heiligen Jungfrau Maria, darbte von
Mund und Leib so viel der Heller ab, daß er sich
endlich ein Marienbild kaufen konnte. In seinem
Herzen vergnügt und der Andacht voll, trug er im
Schweiß seines Angesichts das schwere Bild aller
Orten herum, selbst während der mühseligen Feld=
arbeit stellte er es in die ausgehöhlte Vertiefung
einer Eiche, um es immer vor Augen zu haben.
Sein frommes Streben blieb indeß der gebenedeiten
Jungfrau nicht verborgen, dreimal in der Nacht
erschien sie ihm, das Christuskind auf den Armen,
und dreimal gebot sie ihm, ihr ein Haus zu bauen,
welchem sie stete Schützerin sein wolle. Endlich ver=

*

traute der fromme Bauer feinen Traum dem benach=
barten Pfarrer und diefer ermunterte ihn, der gött=
lichen Eingebung Folge zu leiften. Eberhard eilte
darauf nach Trier, erhielt dort das große Bild der
fchmerzhaften Mutter, ein Glöcklein und einen eifernen
Leuchterftock. Ein fchlichtes Kapellchen ward erbaut
und das erfte Wunder, welches durch das Heiligen=
bild gefchah, war die Wiedergenefung der Hausfrau
des frommen Ritters Gottfried von Efch. Sie ge=
fundete und löf'te ihr Gelübde durch einen neuen
Altar. Immer mehr ftieg der Ruf des Kirchleins
zur Eberhards=Claufe und gelangte endlich durch den
berühmten Cardinal Cufanus auf den höchften Gip=
fel. Der Cardinal hatte auf feiner Reife durch
Deutfchland, befonders in Trier, viel von den Wun=
derthaten des Marienbildes fprechen hören. Er, ein
Feind des Aberglaubens, vermuthete Betrug und
machte fich zürnend auf den Weg. Eberhard, dem
der Befuch des hohen Gaftes gemeldet war, befchloß
den Sturm durch kluge Einfalt von fich abzulenken.
Mitten in die noch unvollendete Kirche fetzte er einen
Tifch, darauf Brod und Käfe, und lud den gefürch=
teten Cardinal ein, nach alter deutfcher Sitte feine
Gaftfreundfchaft nicht verfchmähen zu wollen. Cu=
fanus aber warf in feinem Unwillen Tifch und Tel=
ler um und drohte dem erfchrockenen Bauer bei fei=
nem Zorn, von feinem Beginnen und den gottlofen
Neuerungen abzuftehen. Dem armen Eberhard mochte
wohl übel zu Muthe fein und um die neue Claufe
fah es zu damaliger Zeit mißlich aus. Indeß ver=
zagte er nicht; in inbrünftigem Gebet warf er fich

vor seiner Schützerin nieder und auch diesmal ließ
ihn die Gebenedeite nicht ohne Hülfe. Cusanus er-
krankte auf seiner Reise nach Lüttich und während
er in den Fieberparoxismen lag und nicht genesen
wollte, trat seine Schwester, welche ihn sorgsam
pflegte, zu ihm und ermahnte ihn demüthig, nicht
verzagen zu wollen. „Hast Du, lieber Bruder,"
setzte sie in frommer Besorgniß hinzu, „vielleicht in
der letzten Zeit eine Handlung begangen, welche,
Deiner nicht würdig, Dir die Strafe des Himmels
zugezogen hat. Hast Du Dir nicht, was wohl möglich wäre, der glorreichen Jungfrau Maria Unwillen
durch das Verbot, die Kirche in Clausen auszubauen,
erworben?" Das Letztere besonders fiel dem hohen
Patienten schwer auf's Herz; er sandte alsbald Boten aus, welche dem Eberhard bedeuten sollten, seine
Kirche auszubauen; er, der Cardinal, wolle ihm
überdies noch eine thätige Stütze sein. Kaum waren
die Boten fort, als die Crisis sich einstellte und Cusanus seinen Weg gesundet weiter fortsetzen konnte.
Eberhard sah seine fromme Stiftung noch in schönster Glorie und starb am 18. August 1451. Sein
Leib ruhet in der Kapelle vor dem Altar. Auch nach
seinem Tode dauerten die Wunder fort.

———

Neumagen.

Schon Auson, der Dichter der schönen Natur, singt von dem uralten Nivomagus, dessen Entstehung nicht aus den Zeiten der Römer, sondern von den Galliern abzuleiten ist:

Nivomagus, divi Castra inclyta Constantini.

(Nivomagus, Constantins des Göttlichen herrliche Veste.)

Und fügt gleich darauf, ergriffen von den Reizen der zauberischen Natur hinzu:

Reinere Luft weht diesem Gefild; der heitere Phöbus
Oeffnet huldvoll hier des Olympus purpurne Pforten.

Dieses Neumagen, so einfach es jetzt auch aus dem frischen Grün und den goldblinkenden Reben hervorschaut, ist doch von welthistorischer Bedeutung. Nicht ohne Ursache nennt schon Auson hier: Constantins des Göttlichen herrliche Veste. Dieses Castell, welches zweifelsohne unweit des sogenannten Nimweges auf der Höhe gelegen war, scheint ein eben so ungeheures Werk als das Marsthor zu Trier gewesen zu sein. Im 17. Jahrhundert war noch Beträchtliches von diesem Riesenbau zu sehen, wie uns eine zur damaligen Zeit genommene Abbildung zeigt. Die Bauleute des Erzbischofs Boëmund hatten im Jahr 1299 den Grund zur Zerstörung dieses herrlichen Alterthums gelegt, indem sie zum Bau der Petersburg das naheliegende Material dazu verwandten. Später mag wohl der Egoismus der Menschen und die Bequemlichkeit der Weinbergsbesitzer das ihrige dazu gethan haben, auch die letzten Ueberreste im Laufe der Zeit zu verschleifen.

Neumagen nimmt indeß nicht allein wegen dieses Castells das Interesse des Alterthumsforschers in Anspruch.

Das Zeichen auf der Kron.

Der römische Kaiser Constantin, den sein Zeit=alter den Großen nannte, war zu einer Zeit zum Imperator ausgerufen worden, wo sich das römische Weltreich in gräulicher Zerrüttung befand. Vier bis fünf Nebenkaiser machten sich den Vorrang strei=tig. Constantin, der schlaueste unter ihnen allen, hatte im Innern längst beschlossen, sich seiner Neben=buhler nach und nach zu entledigen. Die christliche Religion, welche damals anfing viel Anhänger zu finden, schien ihm nicht unpassend zu seinen Zwecken. Obgleich sein bisheriger Lebenswandel, die Grau=samkeit, mit welcher er seine Gefangenen, nament=lich die Heerführer der Franken, Ascarich und Geisa, behandelt hatte, wenig mit der sanften Lehre des Welterlösers harmonirte, so warf er sich doch plötz=lich zum Protektor des neuen Glaubens auf. Sicher eines großen Anhangs, rief er seine Heerschaaren zusammen, den Marentius zu bekriegen. Von seinem festen Castell auf der Kron zu Neumagen zog er aus, nicht ohne innere Aengstlichkeit, denn Maren=tius war ein wohlerfahrener Krieger und hatte ein gewaltiges Heer um sich versammelt. Als er nun

nach Mittag an der Spitze der Legionen auf dem
Rimwege einherzog, tauchte plötzlich ein Kreuz, um=
geben von überirdischem Strahlenglanz, über der
Sonne auf. Deutlich standen darin die Worte: In
hoc (signum) vince (hierin wirst Du siegen).
Das ganze Heer hatte das Wunder angestaunt und
in großer Erregung zogen Alle weiter. Dem Cäsar
aber that sich noch in derselben Nacht die Traumwelt
auf: Der Heiland mit dem Kreuz trat vor ihn und
gebot ihm, jenes heilige Zeichen, welches er auf der
Kron erblickt habe, nachbilden und seinem Heere vor=
tragen zu lassen. Dann sollten seine Feinde mit
Blindheit geschlagen werden und er würde sie besie=
gen. Constantin war kaum in Trier angelangt, als
er die geschicktesten Gold= und Silberarbeiter kommen
ließ und ihnen die Nachbildung des himmlischen Zei=
chens auftrug. Das Labarum voran, flohen von
jetzt an alle Feinde. Marentius ward geschlagen.
Licinius mußte bei Hadrianopel, Cibala und Chal=
cedon dreimal unterliegen, obgleich er seinen Legio=
nen den Befehl gegeben, den Angriff nicht auf jener
Seite, wo das Labarum hielt, zu machen.

Diese Sage hat sich noch heute unter dem Volk
zu Neumagen erhalten: „Oben auf dem Gebirg,“
so läßt Storck einen Landmann erzählen, „sind
zwei tiefe Löcher, da hat der Kaiser Constantin eine
Schlacht geliefert, und sein Gegner wie er ist, jeder
mit seinem Heer, in eins dieser Löcher versunken
und sie bleiben da liegen bis an den jüngsten Tag,
dann erst kommen sie wieder hervor.

Die Märtyrer-Kapelle.

Unterhalb Neumagen erhebt die sogenannte Mär=
terkirche ihr uralt Gemäuer. Wir können von ihr
nur das berichten, was bereits passender bei Trier
geschehen und weisen deshalb unsere Leser dorthin.
Das Blut der Märtyrer floß, wie bereits erwähnt,
bis genau an die Stelle, an welche später frommer
Sinn diese Kirche oder vielmehr Kapelle errichtete.

Eine andere Volkssage oder vielmehr Mährchen
finde hier ihren Platz:

Der Mann mit dem bleiernen Mantel und Hut.

Vor Jahrhunderten war über das Waldgebiet
längs der Römerstraße, welche sich vom stumpfen
Thurm bis nach dem Castell des Kaisers Constantin
erstreckte, ein Förster gesetzt, der im ganzen Land,
so weit sich sein grünes Gebiet erstreckte, von Jeder=
mann gefürchtet und gehaßt war. Nicht allein seine
übertriebene Amtsstrenge, auch die Grausamkeit, mit
welcher er den Armen von seiner Thür stieß, ihm das
Stücklein Brod, ein Häufchen Reissig in harter Win=
terszeit versagte, bewirkten, daß man ihn mit Ver=
wünschungen überhäufte. Als er aber einstmals in
frevelhaftem Uebermuth einer armen alten Frau, statt
des erbetenen Holzes, eine Bürde Unrath auf die

schwachen Schultern ladete, daß die Unglückliche unter der Last zusammensank, da war sein Maaß voll.
Die Greisin verfluchte ihn und rief: auch nach seinem Tod solle er keine Ruhe finden und mit einer
unerträglichen Last beladen, die Wälder durchstreifen.
Sein Stündlein schlug, bezahlte Leute umstanden
gleichgültig seine Leiche, bezahlte Leute trugen ihn
zu Grabe und scharrten ihn ohne Thränen ein. Das
ist das Loos jedes Hartherzigen und Menschenfein-
des. Auf diesem aber haftete der Fluch jener gepei-
nigten Greisin, er ward verdammt, die Wälder zu
durchstreifen, umhüllt mit einem bleiernen Mantel
und einem Hut von entsetzlicher Schwere. Jahrhunderte lang trieb er so sein schreckliches Wesen. Die
Bauern, die er schon bei Lebzeiten zur Genüge gepeinigt, mußten seine Gegenwart auch noch im Tode
empfinden. Oft sauste er durch das Dickicht und
heulte so gräßlich, daß es denen, die sich verspätet,
durch Mark und Gebein drang. Nicht eher sollte
er erlöst werden, als bis es ein kühner Sterblicher
wagen würde, ihm Hut und Mantel zu entreißen.
Dies muß wohl in den letzten Decennien, wo das
Licht der Aufklärung auch an die Mosel drang, geschehen sein, denn das Mährchen vom Mann mit
dem bleiernen Mantel lebt nur noch im Munde der
ältesten Leute und die Dirnen in der Spinnstube
lachen über den bösen Förster und gehen dreist zur
Mitternachtsstunde nach dem Nimweg.

Trittenheim.

Trithemius, der Abt und Zauberer.

Im Jahr 1462 am ersten Februar kam das Weib
eines ziemlich unbemittelten Weinbauers mit einem
rüstigen Knäblein hier nieder. Der Junge wuchs heran
und zeigte viel Anlagen, freilich nicht für des rauhen
Stiefvaters (der rechte war ihm im ersten Jahr gestorben) Feldarbeiten, desto mehr aber für das Stu-
diren. Dem Vater kam diese Neigung sehr ungele-
gen und harte Worte, auch Schläge, regneten auf
den armen Knaben herab. Die Lust zum Lernen
konnte diesem aber nicht ausgetrieben werden; in der
Nacht, wenn Alle schliefen, stahl er sich leise von
dem ärmlichen Lager, um sich von einem treuen
Freund im Lesen und Schreiben unterrichten zu lassen. Einstmals hatte er ein wunderbar Gesicht: im
Traum erschien ihm ein herrlicher Jüngling in glänzende, weiße Gewänder gehüllt. Zwei Tafeln, die
eine beschrieben, die andere mit bunten Bildern be-
malt, hielt ihm dieser vor und ließ ihn darunter
wählen. Als nun der jugendliche Johannes die be-
schriebene ergriff, da sprach die Gestalt: „Weisheit
wird Dir nicht fehlen." Und schnell stieg fortan
sein Glück. Bereits im 22. Jahre wählten ihn die
Mönche des Benedictinerklosters Spanheim bei Creuznach zum Abt, und ein so herrliches Walten entfal-
tete er, daß Hohe und Niedere herbeiströmten, den
wunderbaren Mann und seine schöne Bibliothek zu
sehen. Seine Werke, die er damals schrieb, erwar-

16

ben ihm großen Ruhm. Als er aber einstmals einem
gelehrten Freund geschrieben: sein großes Werk, welches er jetzt unter der Feder habe, handle von ge-
heimen Sachen und Künsten, die vor ihm Niemand
gekannt, und dieser Brief von Andern erbrochen
wurde, da stieg sein Ruhm auf den höchsten Gipfel.
Frankreich und Deutschland sandte seine Gelehrten.
In der damaligen Zeit, wo die Alchymie, besonders
bei den Fürsten, in hohen Ehren stand, wähnten
diese in dem Spanheimischen Abt einen Retter aus
ihrer immerwährenden Geldnoth gefunden zu haben.
Markgraf Christoph von Baden, Churfürst Philipp
von der Pfalz, Joachim I. von Brandenburg lagen
ihm immer an, an ihre Höfe zu kommen; Johannes
gefiel sich indeß besser in seiner stillen Zelle. Das
Volk theilte die Gesinnungen der Fürsten, aber auf
eine andere Art: der Abt war weniger als großer
Gelehrter, wie Zauberer verschrieen. Allerlei sonderbare Gerüchte gingen in Umlauf. Kaiser Maximilian soll nach dem Tod seiner geliebten Gattin
den Abt berufen und ihn gebeten haben, die Gestalt
der Theuern aus dem Hades zu beschwören. Als
diese aber in voller Jugendpracht erschien und der
Kaiser auch das kleinste Zeichen an ihr wiederfand,
da ergriffen ihn die Schrecken der Geisterwelt, und
außer sich befahl er dem Abt, das Spiel mit dem
Ueberirdischen fortan zu unterlassen. Nach vielen
seltsamen, widerwärtigen Schicksalen starb der ge-
lehrte Mann endlich als Abt des Schottenklosters zu
Würzburg am 13. Dezember 1516.

Schweich.

Der heilige Brunnen.

Ungefähr 2000 Schritte von dem Dorf entfernt, da wo der Wald anhebt, liegt einsam und verlassen ein Heiligenhäuschen und unweit davon quillt aus dem Schoos der Erde der sogenannte heilige Born. Dem unschuldigen Wasser traut es wohl Niemand zu, daß es zu Anfang des 17. Jahrhunderts so manchen Thoren und wohl auch klugen Mann durch seine falsche Heilkraft äffte.

Es war im Jahr 1602, berichtet die Limburger Chronik, da kam ein Mann zur Herbstzeit an den Brunnen, als dieser fast ganz mit Blättern über= deckt war. Der Mann litt schon lange Zeit an ei= nem argen Uebel und steckte von ungefähr seine Hände, welche mit dem Ausschlag behaftet waren, unter die Blätter, um Kühlung in dem Quellwasser zu suchen. Als nun die Hände trocken wurden, fühlte er Linderung seiner Schmerzen, wiederholte das Waschen und ward wunderbarer Weise geheilt. Nun geschah ein groß Geschrei über die Kraft des Brunnens, Kranke und Gesunde, Reiche und Arme strömten herbei und glaubten, sich durch das Wasser heilen zu können. Da geschah denn viel Betrug und List, daß die Obrigkeit sich in's Mittel schlagen mußte; die Bürger zu Trier murrten, denn das Brod schlug auf und selbst andere Lebensmittel wur= den theurer. Endlich als geschickte Chemiker das

Waſſer unterſuchten und erklärt hatten : es ſei zwar
nicht unſchädlich, aber auch zu nichts nütze, gingen
den Leuten die Augen auf und der Brunnen ward
verlaſſen.

Burg Rammſtein.

Die Kyll aufwärts, welche ſich bei Ehrang in
die Moſel ergießt, kommt man zu den Ruinen einer
ſehr alten Burg, über deren Erbauungsjahr und
das Geſchlecht, welche es bewohnten, man ſehr we=
nig weiß.

Die trierſchen Annalen berichten im Jahre 1205
von einem Graf von Vianden, welcher in harter
Fehde mit dem damals regierenden Erzbiſchof Jo=
hann I. lag.

Der Graf hatte ſchon ein Jahr vorher den Ge=
ſalbten des Herrn auf offener Landſtraße überfallen
und ihn in ſtrenge Haft auf ſeine Burg gebracht.
Solch kecker That durften ſich zu damaliger Zeit die
kleinen Herrn vermeſſen. Pfalzgraf Heinrich befreite
zwar den Gefangenen, dieſer aber ſchwur ſich zu
rächen und ſollte er den letzten Blutstropfen ver=
ſpritzen müſſen. Der Graf von Vianden, um ſei=
nen Gegner zu höhnen, baute nun eine feſte Burg
auf erzbiſchöflichen Grund und Gebiet, unweit des
Quintenberg, bei der Fons Milonis. [79]) Johann,
um ihm nichts ſchuldig zu bleiben, errichtete nicht
allzuweit von der Veſte des ſtreitluſtigen Grafen ein
Gegenſchloß und verſah es mit Graben und Wällen.

Obgleich er nun zwar den Feind immer im Auge hatte, so, hielt er es doch für gerathener, sich des lästigen Nachbars so bald wie möglich zu entledigen. Die Burg war aber durch Sturm oder Aushungerung nicht zu erlangen und Johann beschloß, sich ihrer durch List zu bemächtigen.

Eines Tags ließ er einige Weinfuhren die Straße entlang ziehen. Schwüle Hitze hatte sich auf die Gegend gelagert, welche selbst die rauhere Gebirgsluft nicht zu kühlen vermochte. Mit welcher Freude blies deshalb der Thurmwärtel auf dem Biandischen Schloß in's Horn und bedeutete den Burginsassen: die gute, erfrischende Beute nicht fahren zu lassen. Wie die Geier stürzten auch diese alsbald auf die Vorüberziehenden herab und schleppten die Fässer im Triumph auf ihr Felsennest. Da ward nun ein großes Freudenfest bis in die späte Nacht gefeiert, man soff und schlemmte bis Alles weinumnebelt dem Morpheus in die Arme sank. Darauf hatten die Erzbischöflichen klüglich gewartet. Wie der Wind, das Ungewitter, welches unverhofft aber verheerend einherfährt, brachen sie Thore und Thüre auf, stiegen über die Mauern und würgten im ersten Grimm was ihnen vor die Klinge kam. Das Raubschloß des Grafen von Bianden ward dem Erdboden gleich gemacht. ⁵¹a)

Die drei Jungfrauen zu Auw.

Die Kyll noch weiter hinauf gelangt man nach einigen Stunden zu dem freundlichen Pfarrort Auw. In der alten Kirche daselbst sieht man ein Bildniß, drei auf einem Esel sitzende Jungfrauen vorstellend, deren mittlere die Augen verbunden hat. Auch erhebt sich unweit des Oertleins ein ziemlich hoher Felsen, noch heutigen Tags von dem Volk „das Eselchen" genannt. Die Sage tritt uns hier entgegen und berichtet von der Rettung dreier Königsschwestern, von dem Martyrthum einer großen Schaar Frommer und ihrer Verherrlichung.

Zu Anfang des 7. Jahrhunderts saß auf dem australisch-fränkischen Thron ein grausamer, unmenschlicher Herrscher, Dagobert I. Zu so schönen Hoffnungen er auch bei Lebzeiten seines Vaters Chlotars II. die Völker berechtigt hatte, so ausschweifend ward er, als ihm nach dem Tode desselben das übrige Frankenreich zufiel. Siegreich gegen die Slawonier, Sachsen, Gascogner und Bretagner, befleckte er seinen Ruhm durch Grausamkeit, rohe Willkühr und ungezügelte Wollust. Die letztere zu befriedigen war ihm nichts zu heilig und selbst den eindringlichen Vorstellungen seines Majordomus, Pipin von Landen und des Erzbischofs Arnulf von Metz, jener Männer, welche noch einzig und allein Macht über ihn hatten, setzte er finstern Trotz entgegen. Berchar, der Vertraute seiner Schandthaten, berichtete ihm eines Tags, in all seinen Landen seien wohl

nirgends größere Schönheiten zu finden als in den ein=
samen Mauern des Klosters zu Mans. Dagobert hatte
nichts eiligeres zu thun, als dahin aufzubrechen, und
fand auch wirklich drei Jungfrauen von bewunderns=
würdiger Schönheit, allein die Gepriesenen waren
seine leiblichen drei Schwestern, welche hier in Zu=
rückgezogenheit ein gottgefälliges Leben führten. Der
König entbrannte nichtsdestoweniger in verzehrender
Lust und befahl, die Jungfrauen an seinen Hof zu brin=
gen. Hier bot er alle Künste der Beredtsamkeit auf,
sie zu seinen schändlichen Absichten zu bestimmen;
fromm und gottergeben, wie sie erzogen waren, wie=
sen sie das Ansinnen zurück. Da gerieth der König
in entsetzlichen Grimm, schwur und vermaß sich, sie
sollten alle drei elendiglich umkommen und ließ sie
in einen schaurigen Kerker werfen. In dieser argen
Noth erbarmte sich ihrer ein Kriegsoberster Namens
Nortbert, welcher sittige Liebe zu der jüngsten der
drei Schwestern, Ciobrildis, Andere sagen Clotildis,
erfaßt hatte. Mit seinem ganzen Anhang, wohl
350 Männern, worunter viele Priester, befreite er
des Nachts die Jungfrauen und floh mit ihnen nach
Deutschland zu. Alsbald ward der König von die=
ser Flucht benachrichtigt und ließ ihnen mit einem
großen Heere nachsetzen. Erst in dem Eifel=Gebirge
fand dieses die Entflohenen; die drei Königsschwe=
stern aber waren durch eine Fügung des Himmels
Tages vorher von ihren Begleitern abgekommen.
So geschah es denn, daß diese 350 Männer von dem
Kriegsheer des Königs Dagobert jämmerlich umge=
bracht wurden, und dieses dann das ganze Gebirge

durchstreifte, um auch noch die Schwestern zu suchen.
Auf den Felsen bei Auw hatten sich diese geflüchtet
und sahen plötzlich angsterfüllt ihre Verfolger nahen.
Wohin sich retten?! Tief unter sich die reißende
Kyll, auf beiden Seiten schauerliche Abgründe und
hinter sich die Rächer mit gezücktem Schwert. In
dieser unendlichen Noth fielen sie auf ihre Kniee und
sandten ein inbrünstiges Gebet zur heiligen Gottes-
gebährerin gen Himmel; dann bestiegen alle drei ver-
trauensvoll das Lastthier, welches die mitgenomme-
nen Schätze trug, und wagten den furchtbaren Sprung
über den Bach. Und siehe da, die Verfolger kehrten
plötzlich, wie von Blindheit geschlagen, um. Die
drei Schwestern, Irmina, Abela und Chlotildis waren gerettet. Im Thal aber fanden sie die Leiber
der Erschlagenen und begruben sie unter unzähligen
Thränen hier und dort auf der Ebene, die Köpfe
aber sammelten sie und senkten sie in geweihte Erde
ein und bauten darüber ein Kirchlein. Noch vor
wenig Decennien wallfahrtete das Volk am Fest
Mariä Himmelfahrt hierher. [60b])

Pfalzel.

Das Städtchen Pfalzel, uralt, in den Urkunden gewöhnlich Palatiolum genannt, war von jeher der trierschen Erzbischöfe und Churfürsten Zufluchtsort, wenn sie dem unruhigen Geist der Bürger in der Hauptstadt nicht traueten. Sie befestigten es, wovon man noch heut mancherlei Spuren findet und gewährten ihm viele Vorrechte.

Die Nonne und der Erzbischof.

Im Jahre 690 ungefähr ward von einer frommen Frau mit Namen Adela hier ein Frauenkloster gestiftet. Reich wie sie war, dotirte sie die fromme Stiftung mit reichen Präbenden. Das Kloster wurde immer berühmter, aber auch die Sitten kamen mit dem Reichthum in Verfall. Als Erzbischof Poppo im Jahre 1025 sich in Pfalzel aufhielt und öfters das Kloster besuchte, entbrannte eine der Nonnen, des Namens Medea, in heftiger Liebe zu dem hohen geistlichen Herrn. Sie bat sich die Gnade aus, ihm ein Gewand (Andere sagen es seien Stiefelchen, calligae, gewesen) fertigen zu dürfen. Der gütige Fürst gestand ihr dies gern zu; allein das sinnliche Weib flocht zu mitternächtlicher Stunde mit Hülfe böser Geister reizende Stoffe hinein, welche des Erzbischofs Sinne erregen sollten. Nach dreien Tagen trat sie dann Demuth heuchelnd vor ihn und überreichte ihm der Hände Arbeit. Poppo dankte freundlich und eilte, das Gewand um seine Schultern zu werfen. Wie ward ihm aber, als sein Blut schnel-

ler und immer schneller in den Adern zu kreisen be=
gann, als Triebe, Gedanken in ihm rege wurden,
welche sein keuscher, frommer Sinn nie gekannt hatte.
Gleich Hercules, als er das Feierkleid der Deianira
abzuwerfen trachtete, wüthete er, indeß gelang es
ihm besser als jenem, sich des verdächtigen Gewan=
des zu entledigen. Um nicht eine Unschuldige in
Verdacht zu haben, befahl er den anwesenden geist=
lichen Herren, sich nacheinander in jenes Gewand zu
hüllen; Alle aber warfen es so schnell wie möglich
von sich und verstummten vor Schaam und Entsetzen.
Jetzt brach des Bischofs Zorn unverhalten aus; nicht
allein jene schändliche Nonne, all ihre Mitschwestern
wurden vertrieben, da sie sich nicht statt des weißen
in ein schwarzes Gewand hüllen wollten. Die gott=
geweihten Räume standen von nun an verödet.

Das Genovefenhaus.

Noch heutigen Tages zeigt man zu Pfalzel einen
alten burglichen Bau, welchen die schöne Legende
von der heil. Genovefa in romantischen Nimbus
hüllt. Man sieht auch dort ein gewölbtes Gemach,
welches den Namen Golos=Zimmer trägt, und in
dem Keller die Stelle, die des ruchlosen Vogts Ker=
ker gewesen sein soll. Golo selbst, jener schändliche
Diener seines Herrn, ist verbannt, in den Ruinen
als unstäter Geist umherzuwandeln. Auf einer sol=
chen Wanderschaft verlor er einstmals einen silbernen
Pantoffel, welchen ein Pfalzeler Bürger gefunden.

Wir können jedoch nicht berichten, was aus dem Kleinod geworden.

Die Nähe Triers und des Ardennerwaldes, auch der Name Pfalzels (Aula Palatii, Palatiolum) hat allerdings viel für sich, daß jene herrliche Legende hierher zu versetzen sei. Indeß ziehen wir die Meinung neuerer und älterer Geschichtschreiber vor, welche der Sage ihren Platz auf der Mayener[31]) Burg (Palatium Soemerium) anweisen. Sei dem nun wie ihm wolle, die Legende von der heil. Genovefa gehört in das triersche Land und muß deshalb hier in Kürze aufgenommen werden.

Die Genovefa, erzählt die Chronik der Diözese Trier, war eine Herzogin von Brabant, und verwandt mit Carl Martell, der damals das fränkische Reich beherrschte. Sie war vermählt mit dem Pfalzgrafen Siegfried und wohnte mit diesem auf dem Schlosse zu Mayen, als Carl Martell alle Grafen und Ritter des Reiches entbot, um den furchtbaren Arabern, welche von Spanien aus in Frankreich einzudringen suchten, entgegen zu ziehen. Auch Siegfried rüstete sich mit seinen Mannen. Als der Tag der Abreise angebrochen, so trug er seinem Hofmeister Golo auf, mit aller Sorgfalt für das Wohl der Genovefa, welche bis zu seiner Heimkehr auf dem Schlosse zu Mayen bleiben sollte, zu sorgen. Die Reize der jungen Genovefa machten Eindruck auf den Golo, und er wollte, von sündlicher Lust entbrannt, seiner Gebieterin Böses zumuthen. Diese aber, nicht weniger tugendhaft als schön, verabscheute den Bösewicht und sein Laster. Sie machte

ihm nun Vorwürfe über seine Pflichtvergessenheit;
allein dies bewegte ihn nicht zur Reue, sondern nur
zur Rache, wozu sich eine folternde Furcht vor seinem Herrn gesellte. Als er sich nicht mehr zu helfen wußte, da unterstützte ihn noch ein altes böses
Weib, damit er sich rächen und befreien könne. Es
zeigte sich nämlich, daß die Pfalzgräfin eine Frucht
der ehelichen Liebe unter ihrem Herzen trug, und
das war dem Bösewicht erwünscht. Des Lasters,
das er hatte begehen wollen, wurde sie nun angeklagt. Mit einem Koche sollte sie gesündigt haben.
Die Pfalzgräfin wurde von Golo unbarmherzig in
einen Thurm *) der Burg eingesperrt, wo sie bald
darauf von einem schönen Knaben, Schmerzenreich
genannt, entbunden wurde. Der Pfalzgraf wurde
insgeheim von der Untreue seiner Gemahlin in
Kenntniß gesetzt und um Verhaftungsbefehle gebeten.
Siegfried, höchst entrüstet, gab Befehl, die Genovefa hinzurichten. Golo säumte nun nicht lange,
seine teuflische Bosheit zu krönen. Der fälschlich an-
geschuldigte Diener wurde gleich hingerichtet, und
die Genovefa und ihr Sohn sollten heimlich aus
dem Wege geschafft werden, damit kein Aufsehen
entstehe. Sie wurde daher des Nachts von zweien
Männern in den angränzenden Wald geführt, um
hier als Opfer der Ränke Golo's zu bluten; aber
ihr Flehen und Jammern um das liebe Kind er-
weichte die Herzen der Wächter. Sie ließen ihr

---

*) Ein Thurm des Mayener Schloßes heißt noch der Genovefathurm.

und ihrem Kinde das Leben, unter dem Bedinge je=
doch, daß sie sich nimmermehr sehen lasse, damit sie
für ihre Nachsicht und Güte nicht schrecklich büßen
müßten. Die Pfalzgräfin zog sich nun mit ihrem
Sohne, von der Welt gleichfalls ausgestoßen und
verlassen und einem traurigen Schicksal anheim ge=
stellt, doch voll Vertrauen auf Gott, tief in des Wal=
des Dickicht zurück, wo sie sechs Jahre und drei
Monate hindurch im größten Elende, nur von Kräu=
tern, Wurzeln und der Milch einer sich freiwillig
darbietenden Hirschkuh genährt, ihr und ihres Kin=
des Leben fristete. Golo war inzwischen guter Dinge;
denn er glaubte sich gerächt und gerettet zu haben.
Doch Gott ist wunderbar in seinen Rathschlüssen und
Wegen! — Siegfried kehrte ruhmbedeckt aus dem
Kriege wieder heim; allein die Burg war ihm zu
enge, und tausend Gedanken, Gefühle und Ahnun=
gen, welche er sich nicht zu erklären vermochte, quäl=
ten ihn. Golo, der dies merkte, ließ ihm nicht Zeit,
lange darüber nachzudenken, sondern ließ eine Zer=
streuung auf die andere folgen, wovon jedoch keine
ganz ihren Zweck erreichte. Der Pfalzgraf versank
immer tiefer in Melancholie. Um diese etwas auf=
zuhellen wurde beschlossen, ein großes Gastmahl zu
veranstalten, bei dem alle Ritter und Herren der
Umgegend erscheinen sollten. Am Tage vor dem
Dreikönigfeste wurde daher eine große Jagd gehal=
ten, um die Tafel mit Wildpret zu zieren. Die
treue Hirschkuh der Genovefa kam gleich in die Jagd.
Als man sie verfolgte, so setzte sie auf die Genovefa
zu, wo sie stehen blieb um Schutz zu suchen. Die

17

Jäger eilten nun herbei, sie zu erlegen — und siehe da, sie erblickten eine Gestalt neben der Hirschkuh, entseßlich verwildert, mit einem muntern Knaben. Siegfried selbst eilte herbei und erkannte bald in die= ser schrecklichen Gestalt seine Gemahlin, und über= ließ sich einer wilden Freude ob des Wiedersehens. Der ganze Wald hallte fröhlich wieder von dem Freudenschalle der Hüfthörner. Jeßt war es um Golo geschehen; denn Siegfried, welcher schon frü= her die begangene Uebereilung herzlich bereute und gern auf alle mögliche Weise wieder gut gemacht hätte, ließ den Golo gleich darauf hinrichten.*) Die Pfalzgräfin lebte jedoch nicht lange mehr. Aber nun konnte sie auch ruhig hinscheiden, denn sie hatte ihre Unschuld offenbar werden sehen und ihres Namens und Stammes Schande getilgt auf immer. Sie starb den 2. April des nämlichen Jahres ihrer Wieder= auffindung und wurde auf der Stelle beerdigt, wo sie in der Wildniß gelebt hatte. Siegfried ließ spä= ter über ihr Grab eine Kapelle errichten, die Frauen= kirche (Capella B. M. V.) genannt wurde. Er selbst soll nach seinem Tode, der 740 erfolgt sein soll, hier seine Ruhestätte gefunden haben, wie auch sein Sohn.

---

*) Diese Hinrichtung soll etwas unter der Thür geschehen sein. Man sagt, er sei geviertheilt worden und treibe noch nächtlichen Spuk auf einer Wiese, der Vierling genannt, an der Südspiße des Gottenheimer Waldes. Es scheint, als sei er des Spaßes müde geworden, indem man lange nichts mehr von ihm gehört und gesehen hat.

Trier.

Die Geschichte der alten Trierer beruht auf Sa=
gen und Traditionen, welchen zwar wenig Glauben
beizumessen ist, die aber, in Ermangelung glaub=
würdigerer Berichte, von Jahrhundert zu Jahrhun=
dert übergehen. Eine Inschrift auf dem sogenannten
rothen Haus auf dem Markt charakterisirt die Ge=
schichte der alten Trierer; sie lautet:

Ante Romam Treviris stetit annis mille trecentis.

Dies rothe Haus war ehedem die Curie der
Städter. Niemand kann aber sicher nachweisen, wie
diese fabelhafte Inschrift dorthin gekommen sein mag.
Die Sage berichtet über die Entstehung Triers Fol=
gendes:

. Als die große Semiramis, 2000 Jahre vor
Christi Geburt, den Assyrischen König Ninus in Lie=
besbande geschlagen und, wie die Mythe berichtet,
dieser sie geehlicht hatte, unterjochte sie nach dem Tode
ihres Gatten beinahe ganz Afrika. Auf ihren Lor=
beeren ausruhend, schwelgend in allen Genüssen des
orientalischen Luxus, warf sie ihre Augen auf ihren
schönen Stiefsohn Trebeta. Durch alle nur erdenk=
lichen Lockungen suchte sie den herrlichen jungen
Mann zu ihren schändlichen Lüsten zu bestimmen.
Lange suchte dieser den gelegten Schlingen zu ent=
gehen; als aber Semiramis ihre Netze immer fester
zog und er, wollte er sie gewaltsam durchbrechen,
leicht für sein Leben fürchten konnte, faßte er einen

gewagten Entschluß. Er rüstete mit wenigen seiner Getreuen ein Schiff aus und floh über das Meer. Lange irrte er in den fremden Landen umher und wurde endlich durch den Zufall in das schöne Mosel-thal geschleudert, wo er schon, wie die Mythe be-richtet, Nachkömmlinge Noah's gefunden haben soll. Diesen brachte er Sinn für Schönheit und Luxus mit, bewegte sie, ihr Nomadenleben aufzugeben und an dem Ufer der Mosel eine prächtige Stadt zu gründen.

Mag das Mährchen erfunden haben wer will, es bleibt immer auffallend, daß die Römer, als sie nach Deutschland kamen, in der Augusta Trevirorum eine Stadt fanden, welche an Pracht und Umfang in Gallien und Germanien nicht ihres Gleichen hatte. Die porta martis, die Moselbrücke, sind Bauten, welche die Römer in keinem Fall errichteten. Schon Auson singt:

Längst will Gallia schon, das Waffengewalt'ge gerühmt sein,
Und die trevirische Stadt, die, nah' am Gestade des Rhenus
Thronend, in Sicherheit ruht, wie im Schooße des göttlichen
Friedens,
Weil sie des Reiches Macht bewaffnet, nähret und kleidet.
Weit in die Ferne ziehen die Mauern sich über den Hügel,
Und breit strömet vorbei im ruhigen Laufe Mosella,
Welche die Waaren der allerzeugenden Erde herbeiführt.

Diese alten Trierer werden uns überdies als schöne, kräftige Leute, alle einen Kopf größer als ihre Nachbarn, geschildert. Ihre Haare waren blond, ihre Augen blau und ihre Kleidung einfach, die Ab=

lichen trugen einen gewaltigen Schnurbart. Regiert
wurden sie von einem Fürsten, dessen Macht aber
durch die Vornehmen gar sehr eingeschränkt wurde.
Vor dem heutigen Römerthor, auf dem schönen,
freien Feld, da hielten sie alljährlich im Monat März
ihre Volksversammlungen. Da auch übte sich die
Jugend unter der Aufsicht der Väter in den Waffen
und erstarkte im Bewußtsein ihrer Kraft. Ihre Religion war naturgemäß, sie beteten Sonne, Mond
und Feuer als göttliche Wesen an. Erst später, als
sie mit den Römern bekannt wurden, nahmen sie
auch Vieles aus der Mythologie an. So erzählt
man sich, hätten sie einen Mercur von Eisen verehrt,
der frei in der Luft schwebte. Die schlauen Priester
hatten nämlich zwei Magnetsteine verborgen angebracht, welche gleich oben und unten stark anzogen. ⁵²)

Cingetorix und Induziomar.

Bis zu den Zeiten als die Römer nach Deutschland kamen, führten die alten Trevirer ein genügsa-
mes, ruhiges Leben. Im Jahr 58 vor Christi kam
indeß der schlaue Julius Cäsar als Prokonsul nach
Gallien und sah mit neidischen Augen die Macht
des Nachbarvolks. Cäsar wagte es nicht, in offnem
Feld die gewaltigen Männer zu bekämpfen und wartete deshalb listig den Zeitpunkt ab, wo er sich der
Oberherrschaft bemächtigen konnte. Leider kam dieser Zeitpunkt nur allzubald. Zwei hochangesehene
Familien stritten damals zu Trier um die Oberherr-

*

schaft: an ihrer Spitze standen, auf der einen Seite
Cingetorir, auf der andern Induziomar.   Kaum
vernahm Cäsar die Uneinigkeit der Häuptlinge, als
er mit 4 Legionen aufbrach und in das Land der
Trevirer einfiel.   Cingetorir warf sich sogleich dem
Eroberer in die Arme und Induziomar, erbittert
über den schändlichen Verräther am Vaterlande, ließ
ihn auf dem Marsfelde (f. u.) durch die Volksversamm=
lung verbannen. Leider aber wurde der edle Mann von
den Vornehmsten der Republik verlassen und mußte sich
endlich selbst mit 200 seiner Getreuen dem Cäsar als
Geißeln überliefern. Dieser ehrte zwar den Edelmuth
des Asylsuchenden, suchte aber dennoch die Edlen der
Trevirer zu seinen Absichten zu bestimmen. Darüber
aufgebracht, floh Induziomar und sammelte ein Heer.
Von allen Seiten strömten Hülfsvölker herbei.   In
dem ersten Gefecht, im Ardenner Wald, besiegte er
die Römer; als er jedoch das befestigte Lager der=
selben an der Maas, in welches sich der Legat Cä=
sars, Labienus, zurückgezogen hatte, angreifen wollte,
befahl Labienus seinen Römern, nur auf Induziomar
loszugehen, und wirklich ward dieser von seinen
Trevirern abgeschnitten und sein Kopf in das Lager
zurückgebracht.

Valentin und Julius Classicus.

Dennoch ging die Sonne der trierschen Freiheit
nicht gleich unter. Das kräftige Volk beugte nur
widerstrebend seinen Nacken unter das römische Joch.

Zwei edle Trierer, Valentin und Julius Classicus, warfen sich wiederum auf, allein vergebens; Cerealis schlug sie bei Riol und in der Verzweiflung wanderten 113 triersche Senatoren über den Rhein, um der Rache der Römer zu entgehen. Valentin ward gefangen genommen und mußte sein Leben unter dem Beil des Henkers enden. Als er auf das Blutgerüst geführt wurde, spotteten die Sieger seiner und riefen: Auch Dein mächtiges Trier ist durch unsere Waffen genommen. Da hob der Edle stolz und ungebeugt sein Haupt: „Wohl mir!" sprach er mit zum Himmel erhobenem Blick, „nun finde ich Trost im Tode."

Classicus aber gab nicht alle Hoffnung auf. Er war tiefer nach Germanien geflohen und wiegelte diese Völker und später die Bataver und Gallier auf. Er brachte auch ein großes Heer zusammen. Mitten in der Nacht traf er ein, stürzte mit seinen Schaaren gleich einem reißenden Waldstrom die Berge hinab, gewann das Lager der Römer, schlug die Reiterei und erstürmte die Brücke. Cerealis, in der Stadt übernachtend, empfing mit der Nachricht des Angriffs der Feinde zugleich die ihres Sieges. Ohne Helm und Schild, fast unbekleidet, wirft er sich auf's Roß, sammelt, unter dem Hagel der feindlichen Geschosse, die Flüchtlinge und erobert die Brücke wieder. Die Fliehenden standen, die 21. Legion stellt durch übermenschliche Tapferkeit die Schlacht wieder her und während des entscheidenden Augenblicks wanken die Völker der Bundesgenossen. Endlich fliehen sie, die Gallier, Bataver und Germanen sie alle werden großentheils aufgerieben und das Schicksal der Trevirer war unwiderruflich entschieden.

Die Porta martis oder das Römerthor.

Unter allen vorrömischen Denkmälern der trevirischen Periode tritt keines so glänzend hervor, als
die uralte Porta martis. Jahrtausende schauen von
diesen grauen Steinen auf uns herab und mahnen
mit ernstem Schweigen, in geheimnißvollen Zungen
an die Vergänglichkeit alles Irdischen. Wer hat sie
aufgethürmt, diese ungeheuren Massen! Wer diesen
Steingigant aus riesigen Quadern kunstvoll zusammengefügt! Wer war der Baumeister! Die Jahrtausende schweigen, die Geschichte verschließt ihren
Mund, auch die Mythe tritt scheu zurück. Aber das
Werk steht und durch alle Zeiten hindurch verkündet
es uns ein im Zeitstrom untergegangenes Volk, das
mit reiner Naturkraft, Geschmack und erhabenen
Sinn für die Kunst bewahrte. Ueber die Bestimmung dieses Gebäudes ist vielfach gestritten worden;
Einige behaupten, die alten Trierer hätten darin
ihre Volksversammlungen gehalten, Andere sind der
Meinung, es sei ein Vertheidigungswerk. Die Sage,
in ihrem phantastischen Kleide, spricht von dem Teufel, der es erbaut.

Die alten Trierer gaben nämlich einem ihrer geschicktesten Baumeister den Auftrag, ihren Göttern
einen prachtvollen Tempel aufzurichten. Dieser aber
konnte, aller aufgebotenen Mühen ungeachtet, nicht

damit zu Stande kommen. In der Verzweiflung
darüber rief er den bösen Geist an, der auch erschien
und sich bereit erklärte, das Werk aufzuführen, wenn
er sich alljährlich ein Opfer aus den im Tempel
Versammelten auswählen dürfte. Der schändliche
Baumeister mußte wahrscheinlich in den saubern Vor=
schlag eingewilligt haben, denn Jahrtausende blieb
der Böse in dem Besitz seines Platzes. Im Jahre
1028 jedoch änderte sich die Sache. Um diese Zeit
kam ein sehr frommer Mann mit dem Erzbischof
Poppo aus dem heiligen Land zurück. Es war der
nachher heilig gesprochene Simeon; die Legende ist
von einem fromm begeisterten Dichter in neuerer
Zeit in Verse gebracht, welche wir hier mittheilen:

Sanct Simeon.

In der bösen Geister finsterm Grauen
Lockt der Sinnlichkeit Verführungston,
Und es muß der Mensch nach oben schauen,
Wie im Gram versucht, Sanct Simeon.

Er, ein Mönch, kam fromm auf Abtes Sendung
Einst vom Sinai in unser Land,
Als des Herzogs Richard*) fromme Spendung
Seinem armen Kloster ward bekannt.

Doch der gute Herzog war im Grabe,
Als der wackre Diener Gottes kam,
Und er heischt vergebens jene Gabe:
Ledig ging er fort mit schwerem Gram.

*) Richard der Zweite, Herzog der Normannen.

Betete und weinte durch die Felder,
Still von Wogen hoher Saat umwallt,
Sang und seufzte durch die dunklen Wälder,
Von der Vögel Harmonie umschallt.

Bis der alten Trevirstadt Gemäuer
Ihn mit Freundschafts=Huldigung umfing:
Selbst Erzbischof Poppo ward er theuer,
Weil am Guten Beider Herz nur hing.

„Greife Pilger wieder zu dem Stabe,"
Sprach der Bischof, „komm aus Deinem Leid,
Laß an des Erlösers heil'gem Grabe
Uns genießen Engelseligkeit!"

Und sie wallten fromm im Pilgerkleide
Mit dem Zuge sanfter Tauben hin,
Und sie kehrten auch zu neuer Freude
Wieder heim mit ihm in Tugendsinn.

Und es sprach der Bischof freundlich bieder:
Wähle Dir, mein Lieber, einen Ort,
Pflege fröhlich Deiner müden Glieder,
Ziehe, Theurer, nimmer von mir fort!

Heimisch, spricht der Mönch, sind wir da oben,
Gieb am Römer=Thor ein Stübchen mir!
Meinen Schöpfer will ich preisend loben,
Fern von Sinnenlust und Weltbegier.

Und der Bischof sah erstaunt den Helden
Betend gehen in des Winkels Nacht;
Nur zu magerer Kost, wie Sagen melden,
Eingemauert aus des Glückes Pracht.

Tief gerührt stand rings des Volks Gewimmel:
Lebe wohl, rief es, in Erdenlust!
Und ihm öffnet' sich der Sternenhimmel,
Welten dämmerten in seiner Brust!

Bis um ihn ein zaub'risch geistig Walten
Bald geheimnißvolle Reize goß,
Und mit schönen Welt= und Lustgestalten
Ihm den Blick der Phantasie umschloß.

Da empfand er, was er nie empfunden,
Lauscht im Sange vom Syrenenschwarm,
Und er fühlt entzweit sich und verbunden, –
Und sein Herz ward fühlend warm.

Schön und süß, sprach er, ist doch das Leben,
Und ich will es nimmer wieder seh'n?
O! ich möcht vor diesen Mauern beben,
Still in Wehmuth meine Brust vergeh'n!

Da erschienen sie, die Lustgestalten,
Boten dieses, boten jenes an,
Wollten engelgut sich zu ihm halten,
Führen ihn auf schön're Lebensbahn;

Reichthum, Pracht und Ruhm und Erdengröße
Bringen, sprachen sie, wir Dir zurück:
Nimm sie fröhlich an, sie sind nicht böse,
Denn nur ihr Genuß ist Erdenglück.

Komm aus diesen stillen öden Mauern,
Wir sind Deine gute Engelschaar,
Seh'n nicht gern Dein Leben still in Trauern,
Und verweint der Augen schönes Paar.

Kennst Du Sonderling denn kein Verlangen,
Das den Menschen an den Menschen schließt?
Will Dein Jugendarm das nicht umfangen,
Was ihm blühend an dem Herzen sprießt?

Schwebet alles Dir durch öde Räume
Wie ein Schattenbild denn vor Dir hin?
Rührt denn Dich kein Bild der Jugendträume,
Ist in Dir denn gar kein Menschensinn?

Hat kein Reiz, kein Lieben und kein Hassen
Je in Deinem Busen sich geregt?
Mußt Du sterben, eh' Du mußt erblassen,
Weil Dein Herz Dich aus dem Leben trägt?

Stiller Ahndung Zittern, leises Grauen
Webte durch des frommen Mannes Brust,
Nicht mehr wußt' er, wo er hin sollt' schauen,
Wie geblendet von Verführungslust.

Doch es hob die Seele sich nach oben,
Flehte kindlich Gottes Gnade an.
Hört nicht auf zu beten und zu loben,
Wie auch Thrän' auf Thräne heimlich rann.

Und es grinzte um ihn falsches Höhnen
Tückisch grausend im Gespensterschwarm,
Und es flieht in schauervollem Dröhnen
Mit des frommen Mannes Angst und Harm.

Plötzlich öffnet sich die Gnadenquelle,
Strömt mit Lichtglanz in die Finsterniß,
Und er sang, umstrahlt von Silberhelle,
Bis sie mit ihm sich der Erd' entriß.

Sein Begräbniß deckten wenig Wochen,
Als er von dem Thron der Christenheit
Der Verehrung heilig ward gesprochen,
Und des Grabes Bau zur Kirch' geweiht.

Und es kam die Helle schimmernd wieder,
Als die Zeit den Leichnam wieder gab;
Unverletzt erhielten sich die Glieder
In des heil'gen Mannes Moder=Grab.

Und es strömte durch die blauen Lüfte
Balsam, Wohlgeruch und Nektarduft,
Gleich als ob die Seele durch sie schiffte,
Froh um ihres Körpers lichte Gruft.

O! daß wir in solchem Lusterscheinen
Alle schwebten hin zur Leichengruft,
Wenn mit unserm Körper uns zu einen
Durch die Himmel die Posaune ruft.

Man sieht, daß dem Teufel sein böser Plan ver=
eitelt wurde. Als nun aber im Jahre 1035 der
heilige Einsiedler zu den himmlischen Räumen aufge=
stiegen war, beschloß der Erzbischof, eine christliche
Kirche aus der uralten Porta martis zu machen.
Dem Teufel mußte ein solcher Gedanke sehr unan=
genehm sein, er konnte aber nichts ausrichten und
packte nur in seinem Ingrimm den neu errichteten
St. Johannisaltar, um ihn umzustürzen. Die ge=
weiheten Steine widerstanden jedoch seiner Macht
und pustend und schnaubend flog er von dannen.
Seine schwarzen Krallen waren aber noch bei Wie=
deraufhebung der Kirche sichtbar.

Im Jahre 1816 ließ die preußische Regierung
alle spätern Anbaue der Porta wieder wegräumen
und das herrliche Alterthum trat in seiner reinen
Urgestalt wieder in's Leben. Im Jahre 1823 sollte,
auf den Antrag des trierschen Stadtraths, das Thor
den neuen Namen „Wilhelmsthor" erhalten; Se.
königliche Majestät fanden es jedoch für gut, der
ehemaligen Porta martis die Benennung „Römer=
thor" beizulegen und so heißt es jetzt.

Das Gebäude ist übrigens 115 Fuß hoch und
in den beiden hervorspringenden Seitentheilen 67 Fuß
breit. Die ursprüngliche Höhe im Haupttheil beträgt
69 Fuß 11 Zoll. Es ist aus grauröthlichem, von

18

der Zeit geschwärzten, 4—5 Fuß, auch zum Theil
7—9 Fuß langen und 2—3 Fuß hohen Sandstein-
blöcken aufgeführt.

Die Moselbrücke.

Von Altersher schon ist vielfach gestritten worden,
von wem und wann diese Brücke, ein gewaltiger
Zeuge der Kraft und Ausdauer unserer Vorfahren,
erbaut worden ist. Viele schrieben sie, wie auch die
Porta martis, den Römern zu; die bewährtesten
Alterthumsforscher aber sind darüber einig, daß sie
demselben Zeitraum und demselben Volk, welchem
die räthselhafte Porta entstammte, ihre Entstehung
verdanke. Die Bauart ist jener ähnlich; ungeheure
Basaltblöcke aufeinander gethürmt, ohne Mörtel, nur
durch verborgene Eisenklammern mit einander verbunden, zeugen von dem Kraftaufwande des Geschlechts, daß sie einst erbaute. Die Brücke ist 690
Fuß lang, 24 Fuß breit und hat acht überwölbte
Bogen.

Auch an diesen ehrwürdigen Bau knüpfen sich
viele historische Rückerinnerungen. Hier war es, wo
Civilis, Tutor und Classicus mit dem römischen Feldherrn um die Freiheit des unterdrückten Vaterlandes
kämpften. Hierüber schleppten die Normanen, Franken, Hunnen in verschiedenen Zeiträumen die Beute,
welche sie bei ihrer jedesmaligen Zerstörung der alten Stadt machten.

Zwei Chronisten [83]) erzählen nachfolgende, wunderbare Geschichte:

Im Jahre 632 lebte am Hof des austrasischen
Königs Dagobert ein Mann, allgemein geachtet und
angesehen ob seines untadelhaften, fast heiligen Le=
benswandels. Trotz aller Ehren, die man ihm in=
deß erzeigte, schwand nie der hohe Ernst von sei=
ner Stirn, und in einsamen Stunden fand man
ihn oft in Thränen. Eine geheime Schuld, vor
Decennien begangen, durch Kasteiungen und zahl=
lose Thränen gebüßt, war es, die den frommen Ar=
nulph noch immer darniederdrückte. Wenn er schlief,
trat sie in seinen Träumen, wenn er vor dem Altar
knicete, in seinen Gebeten vor ihn. Da litt es ihn
nicht länger mehr an dem geräuschvollen Hof; nach
Trier, der uralten heiligen Augusta zog es ihn
gewaltsam hin. In härenem Gewande, baarfuß
langte er nach einer mühseligen Wanderung dort an.
Das Volk der Trierer empfing ihn mit Freudenge=
schrei, denn auch schon hierher war der Ruf seiner
Heiligkeit gedrungen. Die Ruhe des Gewissens, die
er indeß hier gehofft, fand er nicht. So stand er
eines Tags in Betrachtungen versunken auf der Mo=
selbrücke und schaute gedankenvoll auf das Spiel der
Wellen; da durchzuckte eine Ahnung seine Seele. Er
sah die fast unergründliche Tiefe, das Toben der
Fluthen und ein rascher Entschluß war gefaßt: „Ver=
magst Du es, allgütiger Schöpfer," rief er inbrün=
stig mit erhobenen Händen, „vermagst Du es, mir
meine Schuld zu vergeben, so offenbare Deine Ver=
zeihung dadurch, daß Du mir diesen Ring durch
eine wunderbare Fügung wieder zurücksendest. Als=
dann soll meine Seele heiter sein." Sprach's und

schleuderte den kostbaren Reif in die Fluthen. Jahre vergingen; die Trierer hatten den heiligen Mann zum Bischof erwählt; da trat eines Abends ein fremder Fischer mit einem Fisch von seltsamer, nie= gesehener Gestalt vor ihn und überreichte ihm seinen Fang zum Geschenk. Arnulph dankte und befahl dem Koch, den Fisch zum Abendimbiß zu zerlegen; wer aber beschreibt sein Erstaunen, als der Diener nach wenigen Minuten in das Gemach stürzte und den Ring, den der Bischof vor Jahren in die Mo= sel geschleudert hatte, seinem Herrn überreichte. Das Entzücken soll diesen augenblicklich getödtet haben.

Das Amphitheater.

Als die Römer nach langen Kämpfen die Trevi= rer endlich gänzlich unterjocht, brachten sie zugleich mit der Herrschaft, ihre Liebe zur Verschwendung und zum äußern Prunk mit. Es wurden eine Menge Gebäude aufgeführt, deren Ueberreste noch hier und da zu sehen sind. Trier hat im Allgemeinen durch die Römer nicht verloren, eher gewonnen. Selbst zur Zeit seiner gänzlichen Unterjochung be= trachteten die Weltbeherrscher das mächtige Volk nur als seine Bundesgenossen.[84]) Ja, viele römische Kaiser schlugen ihren festen Wohnsitz hier auf; der berühmteste unter diesen war Constantin der Große, dessen wir schon zu Neumagen erwähnten. Viele Gesetze wurden von hier aus erlassen, ja in den Jahren 313 -- 390 mehr als zu Rom selbst. Es

läßt sich voraussetzen, daß die Umgebungen des Wohn=
sitzes eines römischen Kaisers so prachtvoll als nur
immer möglich geschmückt waren, und sind auch ei=
nige Geschichtsforscher in ihren Schilderungen zu weit
gegangen, so kann man doch dreist behaupten: keine
Stadt Germaniens und der Gallo=belgischen Provinz
hat unsere Augusta Trevirorum an Glanz überstan=
standen. Die Trierer waren gleich den Römern lei=
denschaftlich für öffentliche Spiele eingenommen. Schon
vor Constantins Zeiten stand das Amphitheater; in
ihm versammelten sich bei festlichen Gelegenheiten das
triersche Volk, die Römer. Von nah und fern ström=
ten die Schaulustigen herbei:

Dumpfbrausend wie des Meeres Wogen
Von Menschen wimmelnd wächst der Bau,
In weiten, stets geschweiften Bogen,
Hinauf bis zu des Himmels Blau.

Man denke sich mit Storck 15 Jahrhunderte zurück.
Ha, welches Gewühl von Menschen, welches Drängen!
Einer stößt den Andern fort, geizend nach dem bes=
sern Platz. Tief unten in der Arena schreiten die
Lictoren, die Wärter. Platz da, Platz da! schallt's
laut. Die Menge weicht dem Ruf der Lictoren.
Welche herrliche Quadriga, der Kaiser ist's, er naht
langsam und die wilden Rosse beißen gewaltig auf
die lenkenden Zügel, schnauben und scharren mit den
Hufen im gelben Sand. Doch wohin schweift die
Phantasie, das herrliche Gebäude der Vorzeit ist
bis auf spärliche Reste verschwunden, kaum die Sub=

*

ftruftionen find erhalten. Die amphitheatralifch em=
porfteigenden Sitze find mit Weinreben bepflanzt,
die Thürme und Stockwerke bereits feit 1211 abge=
tragen und zu dem Bau des fogenannten Bernardus=
hof, unweit der Liebfrauenkirche, verwandt. Ueberall
profane Zerftörung des Schönen, Entweihung der
klaffifchen Vorzeit. Was erhalten ift, verdanken wir
einzig und allein der Fürforge der jetzigen Regierung.

Das gemeine Volk zu Trier nennt das Amphi=
theater fchlechtweg Casketter, ohne daß die meiften
wiffen weshalb. Eigentlich follen mit diefer Benen=
nung nur die Ueberrefte eines Thurms am Eingang
in die Arena gemeint fein und eine Menge feltfamer
Mährchen gehen davon in Umlauf. Früher, als die=
fer Thurm noch nicht verfchüttet war, gähnte den
Befucher diefer Ruinen ein fchwarzer Schlund an
und die leicht erregbare Phantafie des Volks malte
fich allerlei wunderbare Dinge, welche fich dort un=
ten zugetragen haben follten. Ueber den Urfprung der
fonderbaren Benennung „Casketter" herrfchen gar ver=
fchiedene Meinungen. Nach Einigen foll fchon Ca=
fus Julius Cäfar hier eine Art Arfenal gehabt ha=
ben. Andere (worunter Hontheim) meinen, es
rühre von catabuli Solium oder area (der Behälter
der wilden Thiere) her. Die es von Catholdi So=
lium entftanden wiffen wollen, ftützen fich auf nach=
folgendes Mährchen:

Den Blicken des aufmerkfamen Befuchers diefer
Alterthümer entgeht nicht ein, in den Felfen gehaue=
ner, einige Fuß tiefer Graben, welcher den eigent=
lichen Kampfplatz umzieht. In diefen Graben fam=

melt sich das aus den Bergen hervordringende Quell=
wasser und fällt von da in eine Oeffnung unter dem
südlichen Haupteingang der Arena. Diese Oeffnung
steht mit einem unterirdischen Kanal in Verbindung,
der in das Olewigthal mündet.

Sowohl die Aufführung des Amphitheaters als
des Kanals ward einem vornehmen Mann, Namens
Catholdus, übertragen.

Die Ausführung fand sich schwerer, als irgend
Jemand vermuthet hatte, und manche Nacht wälzte
sich Catholdus, von Sorgen gestachelt, schlaflos auf
dem Lager. Da trat eines Morgens ein Sklave zu
ihm und vermaß sich in kecker Rede, den begonnenen
Kanal eben so schnell als sein Herr das Amphithea=
ter zu vollenden. Catholdus ergrimmte höchlichst und
fuhr den Sklaven mit harten Worten an, denn er
glaubte sich verspottet. Dieser aber blieb unerschüt=
terlich auf seiner Rede und Catholdus im höchsten
Zorn schwur: er wolle mit Leib und Leben, Gut
und Blut sein eigen sein, wenn er sein Versprechen
wahr machen könne. So sicher aber war der Sklave
eines Werks, daß er dem Herrn ein Gleiches ver=
sprach.

Alsbald trennten sich die Männer und die Bau=
ten schritten rüstig voran. Catholdus aber hatte
nicht an die Schlange im eignen Busen gedacht. Er
besaß ein schönes Weib, welches ihn, den bejahrten
Mann, unbewußt betrog und sinnlicher Liebe mit
jüngern Männern pflegte. Damals besaß jener kecke
Sklave ihre Gunst in hohem Grad, und als sie er=
fuhr, welch gewagt Beginnen der Liebling ihres

Herzens unternommen, wußte sie listig den Gemahl durch allerlei böse Ränke in seiner Arbeit zu hemmen. Dennoch erhob sich das Amphitheater in allen seinen Theilen, aber auch die Wasserleitung war fertig. Catholdus zitterte, als er sah, wie weit das Werk des Gegners gediehen sei und gewann endlich durch große Bestechungen den obersten Baumeister der Wasserleitung, welcher durch künstliche Vorrichtungen den Fluß des Wassers zu hemmen wußte. Da trat der Sklave weinend vor die Gebieterin und klagte ihr sein Leid. Sie aber hieß ihn getrost sein und befahl ihm, sich unter das Bett ihres Eheherrn zu verstecken. Es geschah also und bei nächtlicher Weile errang die Falsche von dem Gatten das Geheimniß, was der Wasserleitung eigentlich noch fehle. Ehe der Tag graute entfernte sich der Sklave, drang in die Wohnung seines treulosen Baumeisters und zwang ihn, das Hemmniß hinwegzuräumen. Am andern Morgen floß das Wasser. Catholdus aber sah mit Entsetzen, daß er verrathen sei; da ergriff er sein schändliches Weib, schleppte sie auf die höchste Zinne des Amphitheaters und stürzte sich mit ihr hinab. Und das Gebäude behielt den Namen Catholdi Solium.

Seine Schätze, welche er, so geht die Sage, vorher im Caskeller vergraben, bewacht ein ungeheurer Drache, neben welchem, an einem tiefen Wasserbehälter der Arena, die Frau des Catholdus, schneeweiß gekleidet, ihrer Erlösung harrt. Diese Erlösung soll dann erfolgen, wenn zur Dreimondszeit ein kühner Sterblicher den Muth haben wird, fie in den Wasserbehälter zu stoßen. Zum Lohn gehören ihm dann all diese Schätze.

Der römische Kaiser-Pallast.

Von dem ursprünglichen Constantinspallast sind jetzt nur noch mehr der sogenannte Heiden = oder Helenenthurm und der westliche Flügel in ihrer ursprünglichen Gestalt erhalten. Diese sind nach römischer Art aus Ziegelplatten, die mit eisenfestem Cement verbunden sind, aufgeführt. Geschäftige Hände haben seit langen Jahrhunderten daran gebaut und zerstört; manche interessante historische Reminiscenz knüpft sich an den uralten Bau. Hier waltete die fromme Kaisermutter Helena, hier hauf'te der Tiger Maximinian, der große Constantin, hier Valens, Valentinian, Gratian, Maximus, von hier aus wurden unzählige Defrete erlassen. Aber wie oft mögen diese, in Jahrtausende hinaufragenden Mauern, dieser düstre Thurm Zeugen entsetzlicher Gräuelthaten gewesen sein! Wie mancher Unglückliche mag hinter dem finstern Gestein sein Leben verjammert haben! Doch hinweg von diesen traurigen Bildern einer hassenswerthen Vergangenheit.

Es war im Jahr 1131 als der bisherige Primerius von Metz, Adelbero, zum Erzbischof von Trier gewählt wurde. Damals herrschte in Trier große Zerwürfniß unter Adel, Geistlichkeit und Volk. Die Wahl war mit großem Hader vor sich gegangen und wenig hätte gefehlt, so wäre im Innern der

Stadt blutiger Streit ausgebrochen. An der Seite der
Unruhestifter stand der Burggraf Ludwig, de Palatio 85), Verwalter des erzbischöflichen Einkommens.
Er schwor, den Neugewählten mit eigner Faust zu
ermorden, und in der That, er hatte Ursache den
neuen Erzbischof zu fürchten.

Wir haben schon bei Erzählung der Erstürmung
von Treis den entschlossenen Charakter Adelbero's
kennen gelernt; er war nicht der Mann, der sich
von seinem Vogt beherrschen ließ. Unter dem vorigen Erzbischof Godefrid hatte Ludwig auf das
übermüthigste nach eignem Gutdünken gehandelt. Er
schickte jenen gutmüthigen Greis, seinen Herrn und
Gebieter, Messe lesen, Geistliche und Kirchen weihen, gab ihm zu jedem Mittagsmahl eine Kanne
Wein und zwei Kannen Bier und hielt ihn sonst
hart und streng. Solche Macht durfte sich damals
ein Vogt anmaßen. Albero wußte wohl, welches
Schicksal man ihm bereitete, aber er spürte wenig
Lust, das Schicksal Cuno's von Pfullingen, des Märtyrers, zu theilen. Mit einer Schaar wohlbewehr-
ter Mannen rückte er durch die Porta alba in Trier
ein. Mit Lobgesängen und großen Ehrenbezeugun-
gen empfing ihn der Clerus, auch Ludwig nahte,
allein da er den Kirchenfürsten in Mitte so vieler
Bewaffneten sah, wagte er es nicht Hand an ihn
zu legen. Erst als Albero seinen festen Wohnsitz in
Trier genommen hatte, begann sich sein heimtückisches
Getriebe zu entfalten. Er heuchelte die größte Ar-
muth, alle zur erzbischöflichen Tafel gehörigen Gefälle gab er als verpfändet an und vermochte nicht

so viel herzuschaffen, daß der Erzbischof Tafel mit
seinem Gefolge halten konnte. Durch solche Unbil=
den trachtete der Burggraf, Adelbero sein Archi-
episcopat zu erleiden; aber dieser durchschaute den
Arglistigen. Er mußte sich auf andere Weise den
nöthigsten Lebensunterhalt zu schaffen — und blieb.

Nun trug es sich zu, daß eines Tags Fremde
an den erzbischöflichen Hof kamen. Um ihnen einen
Labetrunk vorsetzen zu können, sandte Adelbero seine
Diener nach dem Pallast um Wein zu fordern. Der
Burggraf war nicht zugegen und sein Kellermeister
vermaß sich hoch und theuer, er würde nichts ohne
seines Herrn Befehl herausgeben. Die Fremden
mußten ohne Labetrunk abziehen und mögen wohl
manche arge Spottrede haben fallen lassen. Der
Erzbischof gerieth in den größten Unwillen und schwor,
er wolle den Grafen demüthigen. Alsbald erhob er
das nahgelegene Palaciolum, das heutige Pfalzel,
des Julius Cäsar Burg, mit großem Aufwand aus
dem Schutt, ließ seine Gefälle von nun an dort hin=
liefern und dem Vogt höhnisch sagen: „Er möge
seinen Pallast nun selbst behalten!" Das hatte die=
ser nicht erwartet; er fiel von Stund an in tiefe
Schwermuth, zehrte eine Weile auf eigne Kosten
und pilgerte dann baarfuß in härenem Gewande
nach Pfalzel, des gestrengen Herrn Kniee umfassend
und ihn um Verzeihung seiner schweren Schuld bit=
tend. Der Pallast ward seinem eigentlichen Herrn
wieder überliefert. Der Hauptbau, wie er jetzt steht,
wurde 1614 von Churfürst Lothar begonnen, von
Philipp Christoph fortgesetzt und von Carl Caspar

vollender. Jetzt ist das ganze schöne Gebäude in
eine Caserne umgewandelt.

Die Rache des Senators.

Der allmählige Verfall des römischen Weltreichs
blieb nicht ohne Folgen für Trier. Weichlichkeit,
entnervende Wollust, Feigheit der Herrscher nahmen
immer mehr und mehr Ueberhand. Im Jahr 411
ward von den gallischen Legionen ein neuer Imperator, Jovinus, nach Andern Avitus, gewählt. Auf
seiner Reise nach Rom kam er in die triersche Augusta und so wohl gefiel es ihm daselbst, daß er
längere Zeit verweilte. Grausam und wollüstig zugleich
wie er war, seufzten die Trierer und vermochten doch
nicht das unerträgliche Joch des verhaßten Despoten abzuschütteln; denn an den Grenzen standen lauernd
die Franken und warteten der günstigen Gelegenheit,
um in das fremde Gebiet einzubrechen. Da entschied
der Zufall und entzog die Trierer für immer der
Herrschaft der Römer.   -

Der Kaiser, nachdem er sich in den schändlichsten
Lüsten gesättigt, warf seine Augen begehrend auf
die edle Frau eines trierschen Senators, Lucius.
Vergebens waren alle Lockungen und Verheißungen,
das schöne Weib dachte zu erhaben, um die geschwo-
rene Treue zu verletzen. Da ergrimmte Jovinus
im Innern, hütete sich aber klüglich seinen Zorn
laut werden zu lassen. Kurze Zeit darauf stellte er
sich krank und da es die damalige Sitte der Zeit so

erheischte, mußten ihn die Senatoren mit ihren Fa=
milien am Krankenbett besuchen. Auch des Lucius
Gattin nahte in unschuldiger Theilnahme; da aber
erfaßte sie der Nichtswürdige, zog sie zu sich herab
und schändete sie mit Gewalt. Dann sendete er sie
dem Gatten zurück, welcher, rasend vor Zorn, dem
Tyrannen den Untergang schwor. Indeß schien es
räthlich, noch auf einige Tage zu schweigen; arglos
trat deshalb am andern Morgen Lucius mit den
Senatoren in das Gemach des Kaisers. Die=
ser aber, nicht gesättigt den Becher der Wolluft ge=
leert zu haben, kränkte auch noch den tiefgebeugten
Gatten durch verletzende Spottreden. Seine Worte:
„Pulchras thermas habes et frigida lavas! (Du
haft ein schönes, warmes Bad und wäschst Dich mit
kaltem Wasser) schleuderten indeß glühenden Zunder
auch in die Herzen der übrigen Senatoren. Der
Despot mußte um jeden Preis gestürzt werden und
da sie sich sammt ihrem Anhang nicht stark genug
dazu hielten, riefen sie die Franken in's Land, welche
dem unglücklichen Trier ein furchtbares Schicksal be=
reiteten. Christen und Heiden wurden ohne Unter=
schied fortgetrieben oder hingeschlachtet, die Gebäude
niedergerissen, die Altäre geschändet, bis endlich Chlod=
wig bei Zülpich siegte und der unglücklichen Stadt
den Frieden gab.

Die Einführung der christlichen Religion.

Als das Licht des Evangeliums im Morgen= wie
Abendland glorreich das finstere Heidenthum zu ver=

19

drängen begann und der Apostel Petrus seinen Wohnsitz zu Rom aufgeschlagen hatte, sah er wohl ein,
daß seine Macht nicht allein hinreiche, die heilbrin-
gende Lehre Christi allenthalben zu verkünden. Deshalb wählte er weise Männer, wohl geprüft, und
sandte sie hinaus zu lehren die Heiden.   Nach der
großen mächtigen Augusta Trevirorum entsandte er
den heil. Eucharius, Valerius und Maternus, nie-
derzureißen die Mauer des Unglaubens.   Getrost
machten sie sich auf den Weg, allein als sie unter
den größten Mühseligkeiten bis nach Elegia oder
Ellum, einem Dorf in dem heutigen Niederelsaß,
gelangt waren, erlag der Bruder Maternus den
Anstrengungen.   Weinend begruben ihn die beiden
Genossen und kehrten dann rathlos nach Rom zurück.   Petrus aber hieß sie getrost sein, gab dem
Eucharius seinen Stab und befahl ihm, selbigen auf
das Grab des Maternus zu legen.   Dies geschah
und siehe da, Gott verherrlichte seinen Heiligen und
Maternus stieg unverletzt aus der Nacht des Grabes hervor.   Darauf zogen sie weiter nach Trier
und predigten das Evangelium.   Und das Volk der
Trierer lief zusammen, hörte und staunte, aber die
capitolinischen Götzenpriester reizten es und trieben
es an, die drei Männer zu steinigen.   Wie Felsen
standen diese aber; Eucharius streckte den Arm aus
und gelähmt sahen sich die Tobenden.   Dann stürzten sie nieder und flehten um die Speise des Himmels, und Eucharius verzieh ihnen und taufte sie.
Groß waren die Wunder, welche die Propheten des
Herrn vollbrachten:

Eine edle trierſche Wittwe, aus hohem Geſchlecht, des Namens Albana, war, als das Volk zuſammen= lief, auch herzugetreten, um der neuen Lehre theil= haftig zu werden. Noch ſtand ſie in Staunen über das Wunderbare verloren, da trat ein Hausgenoſſe zu ihr und meldete, ihr einziger Sohn habe ſo eben die Erde mit den himmliſchen Räumen vertauſcht. Da fiel die unglückliche Mutter vor dem heil. Eu= charius nieder und rief mit herzzerreißender Stimme: Herr, Herr, erbarme Dich meines Elends! Eucha= rius aber tröſtete ſie und hieß ſie nach Haus gehen, und ſiehe da, ihr Sohn erhob ſich geſundet vom La= ger. Die Wittwe aber pries den Herrn, ließ ſich mit ihrem ganzen Anhang taufen und räumte ihren Pallaſt zur Kirche ein. Dies iſt dieſelbe Kirche, welche ſpäter dem heil. Matthias gewidmet wurde und die noch heutigen Tags am Rande des Gebirgs ſeitwärts vom Fluß, auf der rechten Seite deſſelben, ſich erhebt.

Das Blutbad auf dem Marsfeld.

Wenn auch die chriſtliche Lehre in Trier viel Anhänger gefunden hatte, ſo bekannte ſich doch der größere Theil der Einwohner noch immer zu dem alten Götterglauben. Oftmals mußten die Anhänger der neuen Lehre große Verfolgungen erleiden. Man verſchrie ſie als hinterliſtige Menſchen, die dem Staat und der Landesreligion nachtheilig wären und als im Jahre 286 der Kaiſer Mariminian das römiſche

Reich beherrschte, ward ihre allgemeine Ausrottung
befohlen. In den gallischen Provinzen war damals
allgemein der römische Landpfleger, Rictio Varus,
gefürchtet. Die christliche Gemeinde Triers zitterte,
als dieser Mann mit mehreren Legionen auf dem
Marsfeld vor der Stadt ein Lager bezog. Sie hat=
te Ursache genug ihn zu fürchten, denn kaum hatte
er sein Lager aufgeschlagen, so ließ er die thebäische
Legion [86]) sammt ihrem Führer Thyrsus zu sich ent=
bieten, von welchen er wußte, daß sie im Geheim
der christlichen Lehre zugethan waren. Mit strenger
Rede forderte er sie auf, den Göttern zu opfern;
aber Thyrsus richtete den Blick auf seine Schaar,
welche unerschüttert da stand. Dann erwiederte er
fest, dies stände nicht in seiner Macht. Da ergrimmte
Varus höchlichst, verschwendete Bitten und Drohun=
gen, alles war vergeblich. Schäumend vor Wuth
befahl er endlich seinen blutgierigen Schaaren, die
Christen niederzuhauen; es geschah und nicht einer
entrann. Doch noch nicht genug des Blutes war
geflossen. Den Obersten der Stadt, den ehrwürdi=
gen Palmatius ließ er vor seinen Richterstuhl for=
dern, um ihn über die Gesinnung der Bürger zu
befragen. Palmatius erwiederte offen und frei, die
Einwohner der Stadt Trier seien treu dem Kaiser
und verabscheuten die heidnischen Götzen. Kaum
hatte der Greis diese Worte gesprochen, so befahl
Varus, ihn mit sieben andern Rathsherren nieder=
zuhauen. Nach dieser neuen Schandthat aber begann
ein furchtbares Morden auf dem Platz zwischen St.
Marien und der Kirche zu St. Paulin. Jung und

Alt, ohne Unterſchied des Standes oder Geſchlechts, ward hinausgeſchleppt und grauſam hingeſchlachtet; ſo entſeglich war das Blutbad, erzählen die alten Legendenſchreiber, daß ſich die Moſel bis Neumagen, vier Meilen unterhalb Trier, röthete, wo noch jegt eine alte Kapelle zu deſſen Andenken ſteht. (Vergl. S. 171.)

Der Stadtgeist zu Trier.

Den Landpfleger ereilte indeß bald die gerechte Strafe des Himmels. Das in Strömen unſchuldig vergoſſene Blut ſchrie bei dem Allbarmherzigen um Rache. Rictio Varus ward nach ſeinem Tode ver= dammt, unſtät in Trier umherzuwandeln und ſeine Seele ſollte nimmer Ruhe finden. Oft erſchreckte er die Einwohner der Stadt bei nächtlicher Weile; ein= mal ſoll er ſeinen Siz in den römiſchen Bädern, ein andermal im Amphitheater oder dem römiſchen Pallaſt genommen haben. Der ehrwürdige Weih= biſchof J. P. Verhorſt († 1708) erzählt, er habe ſich einſt mit dem Geiſt, welcher in der Nacht vor ſeiner Thür lärmte, in ein Geſpräch eingelaſſen und ihn zu bannen geſucht. Indeſſen habe ihm Rictiovar erwiedert: Eine höhere Macht habe ihn hierher ver= wieſen und kein Sterblicher vermöge ihn zu verdrän= gen. Bald habe indeß die Stunde der Erlöſung für ihn geſchlagen. Wirklich erzählt man ſich: am 7. September 1773, wenige Zeit nachher als der Je= ſuitenorden aufgehoben worden war, habe ſich ein entſetzlicher, durchbringender Schrei in dem ehemali=

gen Collegium derselben hören laffen, so furchtbar,
daß die Fenster der umstehenden Häuser erschüttert
worden seien. Da mag der Geist wohl erlößt wor=
den sein. Unter dem Volk ist das nachstehende Ge=
dicht allbekannt:

Kaum schlägt die zwölfte Stunde
In jeder dunklen Nacht,
So macht der Geist die Runde
Und hat auf Alles Acht.

Er hütet alle Pferde,
Die nicht im Stalle steh'n,
Er sitzt an jedem Heerde,
Und hilft die Mühlen dreh'n.

Die nicht verschloff'nen Thüren
Bewachet er gar treu;
Die Fremden thut er führen,
An manchem Stein vorbei.

An jedem Rinnensteine
Steht er, wie ein Wardein,
Und kreuzt daran die Beine,
Daß Niemand fällt hinein.

Er wacht an jedem Bette,
Das einen Kranken birgt;
Er lüftet jede Kette,
Die einen Hofhund würgt.

Wird Nachts der Arzt gerufen,
So reicht er ihm den Rock;
Er leuchtet alle Stufen
Und trägt ihm seinen Stock.

Er ruft den Postillonen
Stets zur bestimmten Zeit;
Ist da, wo Fremde wohnen,
Zum dienen gern bereit.

Wankt einer durch die Straße
Mit weinbeschwertem Haupt,
Den zwickt er an der Nase,
Bis er an's Wasser glaubt.

Die auf verbot'nen Wegen
In Nacht und Nebel geh'n,
Erhalten seinen Segen,
Den sie sich nicht ersteh'n.

Wenn bei verhüllten Sternen
Das Heer der Räuber schleicht,
Und mit den Diebslaternen
Den Sammelplatz erreicht:

So weckt er die Bedachten
Aus tiefem Schlummer auf;
Und bringt zu allen Wachten
Die Kund' im schnellen Lauf.

Wenn auf dem Gangolfsthurme
Der Wächter schlägt beim Brand,
So läutet er zum Sturme
Mit seiner Riesenhand.

Wenn Nachts der Somnambüle
Auf hohen Dächern geht,
Und um ihn her die Kühle
Von Ost und Westen weht:

So reichet bis zum Dache
Dem Schläfer er den Arm,
Und ohne daß er wache
Umschlinget er ihn warm.

Mit Himmelsharmonieen
Erquickt er oft das Ohr,
Und Zaubermelodieen
Bringt sein Gesang hervor.

So übt seit tausend Jahren
Er fromme Werk' allhie;
Ihr Alle habt's erfahren,
Doch ihn gesehen nie.

Der Geist (er kann es lesen)
Ist werth, daß man ihn preißt,
Es leb' sein harmlos Wesen,
Es lebe der Stadtgeist!

Die heilige Helena und ihr Sohn, der Kaiser Constantin der Grosse.

Ein neuer Stern ging den bedrängten Christen
auf, als die Kaiserin Helena, die Mutter des großen Constantin, zu Trier ihren Wohnsitz nahm.
Ueber ihren Geburtsort ist vielfach gestritten worden[87]), ohne daß die Chronisten damit in's Reine
gekommen wären. Helena war die Gattin des Con-
suls Constantius Chlorus, welcher Brittaniens Provinzen von der Sklaverei befreite.   In der damaligen Zerrissenheit des römischen Reichs, welches durch
Diocletian und Maximinian zugleich regiert wurde,
wählten diese Beiden noch zwei Mitregenten und
Maximinians Wahl fiel auf Constantius Chlorus.
Dieser erhielt die Provinzen Gallien, Spanien und
Brittanien.   Constantius starb und sein Sohn Constantin bestieg nach ihm den Thron der Cäsaren.

Um nicht zu wiederholen, was wir bereits zu Neu=
magen über den Imperator gesagt, schweigen wir
hier über seine Thaten.

Als Constantin zu Neumagen das heilige Kreuz
erblickt und unter diesem Zeichen die Schlachten bei
Cibala und Chalcedon gewonnen hatte, ward auch
seine Mutter von der Heiligkeit der christlichen Lehre
ergriffen und ließ sich in ihren Bund aufnehmen.
Trier hat ihr unendlich viel zu danken; mit unermüd=
licher Sorgfalt wachte sie über das Wohl der Kirche,
spendete viele Almosen, baute zahlreiche Tempel und
rief den heiligen Agritius als Primas von Belgien
und Germanien nach Trier.

Im Jahre 325 schrieb die fromme Frau an den
Bischof Macarius zu Jerusalem, wegen einer herr=
lichen Kirche, die sie auf dem Calvarienberge bauen
wolle. Obgleich sie damals schon achtzig Jahre zählte,
machte sie sich doch auf den ungemein beschwerlichen
Weg und war in der That so glücklich, das heilige
Kreuz zu finden.[88]) Als man anfangs, so berichtet
die Legende, im Zweifel war, welches von den drei
Kreuzen, die man hier vergraben fand, das rechte
sei, brachte man sie nach einander mit einem vor
Kurzem Gestorbenen in Berührung und plötzlich er=
wachte dieser, als er von dem zweiten berührt wurde.
Dies Heiligthum ward unter großen Feierlichkeiten
zu Jerusalem in einer eigens erbauten prachtvollen
Kirche aufgestellt, den gewirkten Rock Christi aber,
um welchen, wie die heil. Schrift sagt, die römischen
Kriegsknechte würfelten, brachte sie nebst den drei
Nägeln, womit unser Heiland an's Kreuz geschlagen

wurde, nach Rom. Unterwegs erhob sich auf dem
Meer ein entsetzlicher Sturm und das Schiff drohte
unterzugehen. In der Todesangst warf die heilige
Helena einen dieser Nägel in's Meer und im nächsten Augenblick schwieg der Sturm, die Wellen eb-
neten sich und sanft glitt das Schiff über ihnen hin.
Den andern ließ sie ihrem Sohn, dem Kaiser Constantin, in den Helm einflechten, um ihn so gegen
seine Feinde unüberwindlich zu machen. Der dritte
wird nebst andern zahlreichen Reliquien noch heutigen Tags im Dom gezeigt. Ihr Todesjahr setzten
die Chronisten auf 328. Ihr Leichenbegängniß ward
zu Rom mit dem größten Gepränge gefeiert. Ihr
Sohn, der sie bis zum letzten Athemzug auf das
höchste verehrte, ließ ihr ein Grabmahl, in Gestalt
eines runden Thurmes, setzen, in dessen Innerm
man ihre Urne von Porphyr beisetzte.

Die Domkirche.

Ernst mahnend an die entschwundenen Jahrhun=
derte erhebt sich unweit des Marktes die ehrwürdige,
uralte Cathedrale der trierschen Augusta. Auch bei
der Geschichte ihrer Entstehung tritt uns das fromme
Walten der Kaiserin Helena entgegen; denn das ursprüngliche Gebäude war ihr eigner Pallast, aus
neun Bogen bestehend und auf vier ungeheuren Gra=
nitsäulen ruhend. Dieser mächtige Gottestempel hat
gegen 132 Schritt Länge, 52 Schritt Breite, drei
Schiffe, einen doppelten Chor, 16 Altäre, eine große

und eine kleine Orgel. Die Hauptkuppel, noch dieselbe, welche ursprünglich auf den vier erwähnten
Granitsäulen ruhte, ist über 90 Fuß hoch.

Wenn man den ganzen, ungeheuren Bau betrachtet, die gewaltigen Steine prüft, aus welchen
er aufgeführt ist, so möchte man sich versucht halten
zu glauben, Menschenhänden wäre es unmöglich gewesen, diese Massen aufeinander zu thürmen. Der
Teufel hat, wie an vielen andern Orten, auch hier
seine Hand im Spiel gehabt, so verkündet uns die
Volkssage. Der Erbauer rief zu seinem Werk den
gehörnten und beschwänzten Gottseibeiuns und versprach ihm ein recht großartiges Spiel- und Saufhaus
aufzurichten, wenn er ihm bei dem Herbeischaffen
der Steine und überhaupt auf alle mögliche Weise
an die Hand gehen wolle. Dazu war der böse Men-
schenfeind herzlich gern bereit und der Baumeister
wußte geschickt den Arglistigen zu hintergehen. Die
Altäre gab er ihm für Spieltische an, die hohen,
geschweiften Fenster sollten die Menge anlocken. Der
Teufel mußte in der That zur damaligen Zeit „noch
nicht von der Cultur, welche sich jetzt auf alle Welt
erstreckt, beleckt worden sein," denn er war dumm
genug sich betrügen zu lassen. Als aber die Kanzel
gebaut, die Altäre geschmückt wurden, der Clerus
in feierlicher Prozession einzog, da merkte er, daß
er betrogen sei. Wüthend flog er in dem weiten
Gottestempel umher, einen Gegenstand suchend, an
welchem er seinen Ingrimm auslassen könne. Endlich packte er einen der Altäre, um sich daran zu
rächen, allein er konnte mit dem Wegreißen nicht

zu Stande kommen und mußte schimpflich mit dem
Verlust einer seiner Klauen von dannen fliegen. An
der Mauer hängt noch, wie Ortelius berichtet,
die schwarze Teufelskralle.

Der Wanderer schreitet auf Grüften, in welchen
die Beherrscher des trierschen Gebiets in ewigem
Schlaf liegen — da ruhen sie, diese vierundzwanzig,
ruhen aus von ihren Mühen, Beschwerden und hoch-
fliegenden Plänen. Der Tod hat sie unerbittlich hin-
weggerafft, aber ihr Andenken ist geblieben, denn
kein Unwürdiger fand in der langen Reihe Platz.
Dem Besucher wird mancher Zug aus dem Leben
dieser Männer erzählt werden und wir vermehren
diese Erzählungen mit einigen Legenden und Sagen:

St. Goar und der Erzbischof Rusticus.

Um das Jahr 563 saß auf dem trierschen Bi-
schofsstuhl ein ungerechter, harter Mann, wenig von
der Geistlichkeit wie den Layen geachtet. Um die
kirchlichen Angelegenheiten seiner Diözese bekümmerte
er sich wenig; seine vornehmlichste Sorge war, daß
der Vogt immer zur rechten Zeit Geld schaffte. Da
saß er dann in seinem hintersten Closet, berauschte
sich in süßem Wein, ja er pflegte sogar süßer Minne
und manche lockre Dirne wußte von ihm zu erzählen. Während er nun in so argen Lüsten schwelgte
und seine Diener schalten und walten ließ, drang
der Ruf eines Mannes zu ihm, der in großer Heiligkeit und untadelhaftem Wandel am Rhein in nie-

derer Hütte lebte. Der Erzbischof, immer mehr des Lobes von diesem Mann hörend, begann ihm ob seines Ruhmes neidisch zu werden. Er sandte des= halb einige seiner Vertrauten ab, welche den Lebens= wandel des vermeinten Heiligen prüfen sollten. Diese, nur besorgend, ihrem Herrn zu gefallen, fanden bald dies und jenes zu tadeln und zu berichten, so daß endlich der Erzbischof, erfreut, seinen Zweck erreicht zu haben, ihn vor die Versammlung nach Trier be= rief, auf daß er sich dort vertheidigen möge. Goar, so ward der fromme Mann genannt, vernahm mit gottergebenem Sinn, was mit ihm geschehen solle. Schon des folgenden Tags machte er sich baarfuß auf den Weg, überstieg das rauhe Gebirg und ge= langte sonder Gefährdte in der alten heiligen Stadt an. Im Dom war eine große Versammlung von hohen und niedern Geistlichen, Alle sahen mit ge= spannter Erwartung dem frommen Mann entgegen. Dieser trat würdevoll unter sie, nur gehüllt in ein schlechtes Gewand, aber das Bewußtsein reiner Tu= gend in den edlen Zügen. Der Erzbischof redete ihn hart an, wie er in so schlechtem Gewand vor die vornehme Versammlung treten könne und befahl ihm, sich seines zerrissenen Mantels zu entledigen. Der ehrwürdige Mann warf einen Blick gen Himmel und nahm dann den Mantel von seinen Schultern. Aber vergebens sah er sich nach einem Nagel um; unentschlossen, ob er ihn auf die Marmorplatten des Fußbodens legen sollte, warf in demselben Augenblick die Frühsonne ihre goldenen Strahlen durch die ho= hen, spitzbogigen Fenster in die weite Halle. Goar

20

faß auf, ergriff sein Gewand und hängte es an —
einen Sonnenstrahl auf. Da entsetzten sich die Anwesenden höchlichst und viele wollten ihm gerührt zu
Füßen stürzen; aber Rusticus Herz blieb verstockt.
Der Neid erstickte die edleren Regungen seiner Seele
und wieder nahm er höhnisch das Wort: „Mann
Gottes, das Wunderthun scheint Dir eine leichte Arbeit und wir könnten Dich in mancher strittigen
Sache gar wohl brauchen. Sieh um Dich und verrichte uns zur Kurzweil noch einige ergötzliche Wunder." Da brachte im selben Augenblick ein Custos
ein neugeboren Kind in die Halle, trat zu dem Erzbischof und rief: „O Herr, siehe den Jammer, dies
unschuldige Würmlein hat man eben am großen
Stein gefunden. Niemand weiß wessen es ist, niemand kann berichten, wer der schändliche Vater sei."
Da lächelte Rusticus schadenfroh und sagte: „Ei
sieh da, das Schicksal sendet uns ein erwünscht Räthsel, welches wohl Niemand leichter als Du zu lösen
vermag. Ist Deine Macht so groß, so mache das
Kindlein beredt, auf das es sage, wer sein Vater
sei." Da funkelte des frommen Goars Auge und
er rief mit klagender Stimme: „Anathema über
Dich, der Du Dich Erzbischof von Trier nennst,
Anathema, die Stunde des Gerichts ist über Dich
gekommen, denn Du lästerst den Herrn. Auch der
Versucher sprach zum Heiland: Ist Deine Macht so
groß, so mache Brod aus dem todten Stein und er
ward darob gestürzt. Siehe, das Kindlein wird
sprechen und Deine Schande verrathen." Und plötzlich ertönte eine Silberstimme, welche rief: „Rusti-

eus, Rusticus, was verleugnest Du mich, mein Vater!" Entsetzen aber ergriff alle Anwesenden, ihre Haare sträubten sich und der Erzbischof stürzte bei Anhörung dieser Worte wie vom Donner gerührt zusammen. Der heilige Goar hatte wahr aus dem Munde des Kindleins gesprochen. Rusticus war der Erzeuger dieses Kindes und die Mutter hatte es sorglos an dem Gotteshaus niedergelegt. Die Versammlung aber erklärte einstimmig, der Schändliche sei fortan nicht mehr würdig auf dem erzbischöflichen Stuhl zu sitzen. Der austrasische König Siegbert I. entsetzte ihn seines Amtes und gab ihm Zeit, in den Mauern des Klosters St. Mergen seine Sünden abzubüßen, wo er in sich ging und so zunahm an Tugend und Frömmigkeit, daß er heilig gesprochen wurde.

Irmina.

Als die Franken, ihrem König Clodwig nachfolgend, die christliche Religion angenommen hatten, begünstigten ihre Herrscher auch die alte, heilige Stadt sehr. Es sind viele Beispiele vorhanden, daß Schwestern, Töchter oder nahe Verwandte der Könige in den Klöstern als Aebtissinnen ihr Leben beschlossen. Ein solcher Fall fand mit der nachher heilig gesprochenen Irmina statt. Sie war eine Tochter des austrasischen Königs Dagobert II. Geboren im Jahre 662 ward sie in dem zartesten jungfräulichen Alter mit einem fränkischen Grafen, Herrmann, verlobt. Irmina schloß sich bald mit kindlicher Liebe an den starken, gewaltigen Mann an. Er war ihr

Ideal, ihr Alles. Herrmann, zwar rauh und be=
reits in den Jahren vollkommener Mannheit, vergaß
doch in ihren Armen den männlichen Ernst, von
dem er gewöhnlich umfangen war. In Trier sollte
die Vermählung gefeiert werden und alle Anstalten
dazu wurden mit großem Aufwand getroffen. Die
Braut hatte nur widerstrebend den elterlichen Hof
verlassen; eine bange Ahnung begleitete sie auf der
Reise. Unter ihren Dienern befand sich ein junger
Mann, aus armer Familie stammend. Er hatte sie
einstmals aus augenscheinlicher Lebensgefahr gerettet
und dem Gefühl der Dankbarkeit nachgebend, litt sie
ihn gern in ihrer Umgebung. Von der Zeit an, wo
Graf Herrmann zu ihrem Verlobten erklärt ward,
ward dieser junge Mann, man kannte ihn bei Hof
nur unter dem Namen Edgar, immer tiefsinniger.
Oft sah man ihn allein und wurde er um die Ur=
sache seiner Niedergeschlagenheit befragt, so hatte er
nie eine Antwort. Irmina hatte Mitleid mit dem
jungen Mann, sie beschenkte ihn reichlich, gestattete
ihm mehr Freiheiten als jedem Andern ihrer Unter=
gebenen. Was fruchtete alles dies? die Wunde des
Aermsten war unheilbar. Die stillen Nächte hörten
seine Klagen, auf dem Lager flossen seine Thrä=
nen, er liebte seine Herrin, die schöne Irmina, die
Königstochter. Wüthende Eifersucht verzehrte sein
Inneres, wenn er die rasend Geliebte in den Ar=
men des Grafen sah; oftmals zuckte die Hand nach
dem Dolch, wenn er Erfrischungen in das Gemach
tragen mußte und die Liebenden auf dem Lotterbett
sitzen sah. Endlich schlug der Tag der Abreise, der

Graf war längst voran nach Trier, Irmina folgte in kurzen Tagreisen.

Alles war bereits zum Fest in der alten Augusta bereitet, Waffenspiele angeordnet, unzählige Gäste von nah und fern geladen und fröhlich durchstrich das vergnügungssüchtige Volk der Trierer die Straßen. Edgar rannte, Verzweiflung im Innern, in dem alten Kaiserpallast die Treppen auf und nieder. Plötzlich schien ein fester Entschluß in ihm aufzudämmern und von Stund an war er gefaßt. Den Tag vor der Vermählung trat er vor den Grafen, ihm mit freundlicher, einschmeichelnder Rede meldend, es sei ihm die Nachricht geworden, ein fremder Künstler sei im Besitz eines kostbaren Brautschmucks und er sei bereit, ihm solchen zu verschaffen, wenn er ihn begleiten wolle. Der Graf, der aus Liebe zu Irmina und um sie zu schmücken wohl noch mehr gethan hätte, war alsbald bereit ihm zu folgen und schweigend und ohne Aufsehen verließen Beide den Pallast. Als sie nun den hohen Berg, welcher sich auf der rechten Seite des Flusses unweit Trier erhebt, bestiegen hatten und der Graf sich einige Momente an der herrlichen Aussicht weidete und sich ermüdet auf sein Schwert stützte, trat Edgar zu ihm, umschlang ihn mit gewaltigem Arm und stürzte sich mit ihm in die Tiefe. Den andern Tag sollte die Vermählung gefeiert werden; aber der Bräutigam war verschwunden und vergebens waren die Thränen, die Verzweiflung der weinenden Braut. Nach Verlauf mehrerer Tage fand man die zerschmetterten Körper am Fuß des Felsens; fest hielten sich die bei-

*

den Nebenbuhler auch noch im Tode umschlungen.
Irmina aber suchte und fand in Christo einen zweiten Bräutigam. Sie trat bereits im Jahre 675[59])
in das Kloster, horreum oder Oehren genannt, und
wurde ein Muster von Tugend und Frömmigkeit.
Im Jahre 707, am 24. Dezember, schied sie von
dieser Erde, auf welcher sie so manchen Kummer
ertragen. Sie ward unter die Zahl der Heiligen
aufgenommen.

Die Entstehung des Klosters Maximin.

Die weltberühmte Benedictiner-Abtei St. Maximin ist jedenfalls eine der ältesten jener frommen
Stiftungen in Deutschland, die gottergebene Herzen,
welche sich ganz den Betrachtungen des Höchsten weihen wollten, gegründet haben. Ihre Entstehung verliert sich in das graueste Alterthum. Schon ehe der
heilige Agritius nach Trier (um das Jahr 326) kam,
muß das Kloster gestanden haben. Denn ausdrücklich berichten die Chronisten[60]), der Erzbischof habe
den Mönch Johannes aus Antiochien mitgebracht
und ihn zum Abt seiner geistlichen Genossenschaft ernannt, welche er auf den Befehl des Kaisers Constantin und seiner Mutter an dem Ort versammelt
hatte, wo das Kloster zum heil. Maximin
stand. Der Freund des Wunderbaren, Seltsamen
findet auch in der Geschichte der Entstehung dieses
Klosters hinreichenden Stoff. Wir finden nachstehende
Geschichte, welche wir mit einigen Ausschmückungen
wiedererzählen:

Zu Anfang des vierten Jahrhunderts lebte zu
Trier eine reiche und mächtige, hochangesehene Familie. Ein einziger Sohn war der Ehe des Eltern-
paars entsprossen und wurde als Erbe des großen
Namens so sorgfältig als möglich erzogen. Als er
in das Jünglingsalter eingetreten war, sandten ihn
seine Eltern an alle Höfe der damaligen Zeit, be-
riefen die gelehrtesten Männer ihn zu unterrichten,
und in der That sie durften sich rühmen, daß ihr
Sprößling ihnen Ehre mache. Als er nach jahre-
langer Trennung endlich wiederkehrte, empfingen ihn
die Eltern freudetrunken, aber dennoch, trotz aller
Feste, die man ihm zu Ehren feierte, blieb er ernst
und in sich gekehrt; öfters fand selbst die Mutter
Thränen in seinen Augen. Ihrer Zärtlichkeit gelang es endlich, ihm seinen Kummer zu entlocken.
Er gestand ihr, daß er liebe, hoffnungslos liebe,
denn niemals glaubte er die Einwilligung seiner
theuren Eltern erhalten zu können, da das Mädchen
seiner Liebe niederer Geburt sei und er sie in einer
kleinen Stadt des fränkischen Reichs gefunden, als
sie ihrer alten Mutter kleine Heerde gehütet habe.
Die Mutter war zwar heftig erschrocken, allein des
einzigen Kindes Jammer ermessend, suchte sie den
Vater durch ihre Bitten zu rühren und endlich trug
ihre Beredtsamkeit den Sieg davon. Der Jüngling
schwelgte in süßem Entzücken und rief Freunde und
Bekannte zusammen. In festlichem Gepränge zog
man aus, die Braut zu holen und kehrte endlich
mit dem freudetrunkenen Mädchen nach Trier zurück.
Mit großem Aufwand wurden die Vorbereitungen.

zu dem schönen Feste der Vermählung getroffen. Der
Tag war bereits bestimmt; da trat spät in der Nacht
der Vater des Bräutigams in den Versammlungs-
saal. Verstört zog er die Gattin auf die Seite und
offenbarte ihr das entsetzlichste der Geheimnisse: die
Braut des Sohnes sei ihre leibliche Tochter. Diese
war in dem zartesten Kindesalter, in welchem sie
kaum den Elternnamen zu lallen vermochte, von
den Normannen geraubt worden und niemand hatte
erfahren, wo sie hingekommen sei. Jetzt hatte er
sie an einer goldenen Halskette, welche ihre ver-
meintliche Mutter herbeigebracht, erkannt. Bei Anhörung dieser Schreckensnachricht stürzte die unglückliche Mutter in den Saal, zerriß ihr Gewand und
verkündete unter lautem Jammer die entsetzliche Nachricht. Da ergriff rasende Verzweiflung den Bräutigam und hätte ihn nicht ein treuer Freund zurückge-
halten, würde er in den Fluthen der Mösel sein be-
klagenswerthes Leben freiwillig geendet haben. Ganz
Trier war voll von den Klagen der unglücklichen
Liebenden. Endlich, Trost in der schönen Natur
suchend, erging er sich eines Tags mit einem Freund
in den elterlichen Gärten nahe bei Trier. Da
stießen sie auf eine Hütte, in der einige christliche Diener Gottes wohnten; auf dem ärmlichen
Tisch lag die Lebensbeschreibung des heiligen Ere-
miten Antonius, und vielleicht aus bloßer Neugierde schlug der Jüngling das Buch auf; aber
begierig und immer begieriger las er darin, das
gottgeweihte Leben des heil. Mannes, seine Zurück-
gezogenheit von der Welt und ihren unzähligen Män-

geln ergriff ihn so sehr, daß er begeistert ausrief:
„Laßt uns sein erhabenes Beispiel nachahmen, bauen
wie hier eine Hütte und fliehen die falsche Welt!"
„„Dein Wunsch ist auch der meinige,"" erwiederte
der Freund, und so geschah es, daß die beiden
Jünglinge sich hier niederließen. Die Hütten wurden erbaut und der Kaiser Constantin, der von dem
seltsamen Geschick des jugendlichen Einsiedlers gehört,
räumte ihnen selbst die Trümmer des ehedem so
prachtvollen Apollotempels ein, um daselbst ein Kloster nach allen Regeln des Benedictinerordens ein-
zurichten. Diese Abtei, welche später dem heiligen
Maximin geweiht wurde, kam zu dem höchsten Ansehen und unermeßlichen Reichthümern. In den
Jahren ihres Glanzes hatte sie 200,000 Fl. Ein-
künfte. Ja sie behauptete lange Zeit ihre Reichs-
unmittelbarkeit. Der letzte Abt, der sich im Vollge-
nuß dieses herrlichen Einkommens sah (H. W. Witt-
mann), starb 1797; sein Nachfolger sah nur mehr
die gänzliche Zerstörung und Aufhebung des Jahrtausende hindurch bestandenen fürstlichen Stiftes. Jetzt
sind die prachtvollen Räume zu einer Kaserne ein-
gerichtet. Hohl und schaurig hallt der Tritt in den
weiten Gebäuden und das Kommandowort des Of-
fiziers tönt da, wo sonst das miserere domine aus
dem Munde des frommen Priesters klang.

Die Abtei St. Matthias und der Reliquienraub.

Ungefähr 1800 Schritte von Trier, auf dem
Weg nach Igel, liegt die uralte Benedictiner = Abtei
St. Matthias. Das Jahr ihrer Gründung hat nie
gefunden werden können, und man nennt in der
Regel jene fromme Wittwe Albana, wie ich bereits
oben erzählte, als Stifterin. Lange nannte man
das Kloster zum heiligen Eucharius; nachdem aber
im 11. Jahrhundert die Reliquien des Apostels Mat=
thias in der Kirche wieder aufgefunden wurden,
mußte es seinen Namen ändern. Mancherlei Ereig=
nisse, die von dieser alten Abtei erzählt werden,
übergehen wir und theilen nur nachfolgendes Ge=
schichtchen, welches Storck in seinen „Darstellungen‟
erzählt, mit:

Im Traum erschien der heilige Auctor, der in
St. Matthias begraben lag, in ehrwürdiger und an=
muthiger Gestalt der Gräfin Gertrude von Nordheim,
Markgraf Egberts Tochter, und befahl ihr, seinen
Leichnam zu St. Matthias in Trier holen zu lassen für
die Kirche, die sie zu bauen gesonnen sei. Sie be=
gab sich selbst nach Trier in die Abtei und fragte
nach Auctors Grab. Der Küster zeigte es ihr und
ließ die Gräfin allein, weil die Mittagsglocke ihm
zum Essen gerufen hatte. Schnell ward von ihren
Dienern der Stein abgeworfen. Der Heilige nebst
andern Reliquien wurde hinausgebracht und mit
Wagen und Rossen eilig fortgeschafft. Um sich vor
Verfolgungen zu sichern, hatte sie die Klöpfel aus

den Glocken nehmen laſſen. Die Mönche, die beim Mittagsmahl ſaßen, merkten nichts. Aber welcher Schrecken ergriff ſie, als ſie am Nachmittag die Gruft des heil. Auctor geöffnet und ausgeleert fanden! „Zieht die Glocken, daß alles Volk nachſetze!" erſcholl es wie aus einem Mund. Die Glocken klangen nicht, und ehe man den Schaden ausbeſſern konnte, hatte die Gräfin mit ihrem frommen Raub Vorsprung genug gewonnen. Als ſie in die Gegend kam wo jetzt Braunſchweig ſteht und damals ein finſterer Wald war, da wollte der heil. Auctor nicht weiter. Die fromme Gräfin erkannte den Willen des Heiligen und ſtiftete auf derſelbigen Stelle das St. Aegidienkloſter.

Die Säule auf dem Markt.

Unter der Regierung des Erzbiſchofs Heinrich, im Jahre 987, befand ſich das ganze trierſche Land in arger Bedrängniß. Einmal über das anderemal fielen wilde Schwärme feindlicher Völkerſchaften ein und beunruhigten Ritter und Bauer. Beſonders waren die Hunnen gefürchtet, welche ſchon ein Jahrhundert früher in das trierſche Gebiet auf ihren Streifzügen eingefallen waren. Auch jetzt war ein ſolcher Einfall zu befürchten; allein die Trierer waren wohlgemuth und ſorglos und dachten an nichts weniger als an die wilden Schwärme der Hunnen oder Hungarn, wie ſie genannt wurden. Nur ein einziger Mann in der ganzen Augusta war in Sor-

gen. Das war ein schlichter, armer Bürger, der
aber in dem Rufe der Weissagung und Traumdeu=
tung stand. Ihm träumte, ein mächtiges Thier,
dessen die Erde noch nie gewaltiger gesehen, stiege
über den Marcusberg, träte mit seinen plumpen
Füßen in den Strom, daß dieser über seine
Ufer brauste und die alte Stadt mit seinen verhee=
renden Fluthen überschwemmte. Gleich des andern
Morgens trat er vor den Erzbischof, meldete ihm
sein Gesicht, ihm bedeutend, er möge seine Gewapp=
neten über den Berg schicken, um die Stadt zu ret=
ten. Heinrich lächelte zu der Besorgniß des Alten
und hieß ihn ruhig nach Haus gehen. Sein Ge=
sinde aber folgte ihm nach und verhöhnte und ver=
spottete ihn. Auf dem Markt erst wandte sich der
Weissager um und rief mit klagender Stimme: „Wehe
Dir, Volk der Trierer, daß Du meine Stimme ver=
spottest, weh Dir Du alte Stadt, Du wirst elendig=
lich untergehen, wenn Du nicht thust, was der
Herr durch mich spricht. Es werden Wunder, große
Wunder geschehen und Du wirst zu spät erkennen,
daß Du gefehlt." Damit schritt er seines Weges
fürbaß. Desselben Mittags aber, als auf dem Markt
und der Steipe viel Menschen versammelt waren,
umzog sich mit Blitzesschnelle der Horizont, es ward
dunkel und immer dunkler und Viele, die vor wenig
Stunden des Wahrsagers gespottet, bekreuzten sich
jetzt erschrocken. Urplötzlich, o Wunder, entladeten
sich die Wolken; aber weder Schnee, Hagel noch
Regen fiel herab, sondern eine Masse kleiner Kreuze
bedeckten die Kleider der auf dem Markt stehenden.

Diese Kreuzlein waren aus einer seltsamen Masse und verloren sich alsbald ohne Spur.[91]) Das ganze Volk der Trierer schrie Mirakel, man stürzte in hellen Haufen in den erzbischöflichen Pallast, bewaffnete sich, die Ritter saßen auf und Alles zog wohlbewehrt über den Marcusberg. Der Wahrsager hatte nicht gelogen; die Hunnen standen gerüstet, wurden aber überfallen und wie Spreu in alle Welt verjagt.

Zum ewigen Gedächtniß des wunderbaren Kreuzregens ließ der Erzbischof mitten auf dem Markt eine Säule, geziert mit einem Kreuz, errichten, und selbige mit dieser Inschrift versehen:

Ob memoriam signorum Crucis, quae celitus super homines venerant, anno dominicae incarnationis DCCCCLVIII. Anno vero Episcopatus sui secundo Henricus Archiepiscopus Trevirensis me erexit.

Die Säule ist bis auf heutigen Tag noch an diesem Ort zu sehen.

Der Marktbrunnen zu Trier.

Die schöne Arbeit dieses, schon mehrere Jahrhunderte alten, Brunnens fällt dem Fremden wie Einheimischen vortheilhaft in's Auge. Ridendo corrigo mores, scheint der Wahlspruch des genialen Künstlers gewesen zu sein, welcher sich durch diese schöne Bildhauerarbeit verewigte. Die damalige Zeit ist durch diese Steinsymbole auf's treffendste charak-

2b

terifirt. Die Inschriften, auf die Figuren deutend, entwarf zu Ende des 16. Jahrhunderts ein durchaus gesunder Kopf; sie lauten:

Fölix Respublica, ubi prudentias sceptra tenet.

Sancta Justitia bonos tuetur et sontes gladio ferit.

Fortitudo in adversis dominatur et laudabilis.

Temperantia cuncta moderatur.

Ex his virtutibus velut aqua de

Fonte salus Populi omniaque Reipublicae bona

permanent.

Anno Dom. MDXCV.

Glücklich der Staat, wo die Klugheit den Scepter hält,
Die heilige Gerechtigkeit die Guten schützet und die Schul=
digen mit dem Schwerte schlägt.

Wo im Unglück Stärke herrscht und preiswürdige
Mäßigkeit Alles im Gleise hält.

Aus diesen Tugenden, wie aus der Quelle das Wasser,
strömt unaufhörlich des Volkes Heil, des Gemein=
wesen ganzes Gedeihen.

Im Jahre des Herrn 1595.

In diesem Jahr, unter dem Churfürst Johann von Schönenburg, wurde dieser Brunnen so geziert, allein bereits früher hatte ein anderer hier gestanden. Der Vorgänger dieses Churfürsten, Jakob von Elz, hatte im Jahr 1580 den Uebermuth der trierschen Bürger auf eine empfindliche Art gebrochen. Des Kaisers Machtspruch unterwarf sie, die den im Jahre 1567 gewählten Regenten nicht anerkennen wollten, ihrem Gebieter. Sie hatten ihm die Thore geschlossen und leisteten hartnäckigen Widerstand. Da berief der Erzbischof seine Mannen und belagerte die hart= näckige Stadt, welche ihm nun ihre Thore öffnete.

Jakob zeigte sich gegen die Aufrührer milder, als sie es verdient hatten. Dennoch konnte er sich nicht enthalten, ihnen einen kleinen Schimpf anzuthun, dessen die trierschen Bürger noch heute nicht vergessen sind. Bei seinem Einzug nämlich, welcher mit großer Pracht vor sich ging, bestellte er seinen Koch zum Vorreiter. Dieser, bewehrt mit einem ungeheuern Kochlöffel, an Größe gleich einer Lanze, sprengte mit lautem Geschrei unter das Volk und machte Platz für die Nachfolgenden. Als der ganze Zug auf dem Markt angekommen war, winkte der gestrenge Herr Churfürst und dreimal schwenkte der Koch seinen Löffel, schöpfte dreimal den Schmutz von dem Brunnen ab und beschüttete die Köpfe der umstehenden Bürger und des Pöbels damit. Die Trierer verstanden den Scherz gar wohl und hüteten sich fernerhin, gegen den von Kaiser und Pabst bestallten Landesherrn sich aufzulehnen, damit sie nicht gleich dem Brunnen auf jede beliebige Art abgeschäumt zu werden brauchten.

Der Rübenkrieg.

Unter den vielen Einfällen in das triersche Gebiet, welche herrsch- und beutelustige Fremdlinge thaten, ist besonders der des Markgrafen Albrecht von Brandenburg bemerkenswerth. Es war im Jahre 1522, der Sommer ging schon zu Ende, als die Schreckenskunde erscholl, der Brandenburger hauße mit einem ansehnlichen Heere in den Rheingegenden und stehe nur wenige Meilen mehr von den Gren=

zen des Bisthums entfernt. Entsetzen ergriff die
Geistlichkeit, denn sie wußte gar wohl, welch übeln
Freund sie in dem Markgrafen besitze. An der Spitze
des Churfürsten entflohen sie über Hals und Kopf;
die Bürger aber öffneten dem Gewaltigen bereitwillig die Thore. Am 28. August ließen sich die Vor-
posten sehen; der Senat zog dem Markgraf entgegen
und überreichte ihm die Schlüssel der Stadt. Dann
ward er mit großem Gepränge in den Straßen derselben umhergeführt und beruhigte die Bürger durch
freundliche Zurufungen. Dennoch seufzten Viele im
Stillen, denn sie kannten Albrechts wilden Sinn
und wußten wie er in der Pfalz gehaußt. Gleich
den andern Tag bekundete er seinen Haß gegen die
Geistlichkeit, denn er ließ die prächtigen, uralten
Stifter St. Maximin und St. Paulin ohne Barmherzigkeit an allen Ecken anzünden und Alles was
fortzuschaffen war zerschlagen. Nach der Abtei St.
Martin begab er sich in höchsteigener Person, im
Stillen sich schon des lustigen Feuers des alten Pfaf-
fennestes freuend. Ein ehrwürdiger Greis wurde
für diesmal des Gotteshauses Retter. An dem Thore
stand der altersschwache, aber thatkräftige Schultheiß
Peter Malburg. Mit ehrerbietigem Gruß empfing
er den Markgraf und reichte ihm, nach alter deutscher Sitte, gutherzig einen goldenen Becher, gefüllt
mit dem edelsten Rebensaft. Albrecht, über diesen
seltsamen Empfang betroffen, trank, ermüdet von
der Hitze des Tags, und der Trunk behagte ihm so
ungemein, daß er dem biedern Greis freundlichen
Handschlag bot und sich ein Fäßlein dieses köstlichen

Gewächses ausbat. Dann zog er mit Mann und Roß ab, legte sein Siegel an die Pforten der Abtei und bedrohte mit Leib und Leben den, der es wagen würde, seine Schutzbefohlenen zu kränken. So wurden die schönen Gebäude durch die Entschlossenheit eines biedern Mannes gerettet.

Als der Markgraf in die Stadt zurückkehrte, kamen ihm die Soldaten entgegen, klagend, daß es an nöthigem Proviant fehle. Da eilte er schnell, väterlich besorgt für seine Krieger, nach der Steipe, wo sich die Rathsherren versammelt hatten, um mit ihnen das Nöthige zu berathen. Kaum glaubte er aber seinen Ohren trauen zu dürfen, als ihm schon von fern das Geschrei wilder Zecher, das lustige Klappern der Würfel entgegenschallte. In der That, die gestrengen Rathsherren saßen, während allgemeines Elend in der unglücklichen Stadt herrschte, wohlgemuth am Schenktisch. Das mußte selbst den rauhen Sinn des Markgrafen empören: „Wartet," rief er aufgebracht, „ich werde Euch einen Denkzettel geben" und die Büchse von der Schulter nehmend, schoß er durch das Fenster mitten unter die entsetzt Aufspringenden. Dann verwies er ihnen noch ausdrücklich ihr leichtsinnig Beginnen; die Bürger aber ließen zum ewigen Andenken dieser Begebenheit über dem Ort, wo die Kugel hineingedrungen war, das Wappen des Markgrafen hinmalen, wo man es noch heutigen Tags erblickt.

Bald darauf verließ der Markgraf Stadt und Land und stieß zum Heere des Kaisers. Der ganze Krieg aber ward, weil die Soldaten auf den Fel-

*

dern viel Schaden anrichteten und besonders die bei=
nah schon reifen Rüben fast ganz verdarben, der
Rübenkrieg genannt.

Das Frantze-Knöppchen.

Hat der Wanderer die Reste des römischen Am=
phitheaters in Augenschein genommen und wendet
sich nach der Höhe des Berges, an welchem diese
liegen, so fragt er wohl, zu welchem Zweck jener
beträchtliche Steinhaufen auf der Spitze dieses Mars=
oder Martinsberges [92]) aufgerichtet worden sei. Der
gemeine Landmann bekreuzt sich andächtig und würde
um keinen Preis zur Nachtszeit oder auch nur in
der Dämmerstunde diese verrufene Höhe besteigen.
Hier trieb vor Zeiten die Schaar geschwänzter und
behörnter Teufel ihr Wesen, hier sammelten sich die
Heren, auf Besen reitend, von nah und fern und
feierten mit ihrem Meister satanische Bachanalien.
Dies also ist der eigentliche triersche Blocksberg. [93])

Der gemeine Mann nennt diesen Steinhaufen
„das Frantzekippchen" und erzählt, von hier habe
der berüchtigte Ritter Franz von Sickingen seine
furchtbaren Geschosse auf das belagerte Trier ge=
schleudert.

Wenn man die Annalen der Geschichte durch=
blättert, so bleibt das Auge unwillführlich auf jener
kühnen That eines einzelnen Ritters, Franz von
Sickingen, haften, der, ein gewöhnlicher Burgmann,
es mit seinem Anhang wagen durfte, dem mächtigen

Churfürsten von Trier, Richard von Greifenklau,
im Jahre 1522 einen Fehde- und Absagebrief zu
senden und ihn mit 10,000 Mann in seiner Hauptstadt zu belagern. Im September des genannten
Jahres brach zwischen dem Erzbischof und Sickingen
ein Streit wegen eines Pferdediebstahls aus; letzterer, in seiner gewohnten raschen Weise, berief seine
Freunde von nah und fern, fertigte den Absagebrief
ab und rückte dann schnell mit einem beträchtlichen
Heere nach. Das Schloß St. Wendel ward
überfallen und genommen und hätte nicht Richard
mit weiser Vorsicht schleunigst Anstalten zur Vertheidigung der Stadt getroffen, wer weiß ob er nicht
auch mit raschem Schlag die reiche Augusta Trevirorum besiegt hätte. Als er aber ankam, fand er
die Thore verschlossen und eine wohlgerüstete Bürgerschaft auf den Mauern. Von allen Seiten spie nun
das Geschütz seine vernichtenden Geschosse auf die
schöne Stadt, es that aber wenig Schaden, ja nicht
ein Bürger ward getödtet. So mußte Franz, als
die Kunde erscholl, der Pfalzgraf Ludwig und Land-
graf Philipp nahten mit Entsatztruppen, unverrichteter Sache abziehen. Zum Gedächtniß seiner kühnen
That ließ er den Steinhaufen auf dem Martinsberg,
wo seine Geschütze standen, aufführen, obgleich Viele
behaupten, es sei dies Gestein ein Ueberrest eines
altrömischen Mauerwerks. Im Volk ist die Sage
verbreitet, Sickingen habe, um das Andenken seines
zahlreichen Heeres zu verewigen, jeden seiner Mannen eine Handvoll Erde zusammentragen lassen, woraus
jener ziemlich bedeutende Hügel entstanden.

Die Burgmauer.

Wer jemals Trier besuchte, hat auch gewiß jenen ovalen Hügel, auf dem das Dörflein Heiligkreuz liegt, bestiegen und sich an der entzückend schönen Aussicht geweidet. Die Lage, die elliptische Form dieses Hügels und des ihn umgebenden Mauerwerks, scheinen sehr für die Meinung mehrerer Gelehrten, die den großen Circus hierher setzen, zu sprechen. Hier stand auch einst eine im ganzen Umkreis gefürchtete Raubburg, welche im 11. Jahrhundert zerstört wurde; ihr Andenken hat sich noch in dem Namen einer Strecke Landes, die Burgmauer genannt, erhalten, und nachstehende Sage, welche uns Herr v. Stramberg erzählt, ist in dortiger Gegend ziemlich verbreitet:

In den Jahren 1008—1017 wüthete eine grimmige Fehde in den trierschen Landen. Der Graf von Ardenne, Albero, hatte sich wider des Kaisers Willen in den Besitz des Erzbisthums gesetzt und vertrieb den eingesetzten Churfürsten Megingaud. Der Kaiser ergrimmte höchlichst und bestimmte den Babenberger Poppo, den Bruder des Markgrafen Heinrich von Oestreich zum Nachfolger des jüngst Verstorbenen. Poppo war ein muthiger, entschlossener Mann, eine feurige Seele wohnte in ihm; was seinem Vorgänger nicht gelingen wollte: den Usurpator zu stürzen, gelang seinem hohen Muth. Der Pallast, welchen Kaiser Heinrich II. vergebens belagert hatte, wurde gleich den festen Schlössern zu Berncastel und Benrath genommen; nur diese Burg,

auf der Höhe zum heiligen Kreuz gelegen, trotzte
allen Angriffen. Ein naher Verwandter des Usur=
pators, manche sagen ein Neffen gleichen Namens
Albero, schlug tapfer alle Stürme zurück. Keiner
war dem Erzbischof lästiger, als eben dieser jüngere
Adelbero, der von seiner Burg Heiligkreuz aus jeden
Augenblick die Hauptstadt Trier beunruhigen konnte.
Poppos hoher Geist fand sich vorzüglich verletzt
durch die Neckereien eines unmittelbaren Nachbars
und durch einen Trotz, der sich als unüberwindlich
erwies, für ihn, der viel mächtigere Feinde gezähmt
hätte. Oft sprach er seinen Unwillen hierüber in
der Getreuen Kreise aus, daß endlich ein Krieger
in seinem Heere, der mächtig in Reichthümern und
stark in Kräften, Sizzo., sich vermaß zu versuchen,
ob für solches Uebel keine Abhülfe zu finden sein
sollte. Seine Worte erfreuten den Erzbischof, und
Sizzo wollte sie nicht vergeblich gesprochen haben.
Denn bald darauf erschien er vor Adelberos Veste
am Heiligkreuz; er klopft an das Thor und verlangt,
Adelbero solle ihm einen Becher Wein zur Labung
schicken. Der Becher wird alsbald gereicht, Sizzo
leert ihn und gebraucht sich gegen den Mundschenken
der folgenden Worte: „Ueberbringe Deinem Herrn
meinen besten Dank, sage ihm aber zugleich, daß
ich, falls mir Gott das Leben fristet, beflissen sein
werde, ihm seinen Becher in dankbarem Gemüthe zu
ersetzen, und das baldigst." Nach diesen Worten
zog er von dannen. Wiederum ersieht er sich der
Gelegenheit und läßt 30 öhmigte Fässer herbeischaf=
fen; in jede Ohm wird ein ausgewählter Krieger,

mit Helm, Panzer und Schwert bewehrt, unterge=
bracht, Ohm für Ohm in Leinwand eingepackt und
mit Stricken bewickelt. Als Träger werden 60 Män=
ner, gleichfalls auserlesene, bestellt, die ihre Schwer=
ter bei den Fässern, ihr eigentliches Gewerbe unter
Bauerntracht verbergen, und der ganze Zug, Sizzo
mit einigen wenigen Kriegsleuten an der Spitze,
richtet sich gegen Heiligkreuz; der Ritter pocht am
Burgthor an, und ein Knecht fragt, wer er sei und
was er begehre. „Sage Deinem Herrn, ich über=
bringe den Wein, den ich ihm um seiner Wohlthat
willen versprochen, als er sich die Mühe nicht ver=
drießen lassen, mir, dem Durstigen, einen Becher
Wein zu reichen." Der Knecht richtet die Bestel=
lung aus, Adelbero giebt Befehl, die Männer ein=
zulassen, und während sie ihre Fässer vor dem Burg=
herrn niederlegen, tritt Sizzo hinzu, heißt die Trä=
ger das Packtuch wegnehmen und bittet, Adelbero
möge diese Pfänder seiner Zuneigung empfangen.
Die Träger reißen, nach Vorschrift, in einem Au=
genblicke die Stricke herunter und fassen ihre Schwer=
ter, die Verborgenen sprengen die Tonnen und zie=
hen blank, und Adelbero fällt der erste unter ihren
Streichen. Nach ihm werden die übrigen Burgleute
ohne Barmherzigkeit getödtet, und die Sieger hin=
terlassen nichts wie Trümmer von der einst so furcht=
baren Veste, von der sich aber doch in der Burg=
mauer ein schwaches Andenken bis auf den heutigen
Tag erhalten hat. Als Belohnung empfing Sizzo
von seinem Erzbischof verschiedene Lehen.

Balduinshäuschen.

Der Churfürst Balduin, hochlöblichen Andenkens, beschloß, sich im Jahre 1350 von dem irdischen Leben und Treiben zurückzuziehen und in gottseliger Betrachtung den Rest seiner Tage dem Höhern zu weihen. Er war nun schon im 65. Jahre, ein Alter, in welchem der Mensch den Werth irdischer Größe und Kleinheit richtiger würdigen lernt. Gleich Kaiser Karl V. suchte er Frieden mit allen seinen Feinden zu machen, setzte einen Verweser seiner Geschäfte und ließ sich auf dem anmuthigen Berg jenseits der Moselbrücke eine Wohnung in den Fels einhauen. Der jetzige Besitzer dieser netten Meierei wird dem neugierigen Wanderer erzählen: Balduin habe sich hier vor den Augen der Welt versteckt gehalten, um eine häßliche Krankheit durch den Genuß des schwefelartigen Quellwassers, welches aus dem sogenannten Heidenbrünnchen quillt, zu heilen. Da er aber einstmals in seinem Wasserkrug eine Schlange gefunden, so sei er vor Ekel gestorben. Es ist dieser Sage aber wenig Glauben zu schenken, denn des großen Churfürsten Keuschheit und Zucht wird in trierschen Annalen gar sehr gerühmt; eher ist es zu glauben, daß die Mönche der damaligen Zeit jene Krankheitsgeschichte ersonnen, um dem Andenken des hochgefeierten Fürsten, der sie aber mit Strenge zu klösterlicher Ordnung anhielt, wenigstens einen Makel anzuheften. ⁹⁹)

Das Kreuz auf dem Marxberg.

Der Brücke gegenüber erhebt sich der sogenannte
Marcus=, Marx= oder Marxberg. Die fortlaufende
Bergkette °°) bis Pallien wird von dem gemeinen
Volk gewöhnlich der Pols = oder Pulsberg genannt.
Auf diesen beiden Bergen sollen ehedem zwei Tempel, dem Mars und Apollo gewidmet, gestanden
haben, woher sich auch noch jetzt die ähnelnden Namen erhalten haben. Als indeß das Licht des Evangeliums seine wohlthätigen Strahlen auch in dieses
Thal sandte, wurden die Heidentempel gebrochen und
die Bildsäulen den Berg hinabgestürzt. Zum ewigen
Gedächtniß aber, daß das Christenthum den Sieg
über das Heidenthum davon getragen, errichtete man
das Kreuz, welches noch heutigen Tags von dem
Gipfel in das herrliche Thal schaut. Ehedem feierte
man hier ein gar fröhliches Fest. Damals (zum letzten-
mal Anno 1779) errichteten die beiden Zünfte der Metzger und Wollenweber auf dem sogenannten Marcusberg
einen Birkenbaum von ziemlicher Höhe. Den Sonntag
darauf zogen sie, die Metzger als Dragoner zu
Pferd, die Wollenweber als Grenadiere zu Fuß,
in feierlichem Aufzug aus der Stadt den Berg hinan.
Dann ging ein lebendiges, reges Treiben dort oben
los. Kleine Kanonen donnerten vermischt mit den
Freudenrufen der Menge in's Thal hinab; endlich
wenn es dunkelte, ward die Birke umgehauen, den
Berg hinabgestürzt und ein mit brennbaren Materia-
lien umwundenes, rings angezündetes Rad ihr nach=

gerollt. Gelangte das Rad wirklich bis zum Fluß und verlosch zischend in demselben, so mußte der derzeitige Churfürst ein Fäßlein guten Moseler spendiren. Im Gegentheil aber sprengten die verkleideten Dragoner um das Rad und schossen ihre Pistolen darauf los, bis endlich der ganze Zug sich wieder nach der Stadt wandte, wo dann das Fest unter fleißigem Leeren der Gläser erst spät in der Nacht endete.

Anhang

historischer Notizen.

— ❦ —

1) Ammianus Marcell. lib. XVI. cap. 3.

2) v. W. A. Günthers treffliche topographische Geschichte der Stadt Coblenz S. 1 — 12.

3) Die Ritterschaft der damaligen Zeit schlug gern in den befestigten Städten ihren Wohnsitz auf und zog es vor, den Schutz einer gefürchteten Bürgerschaft zu genießen, als auf ihren oft nicht festen Burgen den Angriffen je des raublustigen Nachbarn ausgesetzt zu sein. So besitzt schon 1182 ein Edler von Polch ein Haus und das Coblenzer Bürgerrecht. Später, Anno 1300, ward sogar am 12. Juni eine Vereinigung der Ritter, Schöffen und sämmtlichen Bürger zusammengebracht, so daß einige aus dem Ritterstande, einige aus dem Schöffengericht und einige aus dem Bürgerstande ewiger Rath der Stadt sein sollen. S. Günthers Gesch. §. 66.

4) Die Fehde der Coblenzer mit den Erzbischöfen dauerte aber trotzdem fort. Bereits im Jahre 1303 begannen die Unruhen von neuem und Erzbischof Diether rückte mit einem großen Gefolge von Rittern vor die Stadt und unterwarf selbige wiederum. v. Sponheimer Chronik.

5) So sagt Günther in seiner Chronik. Brower führt jedoch nachstehende Inschrift an: Condidit hunc pontem Praesul Baldinus insignem Mille trecenteno Quadrageno Quoque Terno. Die Brücke war also um diese Zeit wenigstens beinahe schon fertig; denn 1346 zog schon der neue Kaiser Karl IV. über den stattlichen Bau seines Großoheims.

6) Der ehrliche Peter Mayer, Stadtschreiber, sagt noch im Jahr 1530 von der Brücke: „Erzbischoff Baldewin hat gebuwet zu Covelentz eynen steynen Brück über Mosel, also schon als man in tewtscher Nation soll finden."

7) Die Limburger Chronik sagt von ihm: „...der was gar ein kluger Ritter, kecke, oder hurtig von Leib, Sinnen und Gestalt."

8) v. Limburger Chronik S. 1080.

9) Ihre Grabschrift lautet: Hic quiescit b. Riza miraculis clara elevata anno domini MCCLXXV. de hoc St. Castoris collegio preclare merita et patrona munifica, filia Ludovici pii Romanorum et francorum Regis hujus basilice fundatoris magnifici.

10) Im Jahre 1198 verheerte es Otto der Braunschweiger. 1436 steckte es Raban von Helmstädt und 1636 der Kaiserliche Feldmarschall Görz in Brand.

11) Ehedem hieß es Windiga.

12) Man nennt das Jahr 1559, wo am 18ten des Monats August der erste evangelische Pfarrer, mit Namen Georg Müller, eingeführt wurde.

13) Hist. trev. dipl. tom. III. pag. 158, 165 et 170.

14) Sonst Cubrunum, Kobruna, Cuberna, Couerna. Mit den Jahrhunderten änderte sich auch immer der Name.

15) v. Brower Tom. I. pag. 233 et 235.

16) In der neuen Kirche hängt ein schönes Bild von Settegast, den heil. Mann vorstellend, wie er die Heiden tauft.

17) Das Sterbjahr des heil. Lubentius kann nicht genau angegeben werden. In dem Lectionarium der Collegiatkirche zu Dietkirchen, welches 1645 gedruckt wurde, kommen drei Lectionen vom heiligen Lubentius vor, worin gesagt wird, der Heilige sei unter der Regierung des arianischen Kaisers Constantius gestorben. Castellanus in Mst. Universali setzt das Ableben des heiligen Lubentius in das Jahr 369. Brower Annal. trevir. loco citato giebt den 13. October als den Sterbtag des heil. Lubentius an;

Hontheim dagegen Prodrom. histor. diplom. Tom. I.
pag. 370 bemerkt, der heilige Lubentius sei am 6. Februar gestorben, der 13. Oktober aber sei der Tag der
Versetzung seiner Reliquien.

18) Klein erwähnt, Ritter von Cobern würden zuerst in
den Urkunden vom Jahr 1150 genannt. Ich habe jedoch
in Röblers Turnirbuch gefunden (lv), daß auf einem
Turnir zu Trier ein Erasmus Freiherr zu Cobern schon
im Jahr 1019 erschienen ist.

19) Sein Schreiben an genannten Bischof ist uns noch aufbewahrt; es lautet: „Ich armer Gefangener habe mich
leider vergangene Zeit mit etlichen Auslegen, daruff doch
nichts tetlichs gefolgt oder jemants dadurch beschedigt,
vergangen, deshalb ich itzo allhie zu Koblenz in schwerer
Haftung liggen und nechstkommenden Montag zu Recht
gestellt werden soll."

20) Ausführlicher haben die Herren Prof. Dronke und von
Laffaulr in ihrer Schrift: „Die Matthiaskapelle auf
der obern Burg bei Cobern an der Mosel" dieses herrliche Denkmal unserer frommen Vorfahren beschrieben.

21) Es wird der Burggraf Heinrich von Isenburg, des jüngern Gerlachs von Covern nächster Verwandter, der sich
in Urkunden „Crucesignatus" nannte, als solcher bezeichnet.

22) In der sechseckigen Form, wie die Matthiaskapelle erbaut
ist, finden wir nur noch die kleinen Gebäude in der Umgebung der großen Moschee zu Jerusalem, die sechseckigen
Kuppeln über dem heiligen Grabe und dem Mittelfeld
des Domes zu Siena, sowie die Templerkirche in London,
aufgeführt.

23) Sonst Contreva, Contrua oder Gundereva.

24) „Leyen." In allen Urkunden kommen sie als equites a
petra (Felsen) vor. Leyen und Felsen ist in der Landes-
sprache gleichbedeutend.

25) Nach Herrn v. Damitz Werk: „Die Mosel von Coblenz
bis Zell." In andern ältern Werken, auch in Klein-

*

habe ich nichts hierüber gefunden. Die nachfolgende Sage ist obigem Werk entnommen.

26) Ein Schloß auf der linken Seite der Mosel, hinter Elz, eine Stunde vom Ufer entfernt. Die Trümmer stehen noch.

27) 1268.

28) Das Kloster Rosenthal liegt bei Pommern, landeinwärts auf dem linken Ufer der Mosel. Es ward 1170 gestiftet und ist jetzt Ruine.

29) Arx Thuronica, castrum Thuronium, Thuro, Thurum, Thurunum oder Dueron, Duerant. In den Urkunden sind die Benennungen sehr verschieden.

30) Des Zorno grausames Verfahren steht also in trierischen Geschichten aufgezeichnet: „Der Zorno, Marschall des Herzogen von Baiern, da er das Schloß Thuron in Verwaltung hatte, erfrechte sich gar gottlos und grausam gegen den Herrn Erzbischof . . . . Selbiger Zorno hat schwangere Weiber, so er in der Gefangenschaft gefesselt hielt, in Geburtsnöthen zu Tode gepresset; ohne Unterschied hat er geistliche und Weltliche durch lange Gefangenschaft gepeinigt, des Erzbischofs Leute hat er durch boshaftige Verrätherei schmälich umgebracht. v. Hontheim hist. trev. dipl. tom. I. pag. 733. Martene coll. ampl. tom. IV. pag. 231.

31) v. Honth. prod. hist. trev. tom. post. pag. 801: „Unde exasperatus dominus Archiepiscopus contra eum tanquam elephas, qui ex ostensione cruoris incitamentum furoris recipit, et qualiter se vindicaret in homine tam inhumano, disponere non tardavit.

32) Es findet sich bei Erzählung dieser Sage dieser Name wirklich in den Gemeindepapieren Alkens genannt.

33) v. Brower Annal. trev. lib. XV. n. 23.

34) Hontheim spricht sich ausführlicher über diesen Vertrag aus v. hist. Trev. Annal. Trev. tom. I. pag. 142.

35) Brower will die Berechnung der Belagerungskosten Thurants gesehen haben. Sie sollen sich belaufen auf 1,000,000

Malter Früchten, 3000 Fuder Wein, extra praesentis pecuniae vim ingentem, schließt unser trefflicher Gewährsmann. v. Annal. trev. XVI. n. 23.

36) Die Limburger Chronik nennt ihn einen „geschwindt übergriffendt Mann." v. S. 1110.

37) In seinem Briefe sagt er unter andern: „Nu han wir vernommen daz ir etwie dick fur demselben Sloße geweßt sint, und habent understanden in dem Borgfriden daselbs, den wir verbonden sind zu beschuden nach lute der Briefe daruber, großen Schaden zu dun, und habent auch schaden da getan, der schade uns auch faste antreffe. Nu meynen wir daz uns der Schade als vere uns daz antrifft unbillich geschehn sy. Darumb begeren wir und fordern an uch daz ir uns solichen Schaden kerent als vere uns des not ist.

38) Die Limburger Chronik vom Jahre 1397 sagt: „Von Ehrenberg, ein Ritter, des Erzstifts zu Trier seindt, und damit er sich doch rechnete, verschaffte er, daß in Covelenz verbrannten mehr den 200 Geheuß.

39) Die gesta Trevirorum nennen den Erzbischof Arnold, der 1258 starb.

40) v. Stramberg hat in der neueren Zeit erst den wahren Ort, wo diese Burg gestanden hat, auszuforschen gesucht. Er weißt ihr (Seite 386 des Moselthals II. Th.) einen Platz an der Obermosel bei Pisport, Emmel und Müstert, auf dem linken Ufer des Drohn-Baches, der sich da in die Mosel ergießt, an. Er scheint beinahe richtig geschlossen zu haben, denn die Treviris von 1838 berichtet, daß man bei zufälligen Nachgrabungen auf dem hohen Berg, an welchen sich Pisport lehnt, und in der ganzen dortigen Gegend überhaupt oft auf morsches Gemäuer gestoßen. Viele Backsteine und römische Ziegel, unbehauene Steine, Urnen ⁊c., ja selbst eine römische Münze von Vespasian seien gefunden worden.

41) Das ehemalige adliche Frauenkloster Engelport liegt an dem Morsdorfer Bach, oberhalb Treis, eine kleine Stunde landeinwärts. Es muß schon im 11. Jahrhundert bestanden haben. Die vormaligen Wirthschaftsgebäude mit den Ländereien bilden das fortbestehende Pachtgut. Dem Reisenden gewährt der Besuch einen genußreichen Lustgang.

42) Wie Brower (Annal. trev.) tom. I. pag. 236 angiebt, lag an dem Ort der Untermosel, welcher jetzt Carden heißt, ein großes Castell, welches den Römern als Grenzfestung diente, um den Fluß zu decken, der zwar auf beiden Seiten von Bergen eingeschlossen, auf der andern Seite aber durch verdeckte Pässe leicht zugänglich war. Der Name Carden (Caradonum) soll von der jähen Bergspitze herkommen, welche über jenem Orte hervorragt.

43) Zu Coblenz in der Castorkirche hängen schöne Gemälde von J. Zick, welche einzelne Wunderthaten des heiligen Mannes darstellen. Einstmals fuhr ein Schiff auf der Mosel und Castor bat vom Ufer aus um ein wenig Salz, welches dasselbe führte. Der geizige Schiffer verweigerte es, aber alsbald entstand ein Sturm und das Schiff ging mit Allem unter.

44) Er soll es auch erobert, scheint es ihm aber später wieder zurückgegeben zu haben. Uebrigens besaß Trier beide Burgen als Reichslehen und sie kommen auch fast immer ungetrennt als die „Zwei Treiser Burgen“ vor.

45) v. Brower Annal. tom. II. pag. 52: Haec ipsa nimirum illa crux est etc.

46) Ihre Mutter war Kaiser Otto III. Schwester, Mathilde; ihre Großmutter die hochgebildete griechische Prinzessin Theophania.

47) Der Pabst stellte in der That sonderbare Bedingungen: Die vornehmen Polen sollten, so hieß es in der Lösung, künftig zur ewigen Erinnerung an ihren geschorenen König das Haupthaar nicht unter die Ohren wachsen lassen. Ferner mußte von jedem Kopf im Lande jährlich

ein Pfennig zum päpstlichen Schatz geschickt, dann noch
eine stets brennende Lampe am St. Petersaltar unterhal-
ten werden.

48) Ihr Bildniß auf Holz, freilich nur eine Copie, aber von
Meisterhand, ist im Besitz des Hofraths Dr. Comes
zu Cochem.

49) Wir entnehmen diesen für die Geschichte des 16. Jahrhunderts interessanten Bericht aus dem Clottener Chor-
buch. Als Verfasser hat sich ein F. Jodocus Wolff
genannt.

50) In den Urkunden Chucheme ad Andridam.

51) Jedoch unter der Bedingung: Jedem seiner Brüder jährlich die herrliche Summe von 200 Gulden auszuzahlen.

52) Siehe die Limburger Chronik: Es ward Beilstein, ein fest
Schloß an der Moseln, ingenommen und des Nachts
erstigen, das thet Her Philipp von Winneberg, sunst hatte
es sein Bruder Her Chuno in Handen.

53) Egelbert herrschte von 1078 bis 1102.

54) Das Volk nennt die Einsiedelei jetzt Udos oder Haarigs-
Klause, von zwei spätern Brüder, deren einer außerge-
wöhnlich behaart gewesen sein soll.

55) Nicht 1136 wie Klein sagt.

56) Das Kloster Sprankirsbach oder Springgirsbach liegt
landeinwärts von Reil in romantischem Walddunkel. Es
ward 1107 gegründet und liegt jetzt in Trümmern.

57) Daß jedoch Kaiser Marimilian bei seiner Moselreise von
Trier bis Coblenz hier sich aufgehalten haben soll, be-
streitet v. Stramberg und mit Recht.

58) Die Limburger Chronik vom Jahr 1360 sagt über ihn:
„Friederich von Hattstein ein wolgeborn Mann, ein
Haubtman dieser Stabt Lympurg, wart anno Dni. 1363
uff den heiligen Pfingstmontag erschlagen, das geschag
under dem Stein ahn der Lahn. dahin man gehet in die
Felde, das taten die von Reiffenberg, die waren Feind
dieser Stabt Lympurg. Die Hern zu Lympurg verlorn

inen zumahll nöhtt, dan er innen sehr nutzlig und dienst-
lig was. Derselbig Friederich ware groß, und so starck,
däß er eine gantze Ahme Weins vor sich uffhube und
brancke aus der Pfunten."

59) Dieser Kirchenfürst regierte von 930 bis 956.

60) Ein früherer Antiquar aus dem Menoritenkloster zu Merl
leitet den Namen Alf aus statio Romana ad alveum,
Arras aus castellum ad aras, Neef aus turris nova
her: Deduktionen, die viele Aehnlichkeit mit jenen bekannten Oberweselern: „Lorch von laurea Bachi, Caub von
cubile Bachi, Mannebach von manus Bachi" haben.

61) . . . coronam juraverit, non barbam se ante positu-
rum, quae ab itinere tum illi forte promissior, quam
castellum suum Arrasium manu hostis extorsisset et
Nantersburgum adversariorum solo aequasset, so erzählt
Brower tom. VI. pag. 35.

62) Decimus Magnus Ausonius war einer der berühmtesten
römischen Dichter des 4. Jahrhunderts und zu Burdegala
(Bordeaur) gegen 309 geboren. Kaiser Valentian berief
ihn zum Lehrer seiner Söhne Gratian und Valentinian.
Er begleitete sie auf allen ihren Kriegszügen. 379 ward
er Consul in Gallien. Später wurde er Proconsul von
Asien und Vicarius der afrikanischen Diözes. Nach Gratians Tode lebte er zu Burbigale seinen Freunden, den
Wissenschaften und ländlichen Freuden und starb um 394.
Einige haben behauptet, er sei Heide gewesen, dies läßt
sich aber mit seiner Stellung zu Valentinian und Gratian nicht vereinigen. Jeden Zweifel darin hebt seine
herrliche oratio, welche mit den Worten: Omnipotens
solo mentis mihi cognite cultu, anhebt. Das vorzüglichste seiner Gedichte ist die „Mosella," die 10te seiner
sogenannten Idyllen, worin er unsere Mosel besingt.
Die vorzüglichste Ausgabe mit kritischem Commentar und
deutscher Uebersetzung hat Böcking 1828 veranstaltet.

63) Klein wirft hier seine historischen Notizen auf eine merkwürdig confuse Weise untereinander. So sagt er Seite 256: das Frauenkloster Marienburg sei unter Erzbischof Hillin im Jahr 1127 errichtet worden. Dies ist ein übles Versehen; denn Hillin regierte von 1152 — 1169. S. 269 kommt er wieder darauf zurück und sagt: Hillin hätte es 1156 ausgebaut und consecrirt. Die letztere Angabe ist indeß richtig. Vergl. Brower tom. II. pag. 46 et 62.

64) Ehedem Cella in Hammone. Man will den Namen von vina cella (Weinkeller) oder auch von claustralis cella (Klosterzelle) ableiten.

65) Hamm hieß sonst der ganze Gebirgsbogen, welcher vom Bulayer Bache bis hinter Pünderich die Marienburger Krümmung umzog.

66) So soll einen Zweig dieses Geschlechts der Erzbischof Hartwich von Salzburg (996), ein geborner Graf von Sponheim, nach Kärnthen geführt und dort mit reichen Lehen ausgestattet haben. Dieser Zweig hat Kärnthen mehrere Herzoge gegeben, große Klöster und die beiden Schlösser Ortenburg erbaut. Die Grafen von Ortenburg nehmen noch heute Rang unter den vornehmsten Geschlechtern Deutschlands.

67) Ob der Gemahl der Gräfin, Johann II., Heinrich oder gar Simon geheißen hat, darüber haben sich die Historiker vielfach gestritten. v. Stramberg und Storck nennen ihn Heinrich, Voigt in der Geschichte der Grafen von Sponheim (v. dessen rhein. Gesch. III. Band die Stammtafel) nennt ihn Johann. Dieser Meinung ist auch der berühmte Würdtwein bei Gelegenheit, wo er die Absolutions-Urkunde mittheilt.

68) Die meisten Chronisten sind der Meinung, Balduin habe der Gräfin 30,000 Pfd. Heller Lösegeld zahlen müssen. Das war aber nicht der Fall, wie v. Stramberg bewiesen. v. dessen Moselthal S. 36.

69) Siehe die Geschichte dieser Zeit in Becker, Rotteck und andern.

70) v. Stramberg kann sich nicht enthalten, bei dieser Gelegenheit in Worte gerechten Unmuths über die Erbärmlichkeit der deutschen Reichsversammlung auszubrechen: „Dieser Vorsicht hätte es nicht bedurft, denn sie fand kaum den Muth zu leiser Klage!" ruft er aus.

71) Eine vollständige Kriegsgeschichte Trarbachs s. in Stramberg's Moselthal S. 71 u. f. oder dem Antiquarius des Moselthals.

72) Es war dies eine Kühnheit, die der curé de Tréves, wie Ludwig XV. den Churfürst spöttisch nannte, schwer büßen mußte. Ein Husaren=Regiment zu Saarlouis erhielt Ordre, ihn lebendig oder todt nach Frankreich zu bringen. Beinahe wäre er auf der Jagd gefangen worden, wenn nicht ein trierscher Postmeister die Husaren im Wald belauscht und ihr Vorhaben bei Zeiten verrathen hätte.

73) Wenn man überdies die Druidensteine in der Bretagne und die Stonehege bei Salisbury mit diesem Wellstein vergleicht, so läßt sich die Aehnlichkeit der Idee und der Arbeit gar nicht verkennen. Selbst der Name unterstützt diese Behauptung; denn nicht von Wilden, sondern von Walen, Wallisen, Wallonen mag das Denkmal seinen deutschen Namen entlehnt haben. v. Stramberg S. 137. Wie nun aber, wenn die Hunnen diese Felsmassen aufeinandergesetzt hätten. Viele sind doch der Meinung, daß sie einst auf dem Hunsrück gehaußt; freilich läge dann die Ableitung von „Wilden" am nächsten!?

74) Früher stand zwar ein Gotteshaus hier', es war dies aber nur die Wolser Pfarrkirche. Erst in dem genannten Jahr urkunden Friedrich, Pfalzgraf bei Rhein, und Christoph, Markgraf zu Baden, daß auf ihre Verwendung vom Pabst Sirtus IV. diese in eine Stiftskirche, gleichwie zu Butzbach, Mergenthal bei Königstein, verwandelt worden ist.

75) Unter den verschiedenen Einkünften, die sich Erzbischof
Boëmund II. am 12. Januar 1366 more Trev. von sei‐
nem Nachfolger Cuno, zu dessen Vortheil er resignirt
hatte, anweisen ließ, befinden sich 20 Fuder Wein, aus
der Bernkasteler Kellnerei zu erheben.

76) Der Leser erlaube mir hier eine kleine Abschweifung. Herr
v. Stramberg, unser geschätzter Historiker, sagt: „Die
berichten, daß Nikolaus Vater ein armer Schiffer gewe‐
sen, verrathen eine große Unbekanntschaft mit den Sitten
der Zeit und des Landes. Das noch jetzt zu Cues be‐
findliche Haus Cusanus mit der Inschrift: Insignia reve-
rendissimi domini Nicolai Cusani Cardinalis et Epis-
copi Brixensis affixa anno domini 1570, verkündet den
ehrbaren und reichen Bürger." Es wäre schwer, einem
solchen Historiker das Gegentheil zu beweisen, ich bin
auch weit entfernt davon und beabsichtige durch meine
Nota nur meine Worte „wohlhabender Schiffmann"
und überhaupt meine Sage zu motiviren. Daß Crifftz
Vater ein Schiffer gewesen sei, daran ist nach Allem
kaum zu zweifeln, denn das Volk, wenn es auch im all‐
gemeinen übel berichtet zu sein pflegt, hat doch auch seine
Stimme bei historischen Referaten und in Cues zweifelt
an meiner Aussage kein Mensch, ja die dortigen Schiffer
theilen meine Sage immer mit einem gewissen Stolz dem
Fremden mit. Crifftz senior kann aber ebensogut als ar‐
mer wie reicher Schiffer sein Gewerbe betrieben und mit‐
hin in seiner Rohheit den widerspenstigen Jungen wohl
an's Land „geschmissen" haben.

77) Ihm wohl hat er es auch zu verdanken, daß das St.
Florinsstift zu Coblenz ihn (1424) zum Dechanten erwählte.

78) Seine Werke sind zahlreich, die beste Ausgabe derselben
wurde 1665 in 3 Bänden zu Basel veranstaltet. Wer
sich über seine Lebensereignisse spezieller unterrichten will,
lese Hartzheim, der sie 1731 zu Trier beschrieben und her‐
ausgegeben hat oder v. Stramberg S. 295—324.

23

79) Fons Milonis, von dem Erzbischof Milo, der im 8. Jahrhundert regierte, so genannt. Milo, der gewaltige Erzbischof
von Trier und Rheims, indem er unweit Ehrang, an den Ufern
der Kill jagte, wurde von einem Eber dergestalt verletzt,
daß er gleich darauf den Geist aufgeben mußte, um 753.

80a) Dürften wir eine Meinung über die Entstehung dieser
unter dem Namen „Rammstein" bekannten Burg äußern,
so wollten wir fast behaupten, eins von den beiden eben-
erwähnten Schlössern müsse jener Rammstein sein. Brower sagt tom. II. pag. 104: Is comes (Fried. Vienensis)
quidem ad injuriam promptus et audax, prope in
oculis Archiepiscopi, proxime urbem Quintebergum,
haud longe ab Erangio vico et Milonis fonte, castrum,
quod nefas in alieno solo, venitente domino fundi,
aedificatum ibat. Kann man wohl jetzt noch an meiner
Aufstellung zweifeln? Herr v. Stramberg erwähnt
weder bei Rammstein, noch Ehrang, noch bei der Quint
einer solchen Burg.

80b) Dergleichen Bilder wie zu Auw findet man auch noch
heutigen Tags in der ehemaligen Franziskanerkirche zu
Ueffling, auch Close genannt, ein Dorf, welches theils
in der Grafschaft Clerv, theils in der Herrschaft Duren
liegt und zu Senlar südwestlich von Bastogne an der
Straße. Viele sind der Meinung, daß die Verehrung
dieser drei Jungfrauen, wo nicht an allen, doch an einem
oder dem andern dieser Orte, heidnischen Ursprungs sei.
Vergl. hierüber einen sehr schätzbaren Aufsatz von F. J.
Müller in der trierschen Chronik 1825. S. 275.

81) Manen, ein Ort von 4000 Seelen, liegt auf dem May-
feld an dem Flüßchen der Nette. Das Schloß ward nach
den Gestis Trevirorum vom Erzbischof Heinrich von Vin-
stingen im Jahr 1280 erbaut.

82) Diesen Mercur will Galba in einer Vorstadt gesehen haben.
Die Inschrift war: Ferreus in vacuis pendens caducifer
auris.

83) Paulus, forojuliensis diac., in hist. episc. Metens. und Brower Annal. trev. tom. I. pag. 348.

84) **Vopiscus**, in der Geschichte des Kaisers Florian, führt ein Schreiben des römischen Senats an den zu Trier an, welches mit den Worten beginnt: „Der große Senat entbietet dem Volk der Treviror seinen Gruß. Der Freiheit, die ihr wirklich genießet und jeder Zeit genossen habt, werdet ihr euch, wie wir dafür halten, erfreuen u. f. w.

85) Das Rittergeschlecht de Palatio stammt nicht aus Pfalzel (Palatiolum), sondern aus dem alten römischen Pallast (Palatium). Es kommt gewöhnlich als Palatii custos et Primor Trevirorum, nachmals auch als Praefectus urbis vor.

86) Thebaische Legion hieß sie deshalb, weil sie früher unter dem Tribun Mauritius in Oberegypten gestritten hatten.

87) Die trierschen Geschichtschreiber behaupten, sie sei zu Trier geboren. v. Brower tom. I. pag. 577. Die englischen Geschichtschreiber dagegen reißen diese Ehre an sich, jedoch sind sie nicht über die Stadt einig. Man streitet sich zwischen Colchester und York.

88) Nach **Stollberg** fällt die Auffindung des Kreuzes in das Jahr 326. v. dessen Religionsgesch. X. S. 181.

89) Irmina war also erst im 14. Jahre als sie den Schleier nahm. Unglaublich, aber dennoch von zahlreichen Chronisten constatirt. Vergl. Hontheim hist. dipl. trev. tom. I. pag. 86, wo auch die Schenkungsurkunde ihres Vaters, des Königs Dagobert II., abgedruckt ist. v. Stramberg zieht aber die Aechtheit dieser Urkunde sehr in Zweifel. Das Kloster Oehren war vom Erzbischof Modoald zu Ehren des Herrn für eine Genossenschaft von Jungfrauen, welche die Regel des heil. Benedictus besolgten, gestiftet. In den ältesten Zeiten war das Gebäude zu den Getraidehallen (horrea) bestimmt, später schuf man es zum königlichen Pallast um. Hontheim erzählt: „Unsere Väter sahen dort noch Ziegelmauern, Marmorsäulen, Hallen und andere Spuren eines großen

öffentlichen Gebäudes." Von alle dem ist jetzt keine Spur mehr vorhanden; man hat das Bürgerhospital dahin verlegt.

90) v. Hontheim Prodrom. hist. trev. tom. II. pag. 997 in Chron. Maxim.

91) v. Brower tom. I. pag. 462, der sich ausführlicher über dies seltsame Ereigniß ausspricht.

92) In den ältesten Zeiten hieß dieser Berg Mons Martis, vermuthlich wegen des an seiner nordöstlichen Seite gelegenen Marsfeldes. Im Mittelalter stand hier ein Jungfrauenkloster St. Martin, woher sich dieser Name schreibt.

93) In dem Prozeß des unglücklichen Stadtschöffen Niklas Fiebler, welcher im Jahr 1581, der Zauberei angeklagt, verbrannt wurde, finden wir Folgendes: „Unlängst darnach hab derselb Ime einenn Bock prachtenn, vnd geheischen darauff Links in Teuffels Namen Zusitzenn, wie geschehen, vnd sei also uff Frantz Koppenn gefarren, Da er allerhandt Gesellschafft gefondenn, habenn Alles zwei und zwei mit einander, links herumb in die Ronde getantzt, er hab mitgetantzt, eß sei kein Essen und Drinckenn daselbst gewesenn, eß seien woll Vurschläg geschehen Den Wein und Korn zu verderben, sei aber nit ad effectum gegangen."

94) Herr v. Stramberg in seinem trefflichen Werk „das Moselthal" giebt uns indeß noch andere Aufschlüße über dieses Balduins- oder Balemshäuschen, wie es nach der dortigen Aussprache lautet. Nach ihm soll das Hänschen seinen Namen nicht vom Churfürst Balduin, sondern einem trierschen Bürger Balduin, entnommen haben, welcher im Jahr 1337 ein Lehnbekenntniß „von wegen seines Hauses Wartberg, auf dem Berge Voyls bei Trier" ausstellte.

95) Ob aber diese Bergkette bei Julius Cäsar, Sueton, Lucan u. a. unter dem Wort: Cebenna (Mons Cebenna) verstanden werde, darüber kann man keine hinreichenden Gründe vorlegen.

Handbüchlein

für Reisende an der Mosel

von Coblenz bis Trier.

Demjenigen, welcher die herrlichen Ufer unserer Mo=
sel besuchen will, bieten sich mannichfaltige Reisege=
legenheiten dazu dar. Wer von Coblenz stromauf=
wärts will und das Fußgehen scheut, wähle das neu=
eingerichtete Dampfschiff, welches ihn in raschem
Lauf nach der uralten Augusta Trevirorum trägt;
oder wünscht er der Betrachtung der romantischen
Ufer nähere Aufmerksamkeit zu widmen, so setze er
sich an einem Sonntag oder Mittwoch, Morgens um
5 Uhr, in eine der elegant eingerichteten Eiljachten
der Herren Steinebach und Leroy und er kommt
nach 3 Tagen in Trier an. Es wird unterwegs in
Senhals und Bernkastel übernachtet. Der Gasthof
in ersterm Ort läßt manches, der in dem letztern
jedoch nichts zu wünschen übrig. Die Bewirthung
auf den Eiljachten ist vortrefflich, der Preis billig.
Bis nach Trier kostet es 3 oder 2 Rthlr.

Wer von Trier nach Coblenz fahren will, thut
am besten, sich der Eiljacht zu bedienen. Auch ra=
then wir, falls eine Gesellschaft von 6—7 Personen
diese Wasserfahrt zu machen beabsichtigt, in Trier

einen mit Leinwand gedeckten Kahn zu miethen, wo=
für man 10—12 Rthlr. zahlt. Man legt die ganze
Strecke in 2½ — 3 Tagen zurück, reist aber dann
ganz ungebunden und wenig kostspielig. Das Del=
keskamp'sche Panorama*) der Mosel ist jedem
Reisenden fast unentbehrlich; denn die Mosel macht
oft bedeutende Krümmungen und bildet Vorgebirge,
welche manchmal in einer halben Stunde abzuschnei=
den sind, während man auf dem Fluß 6 — 7 Stun=
den fährt. Am schönsten sind die Ufer von Bern=
kastel bis Coblenz.

Da dieses kleine Handbuch ein unzertrennlicher
Begleiter zu den vorstehenden Sagen ist, so werden
wir stets da, wo wir von einer oder der andern
Ortschaft das Geschichtliche schon erwähnten, hier
darüber schweigen und durch Angabe der Seitenzah=
len auf die früheren Bogen hinweisen. In dem
v. Czarnowsky'schen Werk: „Die Mosel von
Coblenz bis Metz," mit 30 sehr schönen (in Aquatinta-
Manier gestochenen) Ansichten findet der wißbegierige
Reisende ein ausführlicheres Handbuch. **)

Coblenz, eine sauber gebaute, befestigte Stadt
mit circa 16,000, oder incl. des Militairs und der
Bevölkerung von Ehrenbreitstein mit 21,000 Einwoh=
nern, liegt unmittelbar an der Mündung der Mo=
sel und wird gewöhnlich zu den Rheinstädten gerech=

---

*) Zu jeder Zeit in der Hölscher'schen Buchhandlung in Coblenz
so wie auch in den Buchhandlungen Triers vorräthig.
**) Stets bei J. Hölscher in Coblenz vorräthig, dessen Verlag
es ist.

net. Deshalb können wir uns auch nicht bei ihrer
Beschreibung aufhalten und verweisen den Wißbe-
gierigen auf das treffliche Handbuch von Klein:
„Die Rheinreise von Straßburg bis Rotterdam."

Oberhalb Coblenz blickt, eine Viertelstunde vom
Ufer entfernt, das Kirchdorf Metternich auf die Flußschiffer herab. Der Kümmelberg *), unweit davon, ist
berühmt durch die herrliche Aussicht, welche man oben
genießt. Auch fließen bei Metternich jene köstlichen
Quellen, welche Churfürst Clemens Wenzeslaus, bis
nach Coblenz, durch die Moselbrücke hindurchleiten ließ.

Gegenüber der sogenannten Salmiackshütte,
welche jetzt in einen öffentlichen Vergnügungsort umgewandelt ist, den Strom etwas aufwärts auf der
rechten Seite liegt das ehemalige Abteigut, der Käm-
perhof. Jetzt zu einer Gerberei umgeschaffen, ist
der Boden besonders dem Antiquar wichtig. Hier
stand aller Wahrscheinlichkeit nach Ammians Rigodulum. Ehedem dehnte sich eine Insel unweit davon im Flusse; das adliche Geschlecht der Wisse
leitet seinen Namen davon ab. Seit mehreren Jahrhunderten ist sie fortgespült.

Unweit davon liegt Moselweiß, ein beliebter
Spaziergang der Coblenzer. Die Weißer Kirmes,
singt das Volkslied, ist die berühmteste im ganzen
Land, schon von Altersher. Die Alterthumsforscher
wollen hier Kaiser Caligulas Geburtsort (den vicus
Ambiatinus) hersetzen. Noch heutigen Tags gräbt man
in und um den Ort oft römische Waffen und Münzen aus.

---

*) Auch Carmelenberg.

In der üppigen Gemarkung gegenüber erhebt sich unter grünenden Bäumen der reinliche Pfarrort Güls (v. S. 17) mit seiner schönen neuen Kirche von de Lassaulr 1840 beendet. Die zahllosen Obstbäume machen den Reichthum der Bewohner aus; besonders die Kirschen sind berühmt und werden bis in die Niederlande versandt.

Das unweit davon gegenüberliegende Lay, ein sehr alter Ort, ist bei Ueberschwemmungen und Eisgängen großen Gefahren ausgesetzt und ward schon zu wiederholten Malen gänzlich zerstört.

Hier tritt man in das eigentliche Moselthal, das seine Besucher schon gleich beim ersten Anblick so in Entzücken setzt.

Eine Viertelstunde stromaufwärts erreicht man Winningen (s. S. 22). Der Ort ist besonders durch die ungeheure Menge und auch die Güte des Weins, den man dort gewinnt, bekannt. Uebrigens soll hier zuerst an der Mosel die Rebe gepflanzt worden sein. In der Umgegend gräbt man zuweilen römische Al- terthümer aus.

Oberhalb der Condermühle, auf dem linken Ufer, quillt eine gute Mineralquelle hervor, welche in der neuesten Zeit mit Einfassung versehen worden ist. Eine halbe Stunde landeinwärts erblickt man das ehemalige adliche Frauenkloster Marienrod. Im Jahr 1120 von den Schöneckern gestiftet, wurde es 1794 von den Landbewohnern, die von den Kloster- beamten beleidigt worden waren, zerstört. Die vom Flusse aus sichtbaren Trümmer des Mufferts- oder Muisehrtshauses waren ehedem der Sommeraufent- halt einer adlichen Familie.

Bei Dieblich tritt man in das eigentliche Ritterthal der Mosel (v. S. 25). Der Ort produzirt noch heutigen Tags einen sehr guten rothen Wein, der ehedem noch weit berühmter war. Die Einwohner zeigen auch am Eingang des Dorfes eine Stelle, wo sich eine Zelle für 8 Klausnerinnen befunden hat.

Dieblich schräg über liegt Cobern (v. S. 29). Die Ritter von Cobern, welche auf den beiden Burgen haußten, waren aller Zeit mannhafte, tapfere Leute, die sich auch in den Kreuzzügen mit Ruhm bedeckten. Es werden schon im Jahr 1019 in den Sagenbüchern der Turnirschreiber Freiherren von Cobern genannt. Der weiße Wein, der früher in schlechtem Ruf stand, kommt jetzt immer mehr und mehr zu Ehren.

Eine Viertelstunde aufwärts liegt das alte Gondorf, dessen Inneres und Aeußeres ein ächt mittelalterliches Bild darbieten. Man will des Venantius Fortunatus, Contrua hierhersetzen und nicht ohne Grund. Der Ort muß früher also weit bedeutender gewesen sein (v. S. 42).

Gondorf gegenüber liegt Niederfell und nicht weit davon der kleine Weiler Kühr. Das auf dem linken Ufer lagernde Lehmen ist durch seinen rothen Wein bekannt. Das schöne Thal, das sich mit der am Eingang romantisch gelegenen Burgruine, unweit des Orts, öffnet, führt in die Münsterer Ebene.

Malerisch liegt, an unwirthbare Felsmassen gelehnt, der Pfarrort Oberfell (v. S. 51) und das gegenüber befindliche freundliche Cateneß (v. S. 52), in der Volkssprache „Kackeneß.“ Die Mosel bietet hier das schöne Bild ländlichen Friedens; biegt man aber um die großen Felsmassen auf dem rechten Ufer, so erwachen in dem denkenden Wal=ler alle Träume des mittelalterlichen Treibens. Da erheben sich, gleich gigantischen Zeugen, die gewaltigen Reste der uralten Burg Thuron auf hohen Felsen (v. S. 53). Der heil. Nepomuk, dessen Bild andächtige Schiffleute in die Felsennische setzen ließen, schaut fromm zu den Ruinen herauf und die Häuser des Städtchens Alken drängen sich, gleichsam Schutz suchend, an den Fuß der Felsen.

In der fruchtbaren Gemarkung flußaufwärts, auf dem entgegengesetzten Ufer, breitet sich der ansehnliche Pfarrort Löf aus. Die romantisch zwischen dunklem Waldesgrün hervorblickende Ruine Sternburg gehörte ehedem zu Ehrenburg.

Auf dem jenseitigen Ufer, da wo der Fluß sich krümmt, liegt Brodenbach und in dem sich ober=halb des Orts öffnenden romantischen Thal erhebt sich auf steilem Gipfel die Ruine Ehrenburg, die man nicht unbesucht lassen soll (v. S. 61). Besitzer ist jetzt Herr Probst zu Hatzenport. Den Schlüs=sel zur Burg erhält man in Brodenbach oder auch oben in dem Häuschen vor dem Eingang in die Burg.

Oberhalb Brodenbach treten die Felsen zurück und inmitten üppigen Kornfeldern erhebt sich Hatzen=port (v. S. 68), ehedem berüchtigt durch seinen schlechten Wein, der aber, gleich wie an vielen an=dern Orten der Mosel, immer mehr verbessert wird.

Ueber die Ruine Bischofsstein habe ich Seite 69—73 schon ausführliches abgehandelt. Man hat von dort oben eine schöne Aussicht, aber der Weg ist etwas beschwerlich. Das gegenüberliegende Burgen bildet mit Rhom eine Gemeinde; es kommt schon im 10. Jahrhundert vor.

Links erscheint in einem fruchtbaren Thal der ansehnliche Pfarrort Moselkern. Ehedem herrschte ziemlich bedeutender Handel hier, die Gemeinde litt aber im 30jährigen Krieg unsägliches. Den Bach, der sich hier in die Mosel ergießt, verfolgend, gelangt man durch ein wildromantisches Thal nach dem Schloß Elz (v. S. 73). Wer die Burg besuchen will, muß sich vorher in dem nahgelegenen Münstermaifeld beim Verwalter melden, indem nicht Jeder eingelassen wird. Uebrigens sind weder Rüstungen noch Waffen mehr vorhanden. Unter Ludwig XIV. wäre sie beinah durch französischen Uebermuth zerstört worden, wenn sich nicht der damalige Stammhalter, der im Heere diente, für seiner Väter Haus verwandt hätte.

Von Moselkern den Fluß hinauf, treten die Felsen wieder vom linken Ufer zurück; indeß bietet das herrliche Lußerthal, dem nicht unbedeutenden Pfarrort Müden gegenüber, mit seinem vormals so ritterthümlichen Lütz dem Naturfreund des Interessanten manches. Man kommt das Thal hinauf in die wilden Gebirge des Hunsrückens.

Carden, das uralte Städtchen, blickt oberhalb Müden vom linken Ufer auf grüner Aue malerisch auf den Fluß hernieder (v. S. 83). Das St. Castorstist hierselbst war eins der ältesten erzstiftschen Archidiacone. Der Ort hat mancherlei Verkehr mit der Umgegend. Der Dom ward im 12. Jahrhundert erbaut.

Gegenüber erheben sich auf jähabschüssiger Klippe die Reste einer ehemaligen Einsiedelei und die Zilskapelle. Dicht daneben lagert das Städtchen Treis, von wo man auf einem kurzen Nebenweg durch das Gebirge nach Bruttig gelangt. Zu Wasser dauerts zwar länger, aber die Ufer sind gerade hier sehr schön! Hier hatten die Römer Niederlassungen gehabt und selbst eine Brücke über den Fluß soll ungefähr da, wo die Straße nach dem sogenannten Treiser Schock aufsteigt, gestanden haben. Den Morsdorfer Bach, der sich hier in die Mosel ergießt, aufwärts gelangt man zu den Ruinen des ehemaligen adligen Frauenklosters Engelport. (Vergl. hierüber S. 251.)

An einem grünen Wörth und einer Kapelle vorbei erblickt man am Eingang zu fruchtbaren Feldern und fetten Wiesen das freundliche Oertlein Pommern. Die Mosel durchrauscht hier, eingeschlossen von wild und jähauffteigenden Felsen, in fast schnurgradem Laufe eine ziemliche Strecke, in welcher man auf keinen Ort stößt. Einzelne Gehöfte, halb verfallene Bethäuser verleihen der Gegend etwas trauliches, von dem sich der Wanderer nur ungern losreißt. Endlich unterbricht die Burgruine zu Clotten, auf steiler Höhe gelagert, die bisherige Einförmigkeit. Die Entstehung der Burg läßt sich bis in's 10. Jahrhundert hinaufleiten, denn die Königin Ri-

chenza (v. S. 88) stellte sie schon 1050 wieder schö-
ner her und nahm ihren Wohnsitz daselbst. Nach
und nach immer mehr zerfallend, ward sie im 30jäh-
rigen Krieg gänzlich zerstört. Das unten liegende
Clotten, in früheren Zeiten oft durch Streifkorps
in Kriegen arg mitgenommen, erinnert dennoch
immer durch seine alten Häuser, die oft gothisch verziert sind, an die frühere Bedeutenheit.

Von Clotten hinauf krümmt sich die Mosel, und
um eine schroffe Felsecke biegend gewahrt man in
einiger Ferne die Ruinen der Winneburg (v. S. 95).
Die Häuser der uralten Landstadt Cochem drängen
sich, gleich einer Heerde gescheuchter Rehe, an den
gewaltigen Felsen, auf dessen Gipfel die Ruinen
eines zweiten Rittersitzes, der ehemaligen Reichs-
burg, sich erheben. Dieses Cochemer Schloß ist uralt und auf demselben Fleck, wo sich jetzt die Trümmer erheben, sollen schon die Römer, gleichwie in
der Stadt auf der Felserhöhung, wo sich jetzt die
stattlichen Gebäude eines nun aufgehobenen Kapuzi-
nerklosters befinden, feste Niederlassungen gehabt haben. Die Stadt ist amphitheatralisch gebaut, die
engen und düstern Gäßchen im Innern geben ihr
aber kein besonders freundliches Ansehen. Die Stadt
treibt noch immer lebhaften Handel, ist aber doch
nur jetzt mehr ein Schattenbild ihrer ehemaligen Bedeutenheit. Sie zählt ungefähr 2800 Seelen. Das
Marktschiff, welches allwöchentlich nach Coblenz fährt,
wollen wir dem Reisenden nicht empfehlen. Zu Cochem ward auch der bekannte Peter Martin geboren
(† 1712), dessen etwas zelotische Schriften noch jetzt

24

neu aufgelegt werden. Die Alterthumsammlung des Herrn Hofraths Dr. Comes enthält manches Interessante, der Reisende darf sich jedoch nicht die geringste Hoffnung machen, sie sehen zu wollen. Ueber den Cochemer Berg lenkt eine Straße einen kürzern Weg nach Eller ein. Der Pfad ist jedoch beschwerlich und überdies gehen die herrlichen Flußparthieen verloren.

Auf dem gegenüberliegenden Gestade zieht sich der anmuthige Pfarrort Conb hin. An den kleinen Ortschaften Sehl und Ebernach vorüber blickt aus der friedlichen Umgebung Valwig mit seiner neuen Kirche vom rechten Ufer. Während auf der rechten Seite die Gebirge schroff bis an's Ufer steigen, treten sie auf der linken mehr zurück und lassen üppigen Wiesen Platz. Da liegen malerisch Nieder- und Oberernsch. Der Fluß krümmt sich oberhalb der Ortschaften und läuft dann in grader Richtung an dem beträchtlichen Pfarrort Bruttig, dem Geburtsort des berühmten Grammatikers Peter Schade, genannt Mosellanus († 1524) vorbei. Früher war der Ort bedeutender, wie noch die ansehnlichen alten Häuser zeigen. Dicht daneben, weiter landeinwärts, liegt das kleine nett gebaute Dörfchen Fankel auf einer grünen Anhöhe. Die Mosel rauscht dann bei einem kleinen Eiland über Klippen an dem gegenüberliegenden Ellenz vorbei und bespült die gewaltigen Felsen, auf deren Höhe die herrlichen Ruinen des ehemals so mächtigen Schlosses Beilstein liegen. Die Landschaft ist hier unvergleichlich schön und pittoresk. Alle Erinnerungen an die mittelalterliche Zeit wachen in dem Wanderer auf, wenn er zu den stolzen Trümmern hinaufblickt. Schon im 11. Jahrhundert wird die Burg in Urkunden genannt und kam im Jahr 1638 mit **Winneburg** (s. d.) an das mächtige, hochgeachtete Metternich'sche Geschlecht. Im Jahr 1688 zerstörten es die Franzosen. Das Städtchen gleichen Namens bietet außer dem Marktplatz, der in den Felsen gehauen ist, wenig Anziehendes. Fußgänger können über den Berg auf kürzerm Weg nach Senheim gelangen, was wir anrathen. Wer dem Lauf des Flusses folgt, erblickt auf dem linken Ufer **Poltersdorf**, welches der Sage nach seinen Namen von den ehemals so streitsüchtigen, unruhigen Köpfen die darin wohnten, erhalten haben soll, und auf dem entgegengesetzten unweit davon **Briedern**. Die Mosel krümmt sich jetzt wieder links und bald erscheint rechts **Mesenich** mit einer Kapelle. Die Schifffahrt ist hier durch den starken Fall des Wassers gefährlich. Um die Gebirgsecke biegend gewahrt man, an grüne Hügel gelehnt das beträchtliche Pfarrdorf **Senheim** und schräg gegenüber **Senhals**. Der erstere Ort ward im Jahr 1839 fast gänzlich von der Wuth des Feuers zerstört, erhebt sich aber jetzt schon wieder verschönert allmählich aus der Asche. Daß der seiner Zeit so berühmte **Otto von Senheim**, Weihbischof, hier geboren sein soll, wird mit Unrecht behauptet. [*] Sein Geburtsort ist Coblenz.

---

[*] Klein sagt es und ihm plappern es die Verfasser der sogenannten Reisehandbücher gläubig nach).

Um die Senheimer Ley biegend öffnet sich wieder eine herrlich-romantische Gegend. Der Fluß rauscht fast ganz gerade, an üppigen Wörthen vorbei, bis nach Eller, wo er wieder um ein Vorgebirge biegt.   Auf dem rechten Ufer konnten sich wegen des steil herabsenkenden Gebirges keine Ortschaften ansiedeln.   Zuerst fällt Nehren dem Wanderer in die Augen. Man will, seltsam genug, den fremdklingenden Namen von Nero herleiten, unter dessen Regierung die Römer sich hier niedergelassen haben sollen.   Malerisch, um einen halbverfallenen, viereckigen Burgthurm gruppirt, liegen die wenigen Häuser des Dörfleins Leimen. Diese Ruine war ehedem ein Theil der stattlichen Veste der Ritter zu Leimen, welche schon im 12. Jahrhundert hier haußten.   Malerisch blicken von der waldumkränzten Felshöhe die Trümmer der Ubosklause (v. S. 102) herab. Weiter hinauf erscheinen, umlacht von Feldern, Wiesen und Gärten, die Ortschaften Ediger, dann Eller.   Beide waren ehedem befestigt, wovon man noch die Spuren sieht; die Kirche zu Ediger ist sehenswerth.   Hinter Eller thürmt sich eine kolossale Felsmasse von dem Ufer empor.   Gegenüber jedoch treten in freundlichem Gegensatze die Gebirge zurück und eine herrliche, fruchtbare Ebene öffnet sich.   Da liegen, gleichsam wie auf einem Eiland, die Trümmer des ehemals so prächtigen Frauenklosters Stuben (v. S. 103).   Von dem Gebirge schaut die alterthümliche Peterskapelle auf den Strom herab.   Um diese Halbinsel schiffend lagert am Fuß des Gebirges der Pfarrort Bremm, ebenfalls durch

seine herrliche alterthümliche Kirche bemerkenswerth.
Auch sollen hier mit zuerst an der Mittelmosel Re=
ben gepflanzt worden sein. Neef, auf dem andern
Ufer liegend, gehört zu den ältesten Ortschaften an
der Mosel; auch hier trifft man noch auf recht statt=
liche Reste alter Burghäuser (v. S. 105).

Von Neef aus durchrauscht der Strom in gra=
der Richtung eine herrliche Landschaft: hochaufstre=
bende Felsen wechseln mit Weinbergen und lachenden
Feldern ab, überall Bilder ländlichen Friedens und
Segens. Auf der ganzen Strecke erblickt der Wan=
derer nur ein Dorf, Albegund, auf dem linken
Ufer, halbverborgen hinter einem grünen Flußwörth.
Die Kirche daselbst ist uralt. Weiter oben, am Ein=
fluß des Alfbaches in die Mosel, liegt malerisch der
Flecken Alf am Eingang in ein herrliches Thal.
Von einem hohen, waldbekränzten Felsen in demsel=
ben schauen die Trümmer der Veste Arras (v. S.
109) auf das Eisenwerk der Gebrüder Remy, wel=
ches Beachtung verdient, herab. Das Bad Ber=
trich ist von hier nur drei Stunden entfernt und
man findet jederzeit bei Gastwirth Thiesen zu Alf
Wagen bereit, von welchen man für billigen Preis
auf bequemen Wegen dorthin gebracht wird. Gegen=
über schaut der Flecken Bullay auf die Stromfläche.
Die Gegend ist herrlich und eignet sich vortrefflich
zu einem Ruhepunkt. Wer Gelegenheit hat, wolle
aussteigen, um die erhabene Naturschöne von der
Höhe, wo die Trümmer des ehemaligen Klosters
Marienburg herabblicken, zu bewundern. Besonders
von dem sogenannten Prinzenköpfchen hat man eine

*

prachtvolle Aussicht. Die Mosel beschreibt hier um
ein schroff hervorstehendes Gebirge einen so ungeheu=
ren Bogen, daß man dieselben Klostertrümmer nach
Verlauf mehrerer Stunden wieder von einer andern
Seite erblickt (v. S. 112). Dem Fluß folgend ge=
wahrt man auf dem rechten Ufer den Flecken Merl,
wo ehedem mächtige Adelsgeschlechter haußten. Zwi=
schen der Kreisstadt Zell und dem ebengenannten
Ort liegt Kurrey, so daß man glauben möchte,
das Dörfchen gehöre noch zu dem einen oder andern.
Zell (v. S. 114) hat beinahe 2000 Einwohner
und ist besonders seit dem vorigen Jahrhundert durch
Handel und Weinbau wichtig geworden. Gegenüber
liegt das Pfarrdorf Kaimbt. Da krümmt sich der
Fluß nach der linken Seite und man meint dadurch,
da man weder Aus= noch Eingang erblickt, auf einem
Landsee zu schiffen. Bald erscheint der Pfarrort
Briedel, ehedem Breithal oder Bredal genannt.
Das linke Ufer behält hier seinen düstern, wildro=
mantischen Charakter, während von dem rechten die
Gebirge zurücktreten und einer fruchtbaren Ebene den
Platz gönnen. Da liegt auch Pünderich gegen=
über jener gefährlichen Felsecke, welche die Schiffer
ängstlich scheuen. Der große Bogen, den der Fluß
beschrieben, ist jetzt zu Ende und die Trümmer von
Marienburg winken dem Wanderer den letzten Scheide=
gruß zu. Der erste Ort auf dem linken Ufer, auf
welchen man stößt, ist Reil mit seiner pittoresk ge=
genüberlagernden Kirche. Wer es thun kann, besuche
von hier aus die romantisch gelegenen Trümmer des
Klosters Springiersbach. Auf dem andern Ufer

erblickt man das Dörfchen Burg, wo viel und guter Wein gebaut wird.

Die Niedermosel ist mit den beiden Ortschaften
Enkirch und Kevenich geschlossen. Enkirch zählt
ungefähr 2000 Seelen und besitzt unendlichen Reichthum an Wein. Dicht am Flußbett erheben sich die
Trümmer eines nach der Volkssage ehemaligen Hei-
dentempels. Die dicken Säulenschafte aus Odenwal-
der Syenit sind fast ganz mit Erde bedeckt. Rückwärts Kevenich führt ein steiler Fußpfad auf den
Gipfel der Halbinsel, welche hier, gleich wie oben
bei Marienburg, in den Fluß hineinragt. Da oben
liegen die Trümmer jener französischen Zwingveste
Monroyal (v. S. 127). Um einige grasbedeckte Fluß-
wörthe schiffend gewahrt man auf schwindelnder Höhe
das Dörfchen Starkenburg (v. S. 125). Noch
weiter hinauf, am Fuß des Trabener Bergs, liegt
anmuthig das Fischerdorf Litzig und der Mönchs-
hof. Endlich erscheint das blühende Städtchen Traben mit seinem anmuthigen Aeußern, am Fuß des
Berges gleichen Namens. Der Wein, der hierum
wächst, gehört unter die besten an der Mosel. Das
wußten auch die Alten, darum bauten sie sich schon
in den frühesten Jahrhunderten hier an; wirklich behauptet man nicht mit Unrecht, es sei gallischen Ursprungs, wie auch die alte Form „Traven" verräth.
Gegenüber zieht sich das noch bedeutendere Städtchen
Trarbach, überragt von der Gräfinburg, am Ufer
hin (v. S. 129). Die Lage ist höchst romantisch,
die Straßen im Innern sind zwar sauber aber eng.
Eine herrliche Aussicht genießt man auf der Höhe

des sogenannten Trarbacher Bergs. Wenn die Abend=
sonne ihre letzten Strahlen auf die Gebirge wirft
und die Gipfel vergoldet, dann erhebt sich das Herz
unwillführlich von Staunen und Ehrfurcht ergriffen.
Uebrigens kommt man auf diesem Weg in einer klei=
nen Stunde nach Bernkastel, während man zu
Wasser fünf braucht. Ueber den ³/₄ Stunden land=
einwärts liegenden Wellstein haben wir Seite 132
gesprochen. Am entgegengesetzten Ufer, eine halbe
Stunde von Traben, lacht zwischen grünenden Re=
bengeländen das freundliche Rißbach mit seiner auf
steilem Felsen gelegenen Jeremiashöhle, in der ehe=
dem ein frommer Einsiedler haußte. Bei Wolf, auf
dem rechten Ufer, und seinen malerisch gelegenen
Klostertrümmern (v. S. 134) vollendet die Mosel
jene seltsame Krümmung um den Trabener Berg
und fließt dann durch das ehemalige sogenannte
Kröffer=Reich, welches aus 8 Dorfschaften bestand
und unmittelbar ein Allodium des karolingischen
Hauses war. Als dies Haus ausstarb, blieb es dem
Fiscus und ward endlich von Kaiser Rudolph an die
Grafen von Spanheim als Lehen übergeben. Der
bedeutendste Ort ist das uralte Kröff, welches mehr
Einwohner als Trarbach zählt. Der hier gebaute
Wein ist vortrefflich. Weiter hinauf erscheint Kin=
heim, gegenüber Kindel, Lösenich, dann der be=
deutendere Flecken Erden. All die Ortschaften sind von
alten Zeiten her wohlhabend. Uerzig auf dem linken
Ufer kaum eine halbe Stunde davon gelegen, ist ein
großes Kirchdorf mit fast 900 Einwohnern. Mit Wohl=
gefallen weilt das Auge auf dem rechten Ufer, welches

sich schon bei Erden allmählig zu einer fruchtbaren
Fläche gestaltet. Da liegt der Geburtsort des heil.
Kunibert, Rachtig; gegenüber unweit davon die
beiden Macheren, mit ihrem Kloster (v. S. 144).
Endlich erscheint das berühmte Zeltingen, gekannt
gleich dem gegenüberliegenden Wehlen, ob seines
edlen Weines im ganzen Land; diese beiden Ort=
schaften sind die Perlen der Mosel, was die Güte
der Reben betrifft. Oberhalb Zeltingen blickt Graach
über die Ebene auf den Fluß und an einer Kapelle
vorbei erreicht man endlich des Adelbero's Castell
mit seiner herrlichen Ruine auf der Höhe, das heu=
tige Bernkastel (v. S. 151). Das Städtchen hat
an 2000 Einwohner und besitzt eine sehenswerthe
Kirche. Eine Art fliegende Brücke unterhält stete
Verbindung mit dem gerade überliegenden Cues,
welches durch den Cardinal Cusanus (v. S. 157)
und dessen noch bestehende Stiftung so berühmt ge=
worden ist. Ein Besuch der Kirche und des Insti=
tuts wird Niemand gereuen, zumal der jetzige Direk=
tor, Herr Martini, ein äußerst cordialer, zuvor=
kommender Mann ist. Um ein Flußwörth biegend
gewahrt man auf dem rechten Ufer Andel. Das
Bächlein, welches sich hier in die Mosel ergießt, soll
Goldkörner im Sand führen, ja zu Ende des vori=
gen Jahrhunderts brachte ein dortiger Einwohner
eine ziemliche Stange zusammen.

Oberhalb Andel breitet sich eine fruchtbare Fläche
aus; auf dem linken Gestade liegt der volkreiche
Flecken Lieser, des gelehrten Johann Lesuranus
Geburtsort († 1459). Etwas weiter von diesem

Ufer entfernt erblickt man Maring und Noviana
und jenseits Mülheim, welches seine Entstehung
den vielen Mühlen verdankt. Den Bach hinauf
kommt man nach Veldenz (v. S. 163), wo ehe=
dem ein Kupferbergwerk war, jetzt aber nur mehr ein
Eisenhammer ist. Dasselbe Ufer etwas weiter hinauf
gewahrt man das wohlgebaute Dusemont, der
hohe Berg auf dem linken Gestade ist der Braune=
berg, wo einer der edelsten Moselweine gedeiht.
Bei Filzen, Kesten und Winterich vorbei, al=
les reiche Ortschaften, welche fast für Städtchen gel=
ten, schifft man an dem Ohligsberg, auf welchem
unstreitig der edelste und feurigste aller Moselweine
wächst, vorüber. Etwas weiter hinauf, auf dem
linken Ufer, liegt Minheim, dann folgt jenseits
Reinsport, dahinter Emmel und Müstert.
Die Mosel hat hier jene eigensinnige Krümmung,
welche sie bei Winterich begonnen, vollendet und setzt
nun bei dem berühmten, uralten Pisport (pipini
portus) zu einer neuen an. Der Ort zählt zwar
nur 470 Einwohner, stand aber schon im 12. Jahr=
hundert ob seiner Reben in hohem Ruf. Landein=
wärts gelangt man nach dem ehemaligen Eberhards=
kloster (v. S. 165). Eine halbe Stunde ist man
durch das herrliche Thal geschifft, da kommt am Ein=
fluß des Drohnbaches ein Dörfchen gleichen Namens
und bald darauf des göttlichen Constantins herrliche
Veste Nivomagus zum Vorschein. Das heutige Neu=
magen hat circa 1400 Einwohner. Ehemals hatten
sich auch hier adliche Rittergeschlechter angesiedelt,
deren Sitze aber jetzt bis auf einige Reste verschwun=

ben sind. Der Ort ist übrigens uralt und die dortige Kirche ward schon im 11. Jahrhundert erbaut. Der seiner Zeit berühmte Peter de Noviomago ist hier geboren. Im Uebrigen verweise ich über Neumagen auf Seite 168.

Wer das Fußgehen nicht scheut, der steige der Märterkirche gegenüber aus und er wird auf recht bequemen Fußpfaden in kaum einer Stunde nach Clußerat gelangen, während man zu Wasser wohl mehr als das doppelte braucht. Die Mosel macht hier wieder eine Krümmung wie bei Marienburg u. a. a. Orten. Auf diesem Eiland liegt Trittenheim, ein Ort mit 810 Einwohner (v. S. 173). Dann kommt jenseits Leiwen und Köverich zum Vorschein. Von hier aus verliert das Moselthal seinen herrlichen romantischen Charakter. Die Gebirge treten immer mehr vom Flußrand zurück und die Gestade verflachen sich. Dennoch kommen hin und wieder einzelne sehr schöne Parthien vor und der Fluß hat überhaupt nur sein romantisches Gewand abgelegt, um sich in ein idyllisches zu hüllen. Auf dem rechten Ufer liegen Ternich, Detzem, auf dem linken Ensch, Schleich, Pölich, Mehring. Dem letztern gegenüber schauen die Hütten von Kuhstantinopel auf den Fluß. Wem dieser seltsame Name auffällt, dem bemerken wir, daß dies nur ein Witz ist, der mit Constantins Lager bei Neumagen und mit Constantins Stadt am Bosporus spielt. Zur Herbstzeit geht der Landbauer nicht nach Haus und übernachtet dann hier. Uebrigens mündet die alte Römerstraße „der Rimweg“, von Neumagen aus-

gehend, hier.   An dem linken Gestade reihen sich
nun wieder Lörsch, Longen und gegenüber, etwas
entfernt vom Ufer, das in der trierschen Geschichte
so wichtige Riol, der Alten Rigodulum.   Hier
schlug der römische Consul Cerealis die Trierer un=
ter Valentin (v. S. 191).   Longuich, unweit da=
von, ist ein uralter Ort, der als Longus vicus
schon 633 genannt wird.   Man baut hier viel Obst
und Getraide und preßt aus ersterm den vielbeliebten
Aepfelwein (Fiz).   Eine Viertelstunde aufwärts er=
scheint Kirsch und jenseits Schweich (v. S. 175),
von wo aus die beiden Ufer durch eine Ponte, welche
an einem über die Mosel gespannten Seile hin= und
hergeht, verbunden sind.   Die beiden Thürme sind
erst unter dem letzten Churfürsten (1768) erbaut.
Dann erscheint auf dem linken Ufer Issel und die
Quint, wo die Gebr. Krämer jenes herrliche Ei=
senwerk besitzen.

Am Kyllflüßchen, gelehnt an das Gebirge und
kaum dem Flußschiffer sichtbar, liegt das Städtchen
Ehrang mit Ringmauern umgeben.   Es zählt an
1100 Einwohner und wird schon im 8. Jahrhundert
genannt.   Dicht am Fluß erscheint dann des Cäsars
Burg Palatiolum, jetzt Pfalzel; ein Ort von kaum
1000 Einwohnern (v. S. 181) mit seinen alten
Stiftshäusern und der schönen Kirche.

An blühenden Gartenanlagen, zahlreichen Ver=
gnügungsorten, Villen, alten Klöstern und dem
Dörflein Biewer vorbei erreicht der Wanderer end=
lich das Ziel seiner Reise, die alte Augusta Trevirorum, das heutige Trier.

Ueber die Geschichte der alten Stadt habe ich schon Seite 187 gesprochen, es sei mir deßhalb vergönnt, jetzt nur über ihre Gegenwart einige Worte zu sagen. Die meisten und merkwürdigsten Gebäude sind schon in den Sagen erwähnt, es dürfte deßhalb überflüssig sein, sie jetzt noch einmal zu berühren.

Trier ist eine sauber gebaute Stadt mit wohl 15,000 Einwohner. Die Stadt bietet dem Fremden überhaupt wie dem Freund der Geschichte insbesondere des Interessanten unendlich vieles. „Der Trierer", so schildert ihn uns v. Stramberg und wir stimmen seinem Urtheil, nach den gemachten Beobachtungen, in Allem bei, „ist im Ganzen genommen thätig, betriebsam, häuslich; wenn er sich eine Lust macht, und das thut er gern, so muß er Theilnehmer an seiner Freude haben, denn er ist gastfrei und gesellig. Belästigen will er Niemanden, er will aber auch nicht belästigt sein. In den langen Zwistigkeiten mit den Churfürsten hat sich viel reichsstädtisches, unabhängiges Wesen eingefunden und auf die Nachkommen vererbt. Die Freude ist ernster und ruhiger, als bei den Rheinländern und an der untern Mosel, darum aber nicht minder innig. Unter dem weiblichen Geschlechte erblickt man viele schöne Gesichter und schlanke Figuren, und überhaupt ist die Menschenart groß und stark. Die Sprache hat in ihrer volltönenden Breite etwas ungemein treuherziges und gemüthliches."

Von den Gebäuden und Kirchen, die wir in den Sagen noch nicht erwähnten, sind des Besuches noch würdig:

25

1) Die Liebfrauenkirche, die schönste der trierschen Kirchen, neben dem Dom. Sie ward 1227 begonnen und 1243 vollendet. Sie ruht auf 12 Säulen, jede geziert mit einem der Apostel, und machen wir auf den Stein beim Eingang aufmerksam, von wo aus man alle zwölf Apostel zugleich erblickt. Die Länge der Kirche beträgt 75, die Breite 62 Schritte. Ehedem besaß sie auch einen sehr hohen Thurm, der jedoch aus Besorgniß vor Einsturz abgetragen wurde.

2) Die St. Gongolphskirche auf dem Markt, von deren Thurm man eine herrliche Aussicht genießt. Ihre Erbauung setzt man in's 12. Jahrhundert.

Die andern Kirchen (Trier besitzt deren 8) sind mehr oder weniger interessant.

Der Justizpallast in der Diederichsgasse verdient besonders Beachtung; ehedem war hier das St. Lamberts-Seminar.

Das Theater, ein ehemaliges Kapuzinerkloster, ist im Innern wie Aeußern zweckmäßig gebaut.

Die Gebäude des ehemaligen Jesuiten-Collegiums sind durch das Gymnasium und die Bibliothek wichtig. Diese ward besonders in den letztern Jahren durch die rastlose Thätigkeit der Herren Wyttenbach, Laven u. A. geordnet und vermehrt. Sie zählt über 94,000 Bände, an 4000 Incunabeln und Autographen. Außerdem eine beachtenswerthe Antikensammlung. Besonders merkwürdig ist der sogenannte Codex aureus mit der herrlichen Camee, welchen im 8. Jahrhundert die Schwester Carls des Großen anfertigen ließ. Ehedem war zu Trier eine

Univerſität, welche unter der franzöſiſchen Herrſchaft einging.

Von römiſchen Alterthümern erwähnen wir noch die römiſchen Bäder am weißen oder Altthor, wel= ches ſeit 1817 nicht mehr in Gebrauch iſt. In der neueſten Zeit hat man vielfach über dieſe Trümmer geſtritten; man erklärte ſie einmal für einen Pal= laſt der heil. Helena, ein andermal wieder für ein Pantomimentheater. Nach allem zu ſchließen, gehört es in die conſtantiniſche Epoche. Dürften wir eine Meinung äußern, ſo möchten wir beinahe dafür hal= ten, dieſes herrliche Gebäude (man ſchätzt ſeinen ur= ſprünglichen Umfang auf 700 Fuß), ſei der Pallaſt irgend eines römiſchen Kaiſers, deren ſich ja ſo viele in der berühmten Metropolis Belgicae primae auf= gehalten, geweſen. Man glaubt in demſelben alles wiederzufinden, was zu dem allbekannten Luxus ei= nes vornehmen Römers gehört. Thermen, ein Pan= tomimentheater, Verſammlungsſäle, Hallen, um= fangsreiche Gärten — nichts vermißt man. Der langjährige Streit unter den Archäologen hätte viel= leicht gar nicht begonnen, wenn nicht bei Auffüh= rung der noch ſtehenden Stadtmauer und bei der Einweihung des Platzes zum churfürſtlichen Garten, Alles, auf dem jetzigen, hier etwa zehn Fuß über dem urſprünglichen, ſich erhebenden Boden hervor= ragende, hätte abgebrochen und geebnet werden müſ= ſen. Daß dieſer Pallaſt indeß unter den Römern zum Thor gedient haben ſoll, ſcheint eine ſehr wider= ſinnige Behauptung; denn erſtens geſtattet das ein= zige vorhandene Thor kaum einem Bauernwagen den

Durchgang, und zweitens würden sich die, Bequemlichkeit und Ruhe liebenden, Römer schwerlich in dem schönsten Pallast durch das Gerassel der Wagen haben stören lassen. Die Regierung hat jetzt Sorge getragen, daß man durch einen eigen bestallten Wärter herumgeführt wird.

Trier besaß außer den theils in den Sagen, theils hier erwähnten Denkmälern der Vorzeit noch andere prächtige Bauwerke, deren die Vorfahren gedenken. Vieles aber ward ein Opfer der Habsucht und Nichtachtung des heil. Alterthümlichen.

Von dem großen Circus erkennt man auf dem ovalen, sich weithindehnenden Hügel, auf dem jetzt das Dörflein Heiligkreuz steht, kaum die ehemalige Form und Substruktion wieder; jedoch graben die Dorfbewohner öfters noch römische Ziegel, Bausteine ꝛc. aus. Selbst die Spuren einer Wasserleitung will man gefunden haben.

Den berühmten Triumphbogen Gratians findet man nur in einer unbedeutenden Erhöhung des Erdreichs, auf dem Wege zwischen dem Neu= und St. Barbarathor nach der Mosel, wieder. Eine zweite Erhöhung erinnert daran, daß einst ein hoher Römerthurm, mit Nischen und Statuen verziert (vielleicht ein Centisalum) dort gestanden haben mag.

Wenn man übrigens die Straßen der uralten Stadt durchstreift, wird man überall durch Fragmente ehemals prächtiger Gebäude an die Herrlichkeit der ehrwürdigen Augusta Trevirorum erinnert. Selbst noch jetzt beim Aufbau neuer Häuser stößt man oft auf schönen Mosaikboden, Säulenschafte u. s. w.

Die Umgegend Triers ist äußerst reizend, wie denn die Stadt überhaupt sehr gesund gebaut ist. Die großen freien Plätze im Innern, die Gärten und Anlagen tragen gar viel dazu bei, die ungesunden Dünste zu verdünnen. Wer sich 14 Tage ungefähr hier aufhalten kann, schenke der herrlichen Umgebung seine Aufmerksamkeit. Zu Ausflügen empfehlen wir Pallien, Wettendorfs= und Weißhäuschen, Nells Ländchen mit dem herrlichen Garten. Das Olewigsthal, Zurlauben, Barbeln, ferner Heiligkreuz, St. Medard, Feyen, Merzlich, Euren, Zewen, Oberkirch, das Lustschloß Monaise u. A. Auch Conz, der Römer Contiacum, mit den Resten des constantinischen Sommerpallastes.

Die Bundesfestung Luremburg liegt nur 8 Stunden entfernt und man findet im Trierschen Hof stets Reisegelegenheit. Lohnkutschern zahlt man täglich 2 Thlr. 10 Sgr. bis 20 Sgr. für einen zweispännigen Wagen. Igel, mit dem berühmten Römermonument, liegt nur 4 Stunden entfernt und man zahlt für einen Einspänner 25 Sgr. bis 1 Thlr.

Wer in Trier Alles sehen will, nehme sich einen Lohnbedienten und schaffe sich dann das vortreffliche Handbuch von Haupt: „Panorama von Trier“ *) an, in welchem der Wißbegierige Aufschluß über Alles findet.

---

*) Stets in der Linz'schen Buchhandlung vorräthig. In derselben Handlung findet man auch immer alle französischen, englischen und deutschen Reisehandbücher und Classiker.

le

Register.

———o o———

Coblenz.

Druck und Papier von Wilh. Mainzer.

NIEDERBURG & MATHIASCAPELLE.

SCHLOSS ZU GONDORF

RUINE BISCHOFSTEIN.

SCHLOSS ELTZ.

BURG-TURANT.

EHRENBURG.

RUINE BEILSTEIN.

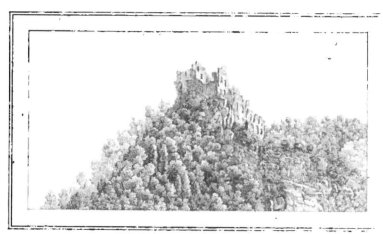

BURG VELDENZ.

Digitized by Google